Le Destin des Vanbergh

Gilberte-Louise Niquet

Le Destin des Vanbergh

ROMAN

Albin Michel

© Éditions Albin Michel S.A., 2002
22, rue Huyghens, 75014 Paris
www.albin-michel.fr

ISBN 2-226-13189-2

À Angèle Niquet,
en affectueux, reconnaissant
et déférent hommage

1

Reine Vanbergh ramasse en une torsade opulente ses cheveux aussi souples que beaux. Ils viennent d'eux-mêmes se mettre en forme entre ses mains et prendre harmonieusement leur place dans la tresse, couleur de blé, qui se façonne peu à peu. Mais Reine n'est pas concentrée sur ce qu'elle fait, ses pensées sont ailleurs. Elle va se marier dans six jours, avec Victor Durieux. Victor à la barbe fleurie ! Des yeux bleus, affables, discrètement polissons parfois, une silhouette bien découplée mais dont on devine qu'elle s'épaissira assez vite. Sa chevelure est aussi blonde que la bière qu'il fabrique, et deux favoris s'en vont rejoindre sa barbe commodément installée sous le menton.

Victor à la barbe fleurie... L'aime-t-elle ? Oui, certes, puisqu'elle envisage de le prendre pour époux, d'en avoir des enfants, de construire une famille avec lui. N'est-ce pas la façon dont les jeunes filles de son temps, de son rang, conçoivent le mariage ? On lui a bien dit qu'il existait un amour différent... Certains prétendent qu'il vous transporte au septième ciel dans un état de telle jubilation qu'on souhaite ne plus en redescendre jamais, et que les instants éblouissants qu'il vous procure valent plus que toutes les heures de la vie réunies... Cela se peut-il ? D'autres ajoutent qu'un tel sentiment

9

consume tout. Après lui, le temps qui reste à vivre n'est plus que cendres.

C'est peut-être pour cette raison que les vieilles du village mettent en garde certaines jeunes filles qui ont aux joues un rose un peu trop vif :

— Fais attention, ma fille ! Après tu t'assoiras sur des cloques.

Reine se regarde dans la glace et secoue la tête : « Eh bien, on verra ! » La pensée qu'un autre mode de vie existe, plus excitant, plus dangereux aussi, ne la trouble pas.

L'heure du dîner approche. Reine va bientôt quitter sa chambre et retrouver à table ses deux sœurs et ses parents. Peut-être même son frère. Elle voit d'ici la salle à manger à la fois cossue et tranquille. Le froid de février n'y pénètre pas. Dès que son père quittera son étude de notaire, la famille se réunira. Sidonie, la domestique, apportera une vaste soupière aux effluves agréables, le père s'assoira, dépliera sa serviette, et tous l'imiteront.

Avant de quitter sa chambre, Reine jette un dernier coup d'œil à son miroir. Sa gorge lui plaît : ample, ferme, et d'une teinte légèrement ambrée.

La cloche tinte. Allons, tout est bien.

2

Dans la salle à manger, le père est le premier présent. Il a le costume noir, la chemise blanche au col cassé, et l'étroite cravate couleur de ténèbres qu'il porte lorsqu'il travaille. Reine lui a dit un jour en souriant :

— Père ! On vous croirait toujours en deuil.

— Ma petite fille, lui a répondu sobrement Romain Vanbergh, ma profession est sérieuse. Je rencontre beaucoup de gens en deuil pour lesquels je règle des successions..., de futurs mariés aussi, dont il faut faire les contrats..., des choses graves de la vie. Un notaire doit être vêtu en conséquence.

Et il n'y est pas revenu. Il revient rarement sur ce qu'il dit, Romain Vanbergh. C'est un homme de certitudes et de principes quasi inamovibles. Tout au plus s'autorise-t-il, le dimanche, à porter un costume gris sombre avec une cravate d'une couleur discrète. Havane éteint, ou gris-noir damassé. Ainsi, à la messe, devant sa clientèle et les notables, il garde le ton.

Il se tient droit derrière sa chaise. Tel est son port : droit sans être guindé. Il a une minceur ferme qui lui est naturelle, mais qu'il entretient aussi chaque matin en faisant de la culture physique. Il est de taille moyenne.

Ses yeux verts sont toujours extrêmement attentifs. Il observe et écoute avec acuité ses interlocuteurs. Dans les moments très rares où l'attention le quitte, nulle rêverie ne vient habiter son regard. Ce serait plutôt une sorte de délassement fugace...

Romain Vanbergh tire la montre de son gousset. 19 heures 50. Le repas est à 20 heures. Personne n'est donc en retard. Pour tromper son attente, il regarde l'éphéméride fixé sur le mur. C'est un gros bloc blanc dont on retire un feuillet chaque matin. Il est collé sur un grand carton coloré où des anges joufflus volettent autour de mères penchées sur des berceaux. Ainsi les valeurs familiales sont-elles honorées. C'est bien. Romain cependant fronce le sourcil. La domestique a encore oublié d'enlever le feuillet, qu'il déchire alors d'un petit geste sec. La date du jour apparaît : 12 FÉVRIER 1905.

Et voilà la famille qui arrive de différents endroits de la maison : Reine, d'abord, celle qui ressemble le plus à son père. Il émane d'elle, Romain le pressent, une force intérieure, silencieuse et dense, de taille à affronter toutes les sinuosités de l'existence : ses nonchalances comme ses ardeurs. Il n'y a pas en elle — ou rarement — d'exubérance, et elle s'accommode de l'empois bourgeois ; elle a de la contenance et du caractère. Jusqu'ici elle n'y a jamais dérogé. On n'imagine pas qu'elle le fasse. Tandis que sa fille vient vers lui pour l'embrasser, un mot surgit dans l'esprit de Romain : « Plaisir. » Reine est aussi faite pour le plaisir. Elle exigera toujours de la vie qu'elle lui serve ce suc délectable. Et si elle ne l'obtient pas...

Romain suspend là sa réflexion. Luce entre à son tour dans la pièce. Elle est de deux ans la cadette de Reine. Brune et lisse, sa peau mate est d'un bistré sans défauts. Elle a des yeux noirs habituellement habités par des tonalités modérées : attention, approbation, réserve ;

tout est parfaitement maîtrisé. Cependant, l'esprit n'est pas terne. Il dispose même de fards de choix : une imagination superbe, une faculté d'analyse aiguë et de la détermination. Il n'est pas rare que Luce émette ainsi, de son ton tranquille, des avis qui étonnent ou des décisions qui surprennent. La dernière en date consista à annoncer à son père son intention de se présenter au concours d'entrée à l'École normale de jeunes filles. Romain en fut extrêmement surpris. Une fille de notaire ne travaille pas, voyons ! Certes, Luce est brillante au pensionnat Sainte-Gudule où elle prépare le brevet supérieur. Certes, le métier d'enseignant est noble. Mais tout de même, institutrice !...

Il n'y eut pas d'éclats ce soir-là, cependant. « Nous y réfléchirons, Papa », a conclu Luce. Mais elle se comporte depuis comme si le fait était acquis : il y a quelques jours, elle s'est inscrite au concours.

La jeune fille n'est ni belle ni laide. Cheveux bruns coiffés en bandeaux autour d'un visage ovale. Corps long et musclé. Aimera-t-elle un garçon un jour ? Nul ne saurait le dire. Tout est possible. Luce a de la ressource. Mais elle entretient son jardin secret.

Voilà qu'Églantine arrive dans la pièce. Romain, qui s'avance vers elle et lui baise la main, n'ose formuler la pensée qui lui vient spontanément : « Qu'elle est belle ! Comment fait-elle ? »

Églantine est la mère de ces jeunes filles. Sa cinquantaine est radieuse. On dirait que toutes les fleurs de son jardin se sont mystérieusement alliées pour lui donner ce teint ensoleillé. Quand elle sourit, ses yeux gris s'emplissent de menues pépites qui les nimbent d'or. Et si sa chevelure est presque argentée, c'est que la blondeur de sa jeunesse y côtoie les premières mèches grises. L'ensemble forme un platine lumineux qu'elle relève gracieusement en chignon. C'est une liane. Elle est mince et souple. Les ans et les maternités n'ont pas eu prise

13

sur elle. « Votre corps de fée... », lui dit parfois Romain, le soir. Romain le rigide et la flexible Églantine... un couple.

Elle jette un doux regard circulaire et demande : « Mariette n'est pas là ? » Elle s'enquiert là de sa troisième enfant, qui entre précisément à cet instant, une expression pensive sur le visage. Mariette, la studieuse, cherche peut-être la solution d'un problème ou le dénouement d'une rédaction.

Elle est plus petite et plus trapue que ses sœurs. Sa chevelure frisée hésite entre le blond et le châtain. Ses yeux ont un bleu d'aigue-marine. Est-ce leur clarté qui permet aux rêves de s'y mirer autant ? Toujours est-il qu'ils la traversent souvent, et y laissent de longs sillages. La sage, la studieuse Mariette porte ainsi dans son cœur toutes les voiles du romantisme : celle de l'amour, d'abord, gonflée par le bonheur, puis, celle de la maternité, gonflée par la plénitude.

Romain se signe :

— *Benedicite,* commence-t-il.

La prière se dit en latin. C'est l'usage.

— Amen.

Chacun s'assoit, déplie sa serviette, et la domestique entre avec le potage.

— Verrons-nous Vincent ce soir ? s'informe Romain en tirant sa montre de gousset. L'omnibus arrive à 19 h 30, il devrait être là.

— Il a peut-être été retenu, suggère Églantine.

— Oublierait-il que sa sœur se marie dans six jours ? demande Romain. Il serait temps qu'il s'y prépare. A-t-il seulement essayé son costume ?

Un coup de vent, et il est là, haute silhouette qui entre avec la bouffée d'air que déclenchent ses grands pas pressés. Il porte la faluche des étudiants en droit, en velours noir avec un ruban grenat. Verts sont ses yeux. Il est grand.

3

Le potage est apprécié. Les filets de perche qui suivent ne le sont pas moins. Vient enfin le dessert : des pommes à la cannelle cuites au four. Romain aime ces desserts d'hiver qui tiennent chaud au corps, et resserrent en même temps l'intimité familiale par le bien-être qu'ils dispensent.

Il attaque délicatement sa pomme quand Vincent prend la parole. Rapide et direct, comme toujours.

— Papa, dit-il tout à trac, j'ai une nouvelle à vous annoncer.

Le silence se fait. Romain regarde son fils avec attention. Vincent est concentré, il trouve les mots les plus justes.

— J'ai bien réfléchi, dit-il. Je ne veux plus faire mon droit.

La nouvelle semble brusquement repousser jusqu'aux murs la sérénité familiale. Le silence qui suit s'emplit d'interrogations. La tension est si palpable qu'on pourrait la toucher du doigt.

La voix de Romain est sèche :

— Et tu vas faire quoi ? demande-t-il.

Les yeux verts de Vincent s'emplissent de lumière, celle de la certitude.

— Je vais terminer mon année de droit, et ensuite je m'inscrirai en médecine.

Il regarde l'assistance puis, semblable à un jeune officiant avouant son credo :

— Je veux être médecin.

Son visage est empreint d'une radieuse gravité. Il sait que le métier qu'il choisit sera dur, mais il a confiance.

Ce qui suit ressemble très vite à un échange d'escrime :

— Notaire est une profession honorable, dit Romain Dans une commune, le notaire est respecté.

— Le médecin aussi, dit Vincent.

— Tout dépend... (rétorque Romain). Tout dépend de l'orientation qu'on donne à sa carrière. Si tu atteins l'agrégation et le professorat, soit. Mais en es-tu capable ?

— Je ne veux pas être professeur, dit Vincent. Je veux être médecin de quartier. Au service de tous.

— Dans les quartiers pouilleux de Lille ! s'exclame Romain. Wazemmes... Saint-Sauveur... Tu t'y vois ?

— Oui, père, répond posément Vincent.

— As-tu songé à ce que tu vas perdre ? Le notariat est un métier propre, quand les affaires marchent et qu'on se fait aider, c'est un métier qui n'est pas fatigant. Médecin, c'est tuant.

— Je sais, répond Vincent.

Cette assurance à la fois humble et déterminée agace Romain.

— Voyez-vous ça, ironise-t-il. Monsieur l'abbé Vincent accepte de trimer toute sa vie pour venir en aide à son prochain !

— La comparaison ne me déplaît pas, dit Vincent. Médecin, c'est... un peu un sacerdoce.

— Mais tu feras aussi ton sacerdoce en étant notaire. Les gens viendront à toi, te demanderont conseil, tu les guideras dans leurs choix.

— Mais je ne les guérirai pas, répond Vincent. Je ne serai pas au cœur de leur mal, avec eux pour livrer combat.

Cette fois Romain repousse sa serviette avec irritation. Assez d'arguties. Il va abattre son atout maître.

— Qui paie tes études, mon garçon ?

Vincent pâlit.

— Vous, Père.

— Dans ce cas, dit Romain, il me semble qu'on peut tenir compte de l'avis de l'officier-payeur.

La pâleur s'accentue sur le visage du jeune homme, mais ses mains, qui serrent le rebord de la table, révèlent sa résolution. Dans son regard, avec la sincérité, la détermination, il y a aussi le respect de son père.

Il choisit ses mots. Aucun ne doit trahir ce qu'il ressent.

— Père, dit-il, si vous n'approuvez pas mon choix et cessez de payer mes études, je comprendrai... c'est normal... Je respecterai votre décision. En ce cas, je travaillerai pour financer mon parcours.

— Et que feras-tu ? ironise Romain. Tu ne t'es encore jamais sali les mains, que je sache.

Vincent reçoit la flèche sans broncher.

— Il ne manque pas de métiers où je pourrai proposer mes services.

Sidonie apparaît et commence à desservir. Le père et le fils se sont tus.

On passe silencieusement dans le salon pour la petite veillée habituelle. C'est l'heure des infusions : tilleul à la fleur d'oranger et verveine. C'est aussi l'heure du piano et des romances. Luce prend place devant le clavier et Mariette chante. Elle chante comme un soliste de manécanterie. Elle chante presque comme une petite diva. Car sa voix est pure et ample.

Je pense à vous quand je m'éveille
Et de loin, je vous suis des yeux...

Maître Vanberg se laisse émouvoir par la voix de Mariette. Reine, qui écoute, se dit qu'elle ne pense pas à Victor quand elle *s'éveille*. Et pas davantage ne le *suit des yeux*. Il lui suffit de savoir qu'il va bien et qu'elle le verra dimanche, lorsqu'il viendra prendre le thé. « Fadaise de romance », se dit-elle.

Romain apprécie le chant, non pour lui-même, mais pour le rituel. Une famille qui a de la tradition, et qui s'y tient, va bien. Le père a cependant un silex dans le cœur : la décision de son fils. Mais, pour rien au monde, il ne voudrait apporter une dissonance à la soirée. Celle-ci doit se dérouler comme toutes les autres : dans le cadre d'une famille unie, dont les membres ont bien rempli leur journée. La décision de son fils, il s'en occupera après.

La romance achevée, Reine lit à voix haute une nouvelle du *Petit journal illustré*. Après quoi, chacun se lève pour prendre congé.

À son fils, Romain dit seulement :

— Tu n'as pas oublié que tu vas être le témoin de ta sœur ?

L'immense garçon se penche vers Reine. Il tient de sa mère ses cheveux d'or pâle, tout bouclés, et son regard lumineux :

— Sœurette, dit-il, je serai là, fin prêt. À tes ordres pour tout ce que tu voudras.

— Ce que je voudrai, dit Reine, mais Victor aussi aura son mot à dire.

Vincent lui prend les mains :

— Ce que vous voudrez tous les deux.

Il dit ces mots, Vincent le bienveillant, avec plein d'allant dans le cœur. Il souhaite une bonne nuit à ses sœurs, s'arrête un court instant devant son père :

— Bonsoir, Papa.

Mais pour Églantine il se courbe, et pose un délicat baiser dans le pli de son cou.

— Maman, dit-il seulement.

Ce mot-là et le sourire qu'il suscite chez Églantine s'inscrivent dans un cercle parfait. La connivence.

4

Le lendemain, Vincent s'éveille dans sa chambre. Il lui semble qu'il l'a quittée il y a longtemps. Pourtant, il n'est étudiant que depuis dix-huit mois. Mais sa chambrette lilloise est tellement différente de cette pièce !

Ses yeux se posent sur les longs rideaux vaporeux qui s'entrecroisent devant la fenêtre. Le papier est anglais : de fines rayures havane et beige. Sur ce point, Vincent a tenu bon quand on a rénové sa chambre : « Pas de fleurettes, Maman, s'il vous plaît... je ne suis plus un enfant. » Églantine a acquiescé. Son fils a raison, c'est un jeune homme à présent. « Elle est comme ça, Maman, pense le jeune homme, quand c'est juste, elle le reconnaît. Ça ne l'empêche pas de dire "non" quand ça cloche. De le dire recta et de s'y tenir comme un vrai petit soldat. Maman, je t'adore... Maman tout en nuances... Maman qui a tant de camaïeux sur sa palette qu'on y trouve toujours la teinte qu'on recherche... » Puis son regard dérive lentement autour de lui : les parquets sont beaux, bien cirés. Dans la grande armoire campagnarde en chêne, ses vêtements sont rangés. Impeccablement. Il y a même un valet cintré pour recevoir ceux qu'on retire le soir. Vincent retient un rire. Il pense au désordre de sa chambrette d'étudiant, le pantalon par-ci, la chemise par-là... Ce qui ne l'empêche pas, généralement, la tête enfiévrée, de plonger avec bonheur dans son lit.

Après avoir enfilé une robe de chambre, Vincent s'approche de la fenêtre et écarte les rideaux :

— Chic ! Il a neigeoté cette nuit ! Le talus de la ferme doit être glissant... On va se payer une partie de glissades avec Hyacinthe ! Sur les pieds ou en tape-cul.

Cette perspective emplit Vincent de bonne humeur. Hyacinthe est son ami d'enfance, son inséparable complice des tendres années. Le village n'ayant pas d'école privée, Vincent et ses sœurs sont allés à la communale jusqu'à l'âge de l'entrée en 6ᵉ. Ensuite, Vincent est entré à l'internat Saint-Joseph, à Lille. Mais ces cinq années de communale ont compté dans sa vie. Il y est devenu l'ami de Hyacinthe, le fils du fermier Librecht, celui de Victor Durieux, son futur beau-frère, dont le père est brasseur, et d'Augustin Pétrée, le fils du charron... En ont-ils fait des roulades dans la paille de la grange des Librecht ! En ont-ils eu des fous rires quand ils ramenaient les vaches du pré ! Ils étaient sûrs que la calèche de madame de Beauprée passerait à cette heure-là. Quand elle revenait de ses œuvres, ils faisaient alors semblant de bousculer les vaches pour qu'elles se dépêchent de rentrer et dégagent la route. « Eïh !... Eïh ! » criaient-ils. Mais en fait, les bêtes ne comprenaient pas cette injonction. Ce qu'il fallait, c'étaient des coups de gaule sur leurs croupes, et crier : « Hop, la Zette ! Hop, Nénette ! » À défaut, le troupeau allait paisiblement son train. La calèche était donc contrainte de se mettre au pas, de suivre le troupeau, et de rouler dans les flaques de bouse que Zette et ses consœurs laissaient derrière elles.

Parfois, ils allaient chez Victor. La cour de la brasserie de son père était immense et pavée. Il s'y trouvait toujours des attelages qui attendaient. Les ouvriers brasseurs roulaient les tonneaux sur un remblai. Puis ils les

soulevaient, les portaient à plein ventre, et alors... hop !
ils les passaient au conducteur, debout dans son attelage.
Puis venaient les caisses de bouteilles de bière... Victor
et ses copains s'inséraient parfois dans la chaîne qui
transportait les caisses de l'entrepôt au chariot. C'était
dur, les caisses étaient lourdes, mais on était fier de se
dire qu'on devenait des hommes ! Dehors, il y avait cette
odeur particulière, un peu écœurante, qui venait des
grandes cuves de la brasserie, là où le houblon, le malt
et la levure fermentaient.

Une fois, ils avaient gravi la haute échelle, et s'étaient
introduits dans la grande salle de la brasserie, là où se
faisait la bière. Fascinés, ils avaient regardé les immenses
cuves où bougeotte toujours un moût brun. Les
ouvrières en sabots le remuaient inlassablement avec de
grandes pelles en fonte. Les cheveux enserrés dans des
foulards à carreaux noués derrière la tête, elles portaient
un tablier bleu marine aux cordons passés deux fois
autour de leur taille. Il faisait très chaud car la température nécessaire à la fermentation doit être scrupuleusement respectée. Parfois, elles interrompaient brièvement
leur piétinement pour s'éponger le front et s'interpel-
laient :

— Il fait chaud, hein !

— Passe-moi le râteau.

Le râteau permet de ramener le moût central vers la
paroi des cuves et vice versa. Le moût doit être constamment remué sans brusquerie.

« Bientôt, se dit Vincent, Victor va s'occuper de la
brasserie. Aimera-t-il ? Il faudra que je le lui demande. »

Après être passé dans son cabinet de toilette, il descend l'escalier en sifflotant et entre dans la cuisine.

Deux mains douces se posent sur les yeux
d'Églantine :

— Devine.

Elle n'hésite pas un instant :

— Mon garçon, dit-elle.
Elle se retourne ; ils rient ensemble.

Le petit déjeuner est servi dans la véranda. Romain s'y trouve déjà sous la grande verrière bleue que des feuillages parcourent hardiment. Le journal *Le Matin* est déployé devant lui. Il jette un bref coup d'œil à son fils, répond à son bonjour et se met à table. Après avoir consulté Églantine hier soir, il a décidé de ne pas reprendre la conversation avec son fils avant le mariage. Mais après...

Dix minutes. C'est le temps qu'il consacre au petit déjeuner. Puis, impeccablement cravaté, Romain se rend à son étude.

Son départ remet immédiatement du naturel dans l'air. Vincent rit dans son col roulé en demandant à ses sœurs :

— Devinez où je vais, les filles, ce matin ?

Et devant leurs regards interrogateurs il s'exclame :

— À la ferme Librecht. Je vais voir Hyacinthe.

— Et la fac ? dit Reine.

— Ma chère, ton mariage valait bien quelques jours de congé. Je me suis arrangé avec un camarade qui me prendra les cours. Et jusqu'à mercredi, je suis ton serviteur.

Il va sortir mais se ravise :

— Jusqu'à mercredi soir, précise-t-il. Après, Victor sera le maître à bord.

Reine ne sait pas pourquoi cette taquinerie l'agace. Maître à bord, Victor ? Et pourquoi quelqu'un deviendrait-il maître à bord parce qu'il se marie ? Victor et elle mèneront leur vie à deux. Mais quant à sa propre vie, ses lectures, ses activités hors mariage, personne d'autre qu'elle n'en décidera. Il n'y aura jamais de maître à penser, elle en est sûre. Elle poursuit sa réflexion et achoppe sur une question : « Absolument sûre ? » Elle jette un regard à la glace sur pied qui lui fait face : elle y voit un visage, des épaules, que toute la force de sa personnalité imprègne. Bien que lui revienne à l'esprit une pensée du vieil oncle Irénée qu'elle adore : « Souviens-toi, petite... il n'y a qu'une chose qu'on ne peut pas changer : son destin », elle n'en démord pas. Elle sera toujours maîtresse de sa vie.

5

D'un grand pas léger, Vincent gagne l'arrière-cuisine.
C'est une vaste pièce, purement fonctionnelle. Pas de
carrelage, pas de faïences, pas de rideaux coquets, pas
de pépiements de couleurs comme dans la chaleureuse
cuisine. Les murs ont été peints en gris avec soubasse-
ment vert foncé. Au centre, trône la grande cuve dans
laquelle Sidonie met à tremper sa lessive avant de la
transporter sur une grosse cuisinière adossée à un mur.
Allumée au petit bois, puis chargée au charbon, ce mas-
todonte en fer pourvoit à tous les besoins de la vie
domestique. D'un mur à l'autre, sur des fils de laiton,
on étend le linge les jours de pluie. Face à la cuisinière,
une table massive s'appuie des quatre pieds sur le sol
cimenté. Tous les jeudis après-midi, Sidonie y déploie
deux épaisses couvertures, puis se met à repasser. Il faut
la voir saisir un fer, s'assurer de sa chaleur en l'approchant de sa joue, puis le faire voltiger sur le linge en
accompagnant son travail de chansons :

> *Ô mon cher amant, je te jure*
> *Que je t'aime de tout mon cœur*
> *Mais hélas ! la misère est trop dure*
> *Et nous avons trop de malheurs.*

Quand ils étaient petits, les enfants s'asseyaient sur des tabourets et l'écoutaient tout en mangeant les tartines à la cassonade qu'elle leur avait préparées pour le goûter. Alors, elle variait son répertoire :

Sur le rivage où la vague légère
Est au repos.
Les enfants jouent sous les yeux de leur mère
Aux matelots.

Vincent sourit à ce souvenir d'enfance, tout en se dirigeant vers une armoire. Là, toutes les chaussures de la famille sont rangées. Chacun a son rayon. Sur le sien, le garçon repère tout de suite les lourds brodequins cloutés qu'il met pour marcher dans la campagne. Ils adhèrent bien à la glaise. Chaussures lourdes, chaussures d'homme.

Une veste, une écharpe, et voilà Vincent Vanbergh dehors. Le froid ne tarde pas à l'attraper par le coin de l'oreille. Bigre ! Ça gèle. Bientôt, son visage est rouge, et frais, et beau comme un soleil d'aurore. Il a vite fait de descendre la rue principale où se trouvent tous les commerçants, ainsi que les officines et l'étude de son père. À l'une de ses extrémités, elle aboutit à la place de la Gare. À l'autre, elle débouche sur la rue de la Quièze. La rue de la Quièze file vers les champs, à la sortie du village. De fait, Vincent voit de loin le panneau annonçant la fin de l'agglomération : WOINCOURT. Une bonne centaine de mètres, et le garçon longe sur sa gauche un vaste bâtiment. Il est en retrait au fond d'une grande cour. Mais c'est une immense bâtisse. Murs de brique, toits de tuiles, cheminées d'où sort nuit et jour la fumée. Un vantail massif à deux battants donne accès à la cour. On y entend un va-et-vient incessant d'hommes qui s'interpellent, d'objets lourds remués, de hennissements de chevaux. C'est la brasserie Durieux. Victor est-il là ?

Quelques mètres encore, Vincent tourne à gauche, et voilà la ferme Librecht. Il franchit le grand porche où les vents se sont toujours battus comme des fous. On est ébouriffé quand on le passe. Et tout de suite, l'odeur de la ferme vous saisit... Ah ! Comment la décrire ? Ça sent le poulailler, le fumier, le lait frais, les légumes... C'est une odeur primitive et forte. Dans un coin de la cour, un homme pique du fumier à la fourche et le dépose dans une brouette. Vincent sait qu'il va le déverser sur des silos pour protéger les légumes du gel. L'homme porte un pantalon de velours brun, un gilet noir, une chemise de laine sans col, fermée par un bouton sur le devant. Son cou est puissant. Des boucles courtes et drues, couleur de copeaux, descendent sur sa nuque. Vincent chante son nom :

— Hyacinthe !

Ils sont dans les bras l'un de l'autre. Hyacinthe Librecht a les yeux de la couleur de ses cheveux : dorés. Il est si beau ! On dirait le dieu du Vent. Car il s'accommode de tous les temps. Pluie, neige ou canicule, Hyacinthe est toujours fort et superbe. Son teint hâlé ne varie pas. Quand vient la ducasse du village, l'été, toutes les filles font des vœux pour danser avec lui... et particulièrement Rosine.

Elle est là, qui rince de grands bidons de lait, qui côtoie Hyacinthe chaque jour. Elle ne fait pas partie de la nichée Librecht qui compte quatorze enfants. Elle est la fille de « la Zélie », comme on nomme sa mère au village, une femme qui fut grosse un jour sans avoir de mari. Quand on est un enfant sans père, à cette époque, on est comme Rosine se résigne à l'être : discrète, humble, et disponible pour les besognes modestes. Employée de ferme, par exemple. On prend le travail là où on peut. Là où on veut bien de vous. Pourtant, elle n'est pas sotte, la petite Rosine. Elle a eu son certificat d'études, et c'est en raison de sa condition que l'inspecteur l'a déclassée après concertation avec les enseignants. Sinon, elle aurait eu le prix cantonal. Mais ça ne se pouvait pas. Une enfant naturelle, la première du canton. Non !

Au plus profond de son être, Rosine a trois certitudes : un grand courage dont elle a pu mesurer l'endurance. Elle sait qu'il ne la lâchera pas. Le goût de la culture. Elle lit tout ce qu'elle peut trouver : un journal, un livre, un almanach Vermot que madame Librecht s'apprête à jeter et qui date de deux ans. Dans sa petite soupente, à la lueur de la chandelle, elle lit le soir, quand son travail est terminé. La troisième certitude emplit toute sa personne. C'est son épicentre de ferveur : son amour pour Hyacinthe. Le sait-il seulement ? Est-ce qu'on lève les yeux sur le fils du maître quand on est domestique ? En aucun cas. Mais Rosine sait que Hyacinthe et elle sont semblables. Chez Hyacinthe, malgré sa beauté, malgré les filles qui lui courent après, il existe la même rectitude. Le même sens, la même recherche des choses vraies. Alors, ne se doute-t-on pas qu'on est aimé quand on est aussi proches ? Rosine pense qu'un jour viendra où Hyacinthe saura qu'elle en est amoureuse, aussi sûrement qu'il pressent la germination au frémissement de la terre en avril. Elle attend.

En passant devant Rosine, Vincent s'arrête et l'embrasse. Elle aussi est une bonne camarade de classe :

— Ça va, Rosine ?

— Viens, on va boire le vin chaud à la cannelle, dit Hyacinthe à son ami.

C'est une recette de madame Librecht pour réchauffer son monde quand il fait froid. « Pour nous requinquer », comme elle dit. Elle prend un vin rouge qu'elle fait chauffer avec de la cannelle, du sucre roux et un clou de girofle. On le boit debout. Hyacinthe est pressé d'emmener Vincent dans un coin tranquille où ils pourront parler.

Ils gagnent le pré où les vaches broutent lorsqu'il fait beau. Aujourd'hui, l'herbe est gainée de givre. Les bêtes sont à l'étable. Au fond du pré, un monticule. C'était leur lieu de rendez-vous préféré lorsqu'ils étaient enfants. Hyacinthe s'y assoit :

— On va se geler le cul, dit-il, mais on sera tranquilles pour parler.

Un silence suit. Puis :

— Ça va, toi ? demande Hyacinthe.

— Pour le moment, oui, dit Vincent, mais après... j'ai bien peur de faire du grabuge.

— Du grabuge ?

Vincent explique à son ami son intention d'abandonner le droit et de faire médecine.

— On est des milliards sur terre, tu comprends. Si chacun reste dans son petit coin à ne penser qu'à gagner des sous, à se marier, à faire des petits gars semblables à soi-même, qui à leur tour, sur le modèle des parents, ne penseront qu'à gagner des sous... ça ne sert à rien, ou pas à grand-chose.

Il s'interrompt, frotte ses mains pour les réchauffer.

— ... Il faut être solidaire de la grande masse humaine, Hyacinthe, apporter sa petite consolation... Sa goutte d'eau. Et si chacun donnait la sienne...

Hyacinthe l'écoute attentivement.

— Moi, je veux donner la mienne, dit Vincent, même si c'est dérisoire... Et aussi avoir des enfants et leur montrer l'exemple. Du moins, le leur proposer. Ils en feront ce qu'ils voudront.

— Je comprends, dit Hyacinthe.

— Je crois qu'on n'est pas un homme si l'on n'a pas conscience de la douleur du monde et si on n'essaie pas, un tant soit peu, de l'apaiser.

Il envoie une bourrade dans les côtes de son ami :

— Ça n'empêche pas d'être joyeux, dit-il.

Hyacinthe sourit. Après un silence, il remarque :

— Victor et Reine vont bien ensemble. Ils sont pareils... ils ne demandent à la vie que le bonheur.

— C'est déjà beaucoup, observe Vincent. Je ne suis pas sûr qu'elle le leur donnera à jet continu.

— Ils demandent peu sans le savoir parce qu'ils ne voient pas au-delà d'eux-mêmes. Moi, je veux plus...

Vincent se tourne vers son ami. Le regard de Hyacinthe tangue au-delà du pré, au-delà des labours avoisinants, comme s'il y cherchait le souffle de sa pensée...

— Je veux être prêtre, dit-il enfin.

Vincent reste stupéfait :

— Quoi ?

— Tu vas comprendre, dit Hyacinthe.

Sa voix est calme et sûre, comme ses gestes quand il manie la faux ou guide la charrue.

— ... Ici, on vit tous de la ferme, et dans la ferme. J'aime ce travail, je n'ai aucune honte d'être paysan. Mais j'ai soif de connaître.

— Connaître quoi ?

— Tout. Tout ce qui existe au-delà de notre ferme, au-delà de nos études à l'école. Je veux connaître le monde, les lois qui le régissent ; les hommes, ce qu'ont écrit ou peint les meilleurs d'entre eux... Mes parents ne peuvent pas me payer des études. Au séminaire, j'apprendrai.

— Mais Dieu..., dit Vincent.

— Oh ! non, l'interrompt Hyacinthe, ne crois pas que je fasse un marché : des études contre ma vie à Dieu... Ce serait malhonnête et pénible. Dieu, c'est précisément le point suprême où j'aboutirai lorsque j'aurai appris. Dieu, c'est tout. Je suis un petit paysan, Vincent, mais j'ose avoir soif de tout...

Ils restent un moment songeurs, puis :

— Tes parents sont au courant ? demande Vincent.

— Oui.

— Et qu'en pensent-ils ?

— Ils sont très pieux, tu sais. Alors ils sont fiers. Bien sûr, ils ne connaissent rien de mon cheminement. Je ne crois pas qu'ils comprendraient. Mais c'est sans importance...

Vincent se sent dépassé par cette nouvelle. Sans doute est-ce pour cela que la question lui échappe :

— Et Rosine ?

— Quoi, Rosine ?

— Je... je crois qu'elle t'aime.

Une ombre passe sur le visage de Hyacinthe.

— Certains êtres savent porter et même dépasser une grande souffrance et en devenir très forts, très féconds. Rosine est de ceux-là. Tu verras, Vincent, elle nous étonnera... Naturellement, ajoute-t-il après un instant de réflexion, c'est facile d'assener la souffrance aux autres et de s'en sortir avec des mots... En fait, non, ce n'est pas facile...

— Et si..., dit Vincent. Si tu ne te faisais pas prêtre, est-ce que tu épouserais Rosine ? C'est elle que tu choisirais ?

— Oui, répond Hyacinthe sans aucune hésitation.

Et il se lève comme pour s'échapper.

6

Aujourd'hui, Reine est devant l'autel. Une mariée sculpturale. Sa robe Empire met en valeur la poitrine qu'elle enserre, puis s'évase doucement jusqu'au sol. Sa natte blonde repose sur son épaule, voisine du pendentif qu'elle porte. Tout est blanc et or, satiné, brodé, gaufré. L'alliance que Victor passe au doigt de sa femme finit de donner à l'or la juste place.

Il tremble un peu, Victor. Il n'imaginait pas que son mariage puisse lui donner autant d'émotion. Il ose à peine regarder son épouse. Elle lui en impose dans ce blanc virginal. Et puis, contrairement à lui, elle ne semble pas ébranlée par la cérémonie. Elle la domine au contraire. Maintien, gestes : tout est parfait. Sera-t-il à la hauteur d'une telle femme ? Cette question l'inquiète un peu, mais l'instant d'après il sort de l'église à son bras. L'orgue entonne *La Marche nuptiale*, sur le porche volent les grains de riz. Alors, le souriant, le chaleureux Victor s'abandonne à cet instant et oublie son moment d'inquiétude.

À présent, chez le photographe, il transpire sous les lumières fortes du studio. Reine prend les poses avec naturel. Son voile, qui descend très bas, couvre ses chaussures d'un nimbe de blancheur. Elle sera magnifique sur les photos, et, dans le jeu d'épreuves, on trouvera bien un cliché où Victor sera également à son avantage.

À présent, c'est le grand repas de noces. Les deux familles sont aisées. On n'a donc lésiné sur rien. Tout est savoureux, varié, servi en abondance.

Le champagne a pétillé dans les coupes à l'heure du vin d'honneur. Puis le blanc fruité lui a succédé pour accompagner les poissons des entrées. À présent, c'est un bordeaux aux riches saveurs qui emplit les verres. Un brouhaha incessant accompagne les odeurs délectables qui émanent des assiettes et des plats. Quarante invités ! Reine les regarde avec plaisir. Tout ce monde venu pour célébrer ses noces ! Comme c'est agréable et flatteur ! Il y a même des gens qu'elle ne connaît pas... des parents de Victor qu'elle a vaguement entrevus au vin d'honneur. Et aussi des amis. Ce soir, au bal, ce sera encore plus drôle. Reine a invité toutes ses camarades du pensionnat. Bien sûr, Camille de Nieuwize et Léonie Van Houtte sont déjà là. Elles font partie du cortège des demoiselles d'honneur. Mais les autres viendront ce soir en grand apparat. On dansera à s'étourdir, on s'amusera à la folie. Le souvenir des noces de Reine Vanbergh tintinnabulera dans les mémoires comme un moment de radieuse gaieté. La jeune femme le veut ainsi.

Voilà le père de Victor qui se lève. Reine ne l'estime guère. Ce brasseur est jovial, mais un peu commun. Du plat de son couteau, il fait tinter son verre en cristal.

— Mes amis, dit-il, je lève mon verre aux mariés. Mon fils, ma fille, je vous souhaite beaucoup de bonheur.

Reine tressaille : « Ma fille ? » Elle ne sera jamais la fille de cet homme-là. Elle regarde son père, si beau dans son habit, si svelte, si droit. C'est de lui qu'elle est la fille ; pas de ce gros homme à la bedaine saillante, au visage rougeaud et à la calvitie luisante.

À ce moment, on entend : « Tt... tt... tt... » C'est l'oncle Irénée. Reine devient rose de plaisir. Il va parler et elle l'adore. Il est l'oncle de Romain et, par conséquent, son grand-oncle. C'est un petit vieillard léger dont la voix, restée ferme, ne chevrote ni ne s'éraille. Quand on le lui fait remarquer il répond : « Manquerait plus que ça ! » Une couronne de cheveux blancs contourne son crâne rose. Il a combattu à Reichshoffen comme sergent-chef, avec Mac-Mahon. Il y a reçu la croix de guerre et la médaille militaire. Mais il ne porte jamais ces décorations. Il dit parfois :

— Les merdailles, c'est rien du tout. Ce qui compte, c'est les copains qui sont morts et qu'on ne verra plus.

Il se racle la gorge pour s'éclaircir la voix. Les yeux de Reine brillent. Ou elle se trompe, ou monsieur Durieux va se faire contrer :

— Mon fieu, dit l'oncle Irénée en se tournant vers le brasseur, t'as raison de leur souhaiter du bonheur. Mais la vie, c'est pas ça. C'est comme à l'armée. Y a les princes, les généraux, ceux qui commandent. Et y a les trouffions. Ceux qu'on envoie se faire casser la gueule. Les princes, ils se mettent à l'abri : du danger, de la faim, de la fange. C'est déjà un privilège. Les trouffions, ils n'ont rien de tout ça. Faut qu'ils avancent avec leur barda, et fassent ce qu'on leur dit de faire. Et si, dans tout ça, y a la faim qui s'en mêle, et la pluie, et la crève, faut qu'ils y aillent quand même. Ça restreint beaucoup le bonheur... (Il prend une inspiration.) Mes fieux, dit-il aux jeunes mariés, vous êtes peut-être bien du côté des princes, partis comme vous êtes... Alors, tâchez d'être heureux. Remarquez, dans la piétaille, sous la bâche de la misère, y a de belles choses aussi. Y a les braves... ils sont un peu fous, mais ils donnent tout. Ils offrent toute leur vie pour la patrie, c'est-à-dire pour des gens comme nous tous. Fous, mais beaux !... Et puis, y a les copains, ceux qui se réchauffent le cœur parce qu'ils s'entraident... Et puis, les lâches, les sauve-qui-peut... Ils ont la trouille, faut les comprendre. C'est pas facile de la mater, la trouille. Enfin, y a tout ça. Dans le méli-mélo qui est en dessous des princes, y a de tout. Et la vie, c'est comme la mitraille qui est en face de toi. Elle tire dans le tas. Parfois, elle tire à blanc. T'es chanceux, profites-en bien. Parfois, elle est garce. Elle arrose et ne cherche à épargner personne. Faut savoir tout ça, et s'arranger pour être heureux quand même. En se régalant à fond quand viennent les bons moments. À fond, nom de Dieu ! Sans rien gâcher pour des bergnoules ! Et en se faisant sa philosophie à l'heure des coups durs : « Ça passera... rien ne dure... » Si on peut, même, on y ajoute un brin de rogne : « T'auras pas ma peau ! » Tout ça pour vous dire que le bonheur, sauf exception, ça ne se souhaite pas, ça se construit.

Satisfait de sa conclusion, l'oncle Irénée se rassoit.

— Monsieur..., dit alors un homme dont la voix a un timbre clair.

Reine le regarde avec surprise. Elle ne le connaît pas. C'est un invité de la famille de Victor. Plus que le visage fin aux traits nets, c'est la couleur des yeux qui la retient. Sont-ils gris ou bleu pâle ? En fait, ils sont transparents. L'intelligence s'y reflète comme dans un miroir.

— ... Ce que vous dites est assez juste. Il est, en principe, plus facile aux privilégiés d'accéder au bonheur qu'aux autres. Mais l'axiome du bonheur n'est pas là... (Son regard s'emplit d'une profonde certitude.) Il s'agit d'aimer et d'être aimé en retour, dit-il. Si l'on tient ces deux termes, alors on peut construire du bonheur... Un bonheur durable, capable de résister au mitraillage que la vie nous envoie parfois à bout portant, j'en conviens.

L'oncle Irénée le regarde. Reine voit passer une onde d'estime dans ses yeux.

— Monsieur, répond-il, ça doit être vrai. Je ne l'ai pas vu souvent... Les mariages, vous savez, ressemblent très souvent à des attelages qu'on essaie de bien apparier. Mais l'amour, foutre oui, ça existe...

L'homme lui sourit, se tourne vers les mariés, lève sa coupe :

— À votre amour, dit-il.

Reine se sent mal à l'aise. Le lien que cet homme a évoqué ne correspond pas à celui qui unit les deux époux. Même chose quand l'oncle Irénée a dit : « L'amour. » Il était alors au diapason de celui qu'il n'a pas appelé « mon fieu » d'ailleurs, comme ça lui est habituel, mais « Monsieur ». Qu'est-ce qu'ils désignaient donc par là tous les deux ? Y a-t-il autre chose qu'il faudrait, qu'il aurait fallu vivre ? Et qui est cet homme, d'abord ?

Son époux la renseigne :

— Une connaissance de ma famille. Son père est un grand brasseur, ami du mien.

— Allemand ? demande Reine qui a perçu un accent.

— Ou alsacien, dit Victor. Je ne me rappelle plus.

Reine est contrainte de se dire que l'accent est ici de bon aloi. Il oblitère à peine les phrases. Comme un filigrane distingué.

« Distinction, se dit-elle, voilà ce qui caractérise cet homme en premier lieu. C'est indiscutable. Distinction et classe, car le costume qu'il porte, en sergé gris, avec un gilet perle et une cravate où des pointillés blancs brillent sur le noir, est parfait. Tout de même, quelle audace ! Prendre la parole devant quarante convives qui ne vous connaissent pas... » Reine balance entre l'admiration, la curiosité et l'agacement, puis pense à autre chose. Car on apporte la pièce montée. Elle va la découper avec Victor, après quoi, l'aiguille de l'horloge aura enfin rattrapé le chiffre 9. Et ce sera le bal.

Elle l'ouvre maintenant au bras de son père. Romain est un valseur remarquable. Suivre son pas permet d'accéder très vite à une griserie délicieuse. Et puis, être le seul couple sur la piste, sentir sur soi le regard attentif

35

des autres... Tout faire pour qu'il devienne promptement admiratif. Quelle joie !

Comme il convient, Romain reconduit sa fille auprès de son époux, et c'est Victor qui lui succède. Le signal est donné. Les mariés dansent. Chacun peut donc les rejoindre sur la piste. Les jeunes ne s'en privent pas. Les adultes non plus. Évidemment, Reine a l'indiscutable impression d'avoir échangé un pur-sang contre un cheval de trait. Victor est un peu balourd dans la conduite de la danse. Mais elle lève les yeux vers lui et voit tant de tendresse dans ses yeux qu'elle s'en émeut :

— Nous serons heureux, n'est-ce pas ? lui dit-elle comme si elle voulait calmer une inquiétude intérieure.

— Ma chérie, répond-il, comment pouvez-vous en douter ? Je ferai tout pour votre bonheur.

Et il a ce bon sourire dont la lumière se perd dans sa barbe blonde. Comment ne pas être contente ?

Il est maintenant minuit. Le bal n'a pas encore perdu de son allant. Luce tangote cahin-caha au bras d'un raseur. C'est une relation professionnelle de son père. Il est triste, gomineux et plat. Luce n'écoute pas ses fadaises. Elle pense au problème de trigonométrie qu'elle n'a pas pu résoudre hier soir.

« Il n'en finit pas, ce mariage ! A-t-on idée de faire un pareil tintouin parce qu'on se marie ! Lorsque mon tour viendra... » Elle suspend là sa pensée car elle frôle une table où elle capte les conversations des mères de famille qui papotent à qui mieux mieux. Comme elles sont différentes d'Églantine ! Ou plutôt : Églantine n'a rien à voir avec elles. Elles sont charnues au possible. Et leurs poitrines sont des avant-scènes plantureuses. Elles n'ont pas su se garder de l'âge comme sa mère. Ni physiquement, ni moralement. Leurs commérages rissolent dans le plaisir du bavardage. Certaines ont un rire de gorge, d'autres, impatientes, attendent leur tour de parler. Luce pense à Baudelaire : « Nos races jacassières, qui tirent leur jouissance d'effusions oratoires... » Comme il était lucide, le poète !

Luce reprend le cours de sa pensée : « Quand je me marierai, ça ne sera pas comme ça. » Son cavalier lui décoche un sourire de convenance et énonce une nouvelle platitude. Le bal ne finira donc jamais... Luce regarde autour d'elle. Son père et sa mère dansent ensemble. Couple lumineux tant par l'alliance parfaite de leurs pas, que par le nimbe de tendresse qui les entoure. On dirait que ce sont eux les jeunes mariés. Mais voici qu'un autre couple prend place sur la piste. « Ah ! se dit Luce, eux aussi pourraient être les époux. » Reine ne pense pas autre chose au bras de celui qui vient de l'inviter. Elle buvait du champagne quand il s'est incliné devant elle.

— Helmut Meyer... Voulez-vous m'accorder cette danse ?

C'est l'homme qui a répondu tout à l'heure à l'oncle Irénée. Il guide à la perfection sa cavalière dans une valse lente. Reine pense objectivement qu'il est plus que beau, il est racé. « A-t-on le droit, pense-t-elle, de cumuler sur soi tant de beauté ? » Mais soudain leurs regards se croisent. Reine est gênée de ne pas pouvoir se détourner de ces yeux d'un bleu profond. Ce regard est intense. La jeune femme y lit un message qu'elle n'ose déchiffrer. Quand Helmut Meyer la reconduit à sa place, elle sait pourtant qu'il a laissé une empreinte indélébile, de sorte qu'il ne soit pas oublié.

Reine est confuse et irritée à la fois : « Quelle audace a donc cet homme ! Pour qui se prend-il à la fin ? » Mais elle se surprend à le suivre des yeux alors qu'il danse avec une autre fille. Un frisson étrange la parcourt. Elle n'en a encore jamais connu de semblable. Que lui arrive-t-il ?

Victor surgit à ses côtés et lui tend son manteau de zibeline :

— Chérie, vous venez ?... La calèche nous attend.

7

Dans le wagon-lit qui l'emporte vers la Riviera, Reine entrouvre les yeux. Un dégradé azuré, placé à l'horizontale, semble passer et repasser devant ses yeux. C'est le jour qui pointe. Et ses lueurs, non encore avivées par le soleil, se tiennent dans des tons indécis : des bleus, des mauves, des gris, ou encore du blanc un peu livide. Reine regarde sa montre : 7 heures. Encore une demi-heure et le steward du wagon-lit leur apportera le petit déjeuner. Il sera servi dans la jolie porcelaine de la compagnie où tout est de bon goût. Palissandre des murs du compartiment, capitons moelleux des couchettes, cuir cossu des accoudoirs, faïence du lavabo, vaisselle délicate : c'est un cocon de raffinement et de bien-être.

Victor dort encore. Il serait inutile de le réveiller. Reine choisit donc de refermer les yeux et de s'accorder un moment pour se remémorer les événements récents de sa vie : le contrat chez le notaire (un confrère de son père installé à Douai)... la messe a été magnifique ; le banquet plantureux et animé, le bal... inoubliable ! Le mariage est donc bien conforme à ce qu'elle en attendait. Quant à la nuit de noces... eh bien, disons semblable à ce que chuchotaient au pensionnat les filles un peu averties. La nudité, un peu de douleur, quelques frissons, et... un certain ennui. Elle a ensuite trouvé son mari encombrant dans les effusions qu'il lui a prodiguées pour la remercier d'elle ne savait quoi au juste. Elle a alors abrégé fermement en quittant le lit et en allant se rafraîchir. Par là, elle lui signifiait, de façon tout à fait résolue, qu'elle serait aux commandes de leur vie conjugale. Le moment qu'il venait de vivre se reproduirait, certes, il le fallait, mais raisonnablement.

Ensuite, bien calés contre leurs oreillers, Victor et elle ont envisagé leur avenir. Ils en ont tracé les plans avec une connivence qu'ils ont savourée l'un et l'autre. Ils sont bien d'accord pour ne vivre qu'un temps très court à la brasserie, dans le petit appartement aménagé pour eux au cœur de la demeure familiale. Victor a pu obtenir de son père la construction d'une maison. Pas très loin de la brasserie, elle sera édifiée sur un pré racheté aux Librecht.

Victor a sorti de sa malle une écritoire en cuir, et, côte à côte, ils ont dessiné les plans de leur maison. Les maîtres mots de Reine sont : espace, élégance, confort. Ainsi le salon sera vaste, aux dimensions encore accrues par des psychés gracieuses qui se feront face. Mais il y aura aussi des coins d'intimité avec des causeuses, des bergères, de petites tables où l'on pourra papoter ou savourer le thé. La cuisine sera dotée du confort le plus moderne, tout en ayant l'apparence cossue des cuisines flamandes. Elle sera équipée de placards en bois solide, teintés de couleur chêne. On l'ornera de faïences, comme chez les Vanbergh. Le rouge riant du Rouen côtoiera le bleu profond du Delft, et le jaune épais mais si vif du Moustiers. Une suspension, dont chaque verrerie ressemblera à une écaille, assurera l'éclairage. Elle sera d'un vert tout à la fois profond et joyeux. Le soir, la flamme l'avivera et lui donnera l'aspect d'un petit chapiteau de l'espérance. Espérance de bonheur, de prospérité — Victor a de modernes projets pour faire évoluer la brasserie —, espérance de maternité.

Mais Reine interrompt la recension de ses projets car Victor s'éveille. Avec sa barbe chiffonnée et sa chemise de nuit blanche au passepoil assorti à ses yeux, il est tout à la fois naïf et touchant. Il lui adresse un grand sourire :

— Chérie, avez-vous bien dormi ?

Reine se dit qu'elle aurait pu tomber plus mal. Son mari est charmant — un brave garçon. Et s'il n'est pas tout à fait beau, il a, avec ses cheveux blonds qui défient la rousseur, ses yeux très bleus, ses favoris, un air british qui ne manque ni d'allure ni de charme.

Elle a alors une phrase chaleureuse :

— Victor, quel beau voyage nous allons faire !

D'un lit à l'autre, leurs mains se joignent :

— Chérie, dit-il, je veux le meilleur pour vous.

L'arrivée du steward les interrompt. Il dépose auprès d'eux un plateau lourd de diverses gourmandises qui les ravissent.

À Woincourt, à cette heure-là, le jour s'est levé. Le ciel, bougon, hermétiquement sombre, est d'un gris mauvais. On sent qu'il ne s'amendera pas de la journée.

Luce est assise dans son lit, un châle sur les épaules. Elle a veillé trop tard sur son problème de maths hier soir, ensuite, elle n'a pas pu dormir. Aussi s'est-elle levée très tôt. Dans la boîte aux lettres, le journal qu'on livre de bonne heure est déjà là. Luce va le chercher.

Elle espérait échapper à l'attention de Sidonie, mais ses pas de long chat noir, pour furtifs qu'ils aient été, ont quand même été perçus par la domestique. Celle-ci a entendu un bruissement, a voulu en avoir le cœur net, et s'est retrouvée nez à nez avec Luce devant la boîte aux lettres.

— Mademoiselle ! Voulez-vous aller vous coucher ! Il n'est que 6 heures 30. Je viens à peine d'allumer les feux et il fait très froid.

Luce place son long index contre ses lèvres :
— Chut !

Ses yeux noirs sont traversés d'un bref sourire. Et Sidonie continue de maugréer en se dirigeant vers la cuisine. Luce l'intimide, et même lui en impose. Et pourtant, elle l'aime. Elle se doute qu'elle est silencieusement la plus intelligente de la famille. Monsieur Vanbergh n'a pas l'air de s'en rendre compte. « Une intelligence d'homme, se dit Sidonie en activant le feu. Et avec ça, toujours tranquille et agréable à vivre. Jamais d'emportements, jamais de lubies comme il arrive à ses sœurs. Ben, le jour où elle va mettre tout ça en branle, ça va être la révolution. Car elle connaît des tas de choses, la petite, et elle a de la trempe. »

Pour le moment, Luce est plongée dans la lecture du *Matin.* Et ce qu'elle lit l'intéresse vivement :

Grèves déferlantes sur le pays.

Les sardinières de Douarnenez ont cessé le travail depuis mercredi, à la suite du renvoi d'une des leurs. Un défilé monstre a eu lieu dans la ville. 3 000 à 4 000 sardinières, drapeau rouge en tête, ont revendiqué pour être payées à l'heure, et davantage. La loi Millerand, qui prévoit la réduction du temps de travail à 10 heures par jour pour les femmes et les enfants, tarde à être appliquée. Les délégués rappellent l'état actuel des rémunérations des sardinières : entre 3 et 12 francs par semaine pour plus de 10 heures de travail quotidien. Par solidarité, d'autres corps de métier se mettent en grève. On signale ainsi des débrayages dans les soieries de Vizille, chez les décalqueuses de porcelaine à Limoges, les dévideuses de Saint-Étienne, les voilières de Nantes...

Luce repose le journal. De 3 à 12 francs la semaine pour plus de 10 heures de travail quotidien... Promptement, la jeune fille rejette ses draps, enfile sa robe de chambre et gagne la cuisine. Juchée sur un tabouret, tenant dans ses mains le bol de lait fumant que Sidonie lui a servi d'autorité, Luce questionne :

— Sidonie, combien coûte un pain ?

— Un pain !... Ben, 1,25 franc pour un pain de quatre livres.

— Et le beurre ?

— Environ 16 francs le kilo, Mademoiselle.

Luce calcule à toute vitesse : avec, mettons, 10 francs par semaine, on a de quoi se payer deux pains et une livre de beurre. Et le reste, vous le payez avec quoi ? Le loyer, le charbon, l'eau, le médecin si un gosse est malade...

— Sidonie, combien gagnes-tu ?

La domestique est si horrifiée par cette question qu'elle ne répond pas.

— Sidonie, combien mon père te donne-t-il par mois ?

Sidonie se retourne lentement. Tout son visage exprime sa désapprobation.

— Mademoiselle, je suis chez vous depuis trente ans, depuis le mariage de vos parents... Je vous ai vus naître tous...

— Je le sais, Sidonie, et tu nous aimes. Et on te le rend bien. Mais ça ne fait pas un salaire... Combien es-tu payée au mois ?

Le visage de Sidonie devient sévère :

— Mademoiselle, je n'ai jamais manqué de rien ici. Vos parents sont très bons avec moi. Et, vraiment, je n'ai pas à me plaindre.

Luce n'insiste pas. « Elle ne dira rien, pense-t-elle. Les domestiques considèrent comme un honneur le fait de travailler dans une maison bourgeoise. Pourtant, ça change... Ils sont moins nombreux qu'autrefois, et surtout la considération ne leur suffit plus. Ils veulent des gages proportionnels au travail qu'ils fournissent... Mais

42

Sidonie est trop âgée pour en avoir conscience... Peu importe. Je saurai ce qu'il en est. »

La matinée s'écoule. Le ciel demeure immobile dans sa noirceur. Parfois, il exhale un vent âpre qui souffle une petite neige.

Luce a passé son temps dans la bibliothèque. Elle y a consulté les gros volumes reliés du journal *L'Illustration*. Romain veille chaque année à regrouper en volumes les différents numéros de ce magazine.

Le déjeuner est glacial et restera mémorable. La chaise de Vincent est inoccupée. À sa place, il y a un vide. Le visage d'Églantine est chiffonné. On y voit cette expression neutre qu'elle adopte lorsqu'elle a une grosse contrariété et qu'elle ne veut pas la manifester devant ses enfants. Son ton est doux, bienveillant, pour répondre aux uns et aux autres. Mais point enjoué. Ses yeux gris ont remisé leurs pépites. Romain est plus droit que jamais, il n'a pas dit un mot depuis le début du repas. Ses gestes sont parcimonieux et brusques. Les filles se regardent et pensent la même chose : Vincent a dû s'expliquer avec le père et ça s'est mal terminé.

Dans la fureur silencieuse qui l'étouffe, Romain revoit la scène finale :

— Tu maintiens donc ta décision ?

— Oui, Père.

— Bien... En ce cas, je continuerai d'assurer ton gîte et ton couvert jusqu'à ta majorité puisque j'y suis tenu... Tu n'as que vingt ans... Mais lorsque tu seras majeur, il va de soi que tu devras assumer tes choix, c'est-à-dire subvenir à tes besoins : je ne financerai pas tes études de médecine.

— En somme, vous me dites : exécute ma volonté ou ne compte plus sur moi.

— Cette décision de faire du droit, nous l'avons prise

ensemble après réflexion. Tu as donc eu tout le temps d'y penser. Par ailleurs, je te rappelle que je me suis engagé auprès de monsieur Marquet. Il était convenu que je lui reprendrais son étude lorsqu'il se retirerait. Et s'il a différé son départ de cinq ans, c'est pour attendre que tu sois diplômé.

La voix de Romain était blanche et sa colère de même ton.

— Il est permis à tout le monde de se tromper, a répondu Vincent. Il arrive qu'on s'engage dans un chemin de traverse avant de trouver la bonne voie.

— Peut-être, a objecté Romain, encore qu'un jeune homme avisé ne commet pas de telles errances quant à son orientation définitive. Mais je suis là pour t'aider à réaliser l'option que tu avais choisie, non pour financer tes erreurs.

Un silence a pesé. Puis Romain a ajouté, la voix un peu moins tranchante :

— Je ne suis pas là non plus pour aider mon fils à mettre en péril bêtement sa santé. Surtout avec les idées philanthropiques que tu sembles avoir...

Vincent s'est levé :

— Tout est dit, Père.

— En effet.

— Je vous souhaite une bonne journée.

Lorsque la porte du bureau s'est refermée, Romain a explosé :

— Une bonne journée... une bonne journée, vraiment !... après une pareille entrevue ! Il en a de bonnes, ce petit imbécile !

Très vite, Romain a dirigé sa fureur sur la voie qui lui est familière : le raisonnement. « On a des enfants, a-t-il pensé, on fait tout pour les élever bien. On leur donne un habitat douillet où ils peuvent grandir paisiblement, entourés de l'affection familiale et du bien-être. Puis, peu à peu, on éveille leur esprit. On accompagne leur découverte du monde. On leur explique le Beau, le Bien, et les choses fécondes et sublimes qui peuvent se façonner dans ces chemins-là. On leur désigne le Mal aussi ; on essaie de donner aux enfants lucidité et force à son égard. On leur montre les chausse-trapes du Mal où l'on se fait piéger si l'on n'y prend pas garde. On leur montre encore les embûches majeures de la vie afin qu'ils puissent les éviter. Au terme, on a des enfants qui ont une belle santé, de l'instruction, une conception saine de la vie. L'heure venue, on s'efforce de choisir avec eux la voie qui leur convient le mieux. Et soudain, voilà qu'ils remettent en cause ce choix : ils vous bravent, ils dialoguent froidement avec vous comme si vous étiez un étranger. Et... on se sent vieux après ça, parce que tant d'efforts constants n'ont servi à rien. »

La gorge de Romain est nouée car il a pensé aussi : « Et tant d'amour en vain !... » Mais il s'est raidi, désemparé devant ses émotions. Il a senti venir en lui comme un grand craquement. Alors, les mâchoires durcies sur son mal-être, il a quitté son étude et regagné sa demeure. De toute façon, c'était l'heure du repas.

Vincent a été lui aussi fortement perturbé par l'entretien. Comme son père, il s'est efforcé de fuir l'émotion. Il a fait sa valise puis est allé embrasser Églantine :

— Je préfère partir tout de suite, Maman, c'est mieux.

Églantine a serré son fils dans ses bras :

— Réfléchis encore.

— C'est tout réfléchi, Maman... Je serai médecin, je le sais. Mais nous en reparlerons tous les deux quand je reviendrai, vers Pâques...

Puis il s'est penché vers elle et lui a murmuré à l'oreille :

— Tenez bon, Maman, je vous aime.

Et il est parti. Églantine a regardé la pendule. Car ils viennent inévitablement, ce jour et cette heure où un garçon cesse d'être l'enfant de sa mère pour n'être plus que son fils. Le 20 février à 12 heures. Jour de désenfantement, tout à la fois nécessaire et déchirant.

Églantine a suivi Vincent des yeux sur la route, la haute silhouette à l'écharpe rouge. Petit Till des Flandres, il allait, à travers les champs de neige, vers son destin. Puis est monté du profond d'elle-même ce vœu fervent : « Mon fils, protège bien le petit garçon qui est en toi. Il y demeurera jusqu'à la fin de ta vie, et sans doute ne t'en rendras-tu compte que lorsque je ne serai plus... »

Le déjeuner se poursuit en silence. Romain coupe sa viande nerveusement, quand la voix de Luce s'élève soudain :

— Père, avez-vous lu le journal ce matin ?

— Jeté un œil...

— Les sardinières de Douarnenez sont en grève et des débrayages ont lieu dans beaucoup d'usines... Je suis allée consulter *L'Illustration* de 1900. Le résultat des dernières grèves est : 45 % d'échecs, pour seulement 21 % de succès. C'est peu et c'est injuste. Quand on sait ce qu'elles gagnent et combien elles travaillent, c'est... c'est inacceptable : 3 à 12 francs par semaine pour plus de 10 heures de travail quotidien.

Les yeux de Romain se métamorphosent d'un seul coup. De vitrifiés qu'ils étaient, ils deviennent subitement des émeraudes en ébullition.

— Elles ont le possible ! tonne-t-il. Dois-je te rappeler que nous avons perdu la guerre de 70 et versé 5 milliards de francs à l'Allemagne ? Le pays se relève comme il peut. Quand on a du travail, c'est déjà beaucoup...

Luce ne se démonte pas :

— Mais comment vivrions-nous, ici, avec 12 francs la semaine, Père ?

Romain ne répond pas.

— Combien payons-nous Sidonie ? demande Luce calmement.

La serviette de Romain traverse la salle à manger. Églantine devient toute pâle car, pour la première fois, elle entend son mari jurer :

— Nom de Dieu de nom de Dieu ! N'ai-je élevé quatre enfants que pour en faire des révolutionnaires ? ! Vas-tu te mettre à avoir la bosse du social, toi aussi ? Alors, en ce cas, autant t'avertir comme ton frère : ce chemin-là, fais-le toute seule, ma fille. Je ne me suis pas tué au travail pour endosser la paternité de l'humanité tout entière. Il y a des gouvernements et des curés pour ça. Le mot « égalité » est dans la devise républicaine. C'est donc à l'État de gérer ça. Moi, je n'en veux pas chez moi !

Il sort en claquant la porte.

Loin de la rigueur hivernale du Nord et des tensions familiales, dans l'hôtel luxueux où ils sont descendus, de part et d'autre d'une petite table nappée de rose et fleurie de mimosas, Victor et Reine toquent leurs coupes de champagne.

— Comme nous allons être heureux ici, mon chéri ! murmure Reine.

Ils sont jeunes mariés, ils se savent privilégiés, ils se sentent heureux.

8

Les mois ont passé. Le soleil est désormais fournaise et toutes les senteurs de l'été s'y exaspèrent. Le dos brisé à tant se pencher vers la terre, brûlés de chaleur et trempés de sueur, les moissonneurs avancent à coups de faux.

Hyacinthe, Vincent et Augustin, au coude à coude, participent à la moisson. Hyacinthe moissonne parce qu'il est de la ferme, Augustin aide parce que c'est l'habitude. Quant à Vincent, il vient gagner ici de quoi étoffer son budget. D'ores et déjà, il a renoncé à sa chambrette lilloise et s'apprête à résilier sa location, pour se mettre en quête d'une chambre plus modeste. Certes, son père lui assure encore son gîte et son couvert, mais l'année suivante viendra vite. Il s'emploie donc dès aujourd'hui à ce qui emplira désormais ses vacances et chaque dimanche : le travail.

Rosine est là, elle aussi, qui va et vient avec un grand panier au bras pour distribuer boissons et nourriture aux moissonneurs.

Il est 17 heures à présent. Le champ entrepris est terminé. Hyacinthe et ses compagnons piquent les meules à la fourche et les hissent sur un chariot où le père Librecht les reçoit et les agence. Dans un instant, l'attelage va regagner la ferme, et l'on passera, comme de coutume, des guirlandes de fleurs des champs au cou des chevaux pour fêter la fin du labeur. La chaleur s'est un peu allégée, moins accablante, mais elle demeure dans l'air, enveloppant les corps d'une vibration ardente.

Madame Librecht a remonté de la cave des cruchons de grès où le vin repose au frais. Vincent se sent si las qu'il préfère un verre d'eau. Il ne s'attarde pas et quitte le groupe de paysans qui se désaltèrent :

— À demain !

Jamais il ne s'est senti aussi courbatu. Il a l'impression que son corps tout entier n'est plus qu'un système de tringles qui blessent chacun de ses muscles.

Rentré chez lui, il se précipite dans la salle de bains, se lave le visage et les mains à grand renfort d'eau fraîche, n'a pas le courage de pousser plus loin sa toilette, gagne sa chambre et se jette sur son lit. Son corps se défait comme il peut du trop-plein de lumière de la journée. Le jeune homme dérive dans la torpeur, lorsqu'on frappe à la porte de sa chambre.

C'est Luce. Grande et tranquille comme à son habitude.

— Oh ! Le beau chevalier de l'été ! dit-elle en découvrant le visage hâlé de son frère. Je peux m'asseoir ?

Vincent acquiesce.

— Frérot, lui dit-elle, je crois bien que ta fâcherie avec Papa est en train de me servir.

Vincent voudrait sourire mais ses lèvres craquelées ne parviennent pas à se distendre.

— Dis-moi.

— Eh bien, voilà... L'inscription au concours de l'école normale doit être confirmée par une autorisation paternelle — je ne suis pas majeure, n'est-ce pas ? Je suis donc allée voir Papa et lui ai demandé de signer.

— Il l'a fait ?

— Sans dire un mot.

Vincent reste songeur. Luce enchaîne :

— Je crois qu'il ne voulait pas se disputer avec un autre de ses enfants. Il craignait une nouvelle rupture... Donc, j'ai bénéficié de ta querelle avec lui, mon frérot... J'en suis navrée pour toi, mais ravie pour ce qui me concerne. Je vais donc être institutrice...

Vincent la contemple. Sa pensée se fraie un passage à travers son immense fatigue. Les mots lui viennent lentement, mais ils sont pesés :

— Tu pourrais faire mieux, c'est sûr... aller plus loin... mais c'est si dur !

Luce lui tapote l'épaule :

— Je n'ai pas envie d'aller au-delà. Devenir professeur c'est mal vu pour une femme. Je devrais me battre sans cesse, j'y perdrais mon temps. Institutrice, je pourrai faire de bonnes choses. Former des petits citoyens, mon frérot... Des vrais, instruits et bien informés.

— L'usine te les prendra à dix ans.

— Oui, mais ils sauront lire et écrire... et j'aurai fait rentrer dans leurs petites têtes ce qu'il leur faut.

— Et quoi donc ?

— Leurs droits... Devenus grands, ils sauront s'en servir. Et c'est ainsi, conclut-elle joyeusement, que nous ferons reculer l'injustice sociale. Mieux que par les grèves actuelles. Elles sont dispersées, et pour cette raison inefficaces. Quand tout cela montera d'une jeunesse instruite et solidaire, ce sera autre chose.

— Luce, dit Vincent, je ne te savais pas aussi... humaniste.

Elle s'enveloppe de son grand châle, glisse ses lunettes au bout de son nez, feint de prendre un air docte, et déclare :

— Mon petit frère, nous avons une pensée pour l'exercer, non pour avaler les sophismes des autres. Donc, j'exerce ma pensée... et je découvre qu'il y a une grande injustice sociale. Combattons-la.

Le visage de Vincent s'illumine :
— Luce, Luce, je suis content de t'avoir pour sœur.

Des jours flamboyants se succèdent. Les moissonneurs ont adopté les couleurs du soleil : cheveux, peau, sourcils, tout est doré.

On charge la dernière charrette aujourd'hui. Désormais, le bleu va le disputer à l'or dans le ciel, car septembre est là. Le temps où l'été finissant offre aux hommes de substantiels présents d'adieu : pommes, poires, prunes, reines-claudes, noix... Les présents sont beaux mais se paient par du travail. Il faudra lever les bras, remplir des hottes, transporter les fruits jusqu'aux greniers, les disposer sur des claies où ils attendront l'heure des confitures ou des mises en cageot.

C'est aujourd'hui que l'on gaule les noix dans le grand verger des Librecht. Il faudra se baisser, les ramasser dans l'herbe.

L'angélus sonne ; c'est l'heure du repas. Rosine l'apporte dans un grand panier. Les quatre amis s'assoient dans l'herbe encore odorante et douce. On y voit des trèfles et des incarnats. Les pluies d'automne ne l'ont pas encore mouillée, poissée, jaunie.

Vincent s'y allonge avec délices après avoir mangé quelques tartines.

— On est bien, dit-il.
— Le serons-nous encore dans deux mois ? demande Augustin.
— Pourquoi pas ? dit Hyacinthe. Moi, je serai au séminaire ; je l'aurai voulu. Vincent sera en fac de médecine ; il l'aura voulu. Et vous deux, vous poursuivrez normalement la vie ici...
— Non, disent ensemble Augustin et Rosine.
Vincent se redresse :
— Non ?... Où serez-vous donc ?

— Moi je serai à Lille comme toi, dit Augustin, mais dans une menuiserie... J'apprendrai le métier.

— Tu ne reprendras pas la forge de ton père ?

— Non... c'est trop bruyant et peu agréable. Ferrer les chevaux, fabriquer des buises pour les poêles, ça ne me dit pas. Du reste, je ne serai pas toujours menuisier. Quand mon apprentissage sera terminé, j'irai chez un ébéniste. C'est comme ça que je vois mon avenir : avoir une boutique à moi où je fabriquerai de beaux meubles... Je les dessinerai puis je les créerai... Pas un ne ressemblera à l'autre. Mais ils seront beaux, et très utiles.

— Et toi, Rosine ? dit Vincent.

Hyacinthe ferme les yeux. Il n'ose pas. Il n'a pas le droit de poser une question.

— Moi, dit Rosine, je vais travailler en filature.

Vincent et Hyacinthe crient ensemble :

— Quoi !

Mais la jeune fille confirme tranquillement :

— Oui, à la filature Lesage. Je commence le 15.

— Mais tu vas te tuer au travail, dit Vincent, pour trois fois rien.

Rosine sourit :

— Trois fois rien, explique-t-elle doucement. C'est mieux que rien.

Et devant le regard surpris de ses amis, elle se tourne vers Hyacinthe.

— Vois-tu, Hyacinthe, je suis bien chez toi. Je ne manque de rien. Mais je n'ai pas de salaire.

— Et pourquoi veux-tu avoir un salaire ? demande Vincent.

— Pour économiser et pouvoir étudier un jour.

Hyacinthe tressaille. L'impression d'avoir son alter ego devant lui emplit son être.

— Et pourquoi veux-tu étudier ? demande Vincent.

La réponse de Rosine est peu explicite mais résolue :

— Pour aller là où je veux.

Hyacinthe la regarde. Cette fois, une certitude traverse son esprit : « Avec cette femme-là, j'aurais pu construire une vie formidable. »

Mais il veut Dieu, Hyacinthe. Et il est de ceux qui savent discerner en eux leur aspiration majeure et n'en dévient plus quand ils l'ont trouvée.

Lorsque les quatre amis sortent du verger, à 18 heures, ils voient sur la route qui mène à la brasserie d'élégantes calèches qui s'apprêtent à partir. Reine se tient près d'elles, amicale, courtoise, presque affectée. Elle dit au revoir aux dames qui prennent place dans les voitures. C'est « le jour » de Reine, le jeudi, le jour où elle reçoit ses amies pour un thé, un bridge, un whist, ou simplement pour bavarder. Les calèches s'éloignent. La belle jeune femme, sur le bord de la route, dénoue son écharpe et l'agite en un gracieux au revoir. L'écharpe a la couleur des feuillages de l'été. Une robe de même ton, en mousseline légère, bruit autour d'elle.

9

Vincent, Hyacinthe et Augustin hissent difficilement les meubles de Vincent jusqu'au quatrième, où niche sa nouvelle chambre d'étudiant. L'escalier en colimaçon est étroit. Le troisième étage est malodorant, car les latrines communes s'y trouvent. Ils font une pause sur le palier du deuxième pour souffler.

Un grand jeune homme descend alors les escaliers en sifflotant. Les amis reculent pour le laisser passer. Mais lui s'arrête :

— Un coup de main ? Je me présente : Thadée... Thadée Cikowski... locataire du sixième.

Il aurait l'air d'un grand escogriffe, s'il n'avait pas un sourire chaleureux qui lui pose comme des coussinets de lumière sur son visage et sauvent ses traits de la maigreur. On le devine prompt et débrouillard. Si mince qu'il soit, il charge sur son épaule le matelas de Vincent et le monte allégrement.

Après un tour de présentation générale, les voici tous dans la chambre. Elle est petite. Hyacinthe et Vincent ont arraché des murs la tapisserie moisie et repeint la pièce en jaune pâle. Vincent a un peu écorné son budget pour ce faire, mais il a craint les visites d'Églantine, et le désespoir qu'elle n'aurait pas manqué de ressentir devant le décor. Déjà le plancher usé est terne et craque

54

sous les pas. Çà et là, des planches sont abîmées. Le petit lavabo qui servira à Vincent pour sa toilette et la vaisselle est tout écaillé, et le robinet piteusement dévoré de vert-de-gris. Par la fenêtre branlante, le bois usé laisse passer l'air.

Même casé dans un coin, le lit occupe la moitié de la pièce. Au-dessus, on va mettre des étagères pour recevoir les livres de l'étudiant. Hyacinthe s'y essaie avec des clous et un marteau. Thadée l'interrompt :

— Deux minutes... je reviens.

Il grimpe comme un chat jusqu'à sa chambre, redescend aussi rapidement, les bras chargés d'objets divers : une chignole à main, un rabot, un pot de colle à bois, du mastic... Il travaille vite et bien. Thadée recolle quelques tenons d'étagères, puis fixe celles-ci au mur. Avec son rabot, il tente à présent de réajuster la fenêtre de façon qu'elle ferme mieux ; il bouche les trous du chambranle avec du mastic. Et toujours, il sifflote : « *Quand nous chanterons le temps des cerises...* »

Il s'interrompt pour indiquer gaiement :

— Le chant de la Commune.

Puis se remet au travail. Les amis le regardent, ébahis.

Quelques instants plus tard, les meubles étant rangés, ils se retrouvent autour d'un café que Vincent leur offre dans un petit bistrot de la rue.

— Je travaille à Fives-Lille Cail, explique Thadée. Je suis fondeur.

— Tu es lillois ? demande Hyacinthe.

Thadée sourit :

— Si l'on veut... Je suis né à Lille, mais polonais d'origine. Mes parents sont venus en France en 1880. Pas de travail en Pologne — pas assez.

— Tu es déjà allé là-bas ? demande Vincent.

— Une fois... le voyage est long et coûteux... Mes parents ont dû économiser dur pour s'offrir ça.

Il passe la main dans ses longs cheveux blonds, le regard rêveur.

— Cracovie... une ville formidable... pleine d'étudiants, d'ouvriers et de religion. Les Polonais ont une foi incroyable qui leur permet de ne pas sentir la misère ; ou ils l'endurent sans se plaindre.

Hyacinthe l'interrompt :

— Et toi ?

— Moi ?... Ah ! tu veux dire moi et Dieu... vaste sujet, mon petit vieux... Je crois qu'Il existe car tout ce monde n'a pu se faire tout seul. Le fruit du hasard ? Je ne le pense pas. Mais Dieu ne se soucie pas de nous. Donc, je ne prie pas. Les messes, les neuvaines, les carêmes... connais pas.

Ses yeux s'éclairent. Ils ont la couleur des mirabelles.

— Ce monde est injuste. Tu nais fils d'ouvrier ou fils de notaire, ce n'est pas la même chose.... Mais je crois en la justice. Elle peut s'instaurer. Et elle le doit.

— Je suis fils de notaire, dit Vincent doucement, je pense comme toi.

Thadée le regarde, surpris :

— Fils de notaire ? Mais qu'est-ce que tu fais ici ?

Vincent explique sobrement sa situation.

— Les voilà bien, les bourgeois, commente Thadée. Tellement habitués à commander et à être obéis qu'ils en deviennent des potentats, même dans leur famille. (Il sourit à Vincent.) Tu es courageux... Moi, poursuit-il, je crois qu'on peut changer le monde. Avec le temps, bien sûr, et même à très long terme... Mais on le peut. Une seule manière : œuvrer chacun où l'on est, pour un peu plus de justice. On n'y arrivera que par trois voies indispensables : instruction, solidarité, opiniâtreté.

— Je te suis, dit Hyacinthe qui l'écoute intensément. Je partage tes vues. Mais ce qui me semble le plus difficile à trouver, ou à susciter, c'est la solidarité. La vie est

56

tellement dure que c'est souvent : « Sauve qui peut » ou
« Chacun pour soi ».

— Il faut se fédérer, répond Thadée. Ne pas se
contenter d'idéal. C'est très insuffisant. Je suis syndica-
liste, ajoute-t-il sobrement.

— C'est mal vu, dit Hyacinthe.

— De fait, mon petit vieux, confirme Thadée en souriant, de fait. Mais on a l'habitude. Si on est dix à avoir
les plus sales boulots à l'usine parce qu'on est au syndicat, ce n'est pas pareil que si on est tout seul. On se tient
les coudes, on s'informe, on fait front. Et on devient une
force. Les patrons commencent à le sentir. D'ailleurs, au
syndicat, on nous forme. On nous montre les erreurs à
éviter pour ne pas se faire piéger. On nous apprend les
lois aussi... Elles sont ce qu'elles sont, mais on s'y tient.
Et on espère qu'à force de militantisme, on s'agrandira.
Alors, on disposera d'une pression pour faire évoluer les
lois.

Vincent règle les consommations. Les quatre jeunes
gens regagnent le 12 de la rue d'Arcole en poursuivant
leur conversation. Dans l'escalier, ils entendent chanter.
C'est une voix féminine : « *Quand nous chanterons le temps
des cerises...* » Thadée enchaîne : « *Les gais rossignols, les
merles moqueurs, seront tous en fê-ê-te.* »

La voix s'arrête. Elle provenait de la chambre de Vincent. Quand celui-ci ouvre la porte, Rosine est là. À
genoux, elle cire le parquet.

L'émotion noue la gorge du jeune homme

— Rosine... Rosine. Qu'est-ce que tu fais ?

— Un petit coup de main, avant que je ne commence
à travailler à l'usine.

Thadée la regarde. Elle est belle, fraîche, simple. On
la sent courageuse. L'immense garçon déploie alors ses
bras et enlace ses nouveaux amis.

— Écoutez, dit-il, vous êtes des copains et de sacrés
copains. Je suis des vôtres si vous voulez de moi. Je suis

fondeur, elle va être ouvrière, Vincent sera toubib, Augustin menuisier... Et toi ? demande-t-il à Hyacinthe.

— Prêtre, indique-t-il sobrement.

Thadée reste un instant sans voix puis part d'un immense éclat de rire :

— Un futur curé, dit-il, un futur socialiste, un futur toubib, un futur menuisier, et une jolie fille avec eux, ça fait une sacrée équipe...

Il étreint un peu plus les épaules de ses amis :

— Écoutez, dit-il gravement, le destin est le destin. Il est fait des événements qui surviennent dans nos vies et qu'on n'a pas demandés : la réaction de ton père, Vincent, l'exil de mes parents en France, les maladies comme les coups de chance. Ça, c'est le destin. Mais je crois, je crois...

Ses mots semblent taillés au burin tant il met de concentration à les choisir et de conviction à les dire :

— Je crois qu'à partir de cette base, on peut agir et façonner sa vie...

— On modifie le destin, alors ? demande Vincent.

— En quelque sorte, répond Thadée. En tout cas, on le sculpte. Lui, il est le matériau. Nous, les artisans.

Hyacinthe a la voix enrouée lorsqu'il dit :

— Écoutez... je ne serai peut-être pas très souvent parmi vous. J'ignore quelle liberté on me laissera au séminaire... Mais je vous propose une chose : à partir d'aujourd'hui, nous formons « Le Cercle des Sculpteurs de destins ». Nous mettons tout en commun : nos difficultés, nos connaissances, nos réussites, pour nous enrichir mutuellement et devenir plus adroits pour accomplir nos destinées.

Thadée a sur les lèvres le sourire de la certitude quand il s'en va écrire sur l'éphéméride de Vincent à la date du 22 septembre : « *Aujourd'hui, fondation du Cercle des Sculpteurs de destins.* »

10

— J'te montre une paire de fois, et après faudra que tu te débrouilles.

C'est une ouvrière qui parle. Elle porte un grand tablier enveloppant, et un fichu serré derrière la tête. Sous le tablier, des sous-vêtements, rien de plus.

— Pas de robe, a-t-elle dit à Rosine. Tu vas mourir de chaud si tu fais ça ! Il fait une chaleur à crever ici.

De fait, sous l'immense verrière de l'atelier, les cent cinquante métiers qui tournent, qui dégagent de la poussière de coton, transforment vite la salle en une grande serre infernale. Rosine est abasourdie par le bruit. Ça trépide, ça cliquette, ça mugit de tous les côtés. Les vibrations pénètrent peu à peu le corps. On a l'impression de ne plus pouvoir penser. Et pourtant, il faut apprendre, et apprendre vite et bien. Rosine se concentre, tend l'oreille autant qu'elle écarquille les yeux pour suivre ce que lui indique son initiatrice. Elle lui présente le monstre qu'elle devra mater : le métier. Deux de ses parties seront à surveiller de très près : le batteur-éplucheur, d'abord, qui va secouer le coton pour l'affiner et lui enlever ses impuretés, puis le batteur-étaleur qui va l'étendre sur la machine. Si ces deux éléments sont correctement fournis et nettoyés chaque fois, le monstre fera son travail. Il est pourvu de rouleaux et de cylindres qu'il faudra également nettoyer sans se faire prendre la main dans une courroie. Rosine regarde travailler les ouvrières. La cadence est infernale : l'éplucheur, l'étaleur, le métier... On charge en coton, on surveille, on nettoie vite, on recharge... Elle se sent rapidement isolée dans un univers de bruit et de poussière. Celle-ci se colle sur les parois nasales et la fait éternuer :

— À tes souhaits ! crie l'ancienne. C'est la première fois, ma belle... Après, tu t'y feras. Tu verras.

Les joues de Rosine sont cramoisies de fièvre. Farouche, elle s'accroche, la petite Rosine. Il faut qu'elle s'adapte et réussisse. Cette matinée n'est que le début du long périple qu'elle s'est juré de parcourir. Elle n'a ni la tête ni le temps pour y penser et regretter le plein air de la ferme Librecht. Quand la matinée s'achève, elle est fourbue. Elle se sent imbibée de poussière de coton. Sale. Pourtant, les quatre années passées chez les Librecht l'avaient habituée aux durs travaux. Mais c'étaient des tâches qui s'inscrivaient bien dans le temps. Chacune avait son horaire. Ici, c'est la répétition trépidante des mêmes mouvements. La cadence doit être maintenue : reprendre à toute allure la même série de gestes jusqu'à ce qu'on soit réglé sur le rythme de la machine.

« On devient machine soi-même », se dit Rosine en mâchonnant une tartine durant la pause du déjeuner.

Elle mange sans conviction. Pourtant, ce matin, à 4 heures, pour cette première matinée à l'usine, elle a confectionné son casse-croûte avec soin et ardeur. Il devrait lui donner de la force pour la journée. Entre deux tranches de pain, elle a étalé le bon beurre demi-sel de la ferme Librecht et une omelette faite avec les œufs frais que lui a donnés sa mère, Zélie. Mais l'appétit est absent. Rosine grignote plus qu'elle ne mange. Il y a la fatigue d'abord, si dense qu'elle rend pénible le moindre mouvement, fût-ce celui de mâcher. Et puis l'étoupe qui s'est insinuée dans les tartines, bien que Rosine les ait soigneusement enveloppées ce matin. Le goût de la poussière de coton se mêle à celui du pain, Rosine est dégoûtée. Elle replace dans son panier la tartine qu'elle a entamée. Mais la grande Rosalie, l'ancienne, ne l'entend pas de cette oreille.

— Mange, ma fille, mange ! Tu vas tomber faible si tu fais pas ça. Faut te forcer un p'tit peu et tu t'y feras.

Elle lui tend une bouteille :

— Tiens, bois un coup. Ça t'rincera le gosier et ça ira mieux.

Rosine se laisse faire. Le vin la décrispe un peu en lui rendant un brin de vivacité. La toute nouvelle ouvrière se ressaisit : elle l'a voulu, ce parcours, elle l'accomplira. Ce n'est pas cette première journée qui la fera renoncer. Une cadence incroyable à suivre, mais la fille de Zélie est solide. Sa mère l'a élevée à la dure, sachant bien que son avenir serait difficile.

La pause est courte. On retourne vite dans l'enfer mécanique. Rosine sent les courbatures devenir douloureuses au bas de son dos, mais ses mains, à n'en pas douter, suivent le rythme du métier. Rosalie, qui l'observe du coin de l'œil, s'en aperçoit :

— C'est bien, ma tiote ! crie-t-elle. T'attrapes bien le coup. Tu vas vite faire l'affaire !

Cette phrase rend à Rosine son dynamisme. « Tu vas faire l'affaire » signifie « On te gardera ». C'est ce que veut Rosine. La suite la regarde.

À 17 heures, les sirènes mugissent. Fin de la longue journée. On nettoie les métiers avant de partir. Rosalie donne ses derniers conseils.

— Regarde bien en dessous des rouleaux. Y a des chiquettes qui se mettent là souvent. Ça fait des berloufes [1], et des fois on est embêtées avec ça.

---

1. Des agglomérations de coton.

Les ouvrières quittent l'usine. Elles sortent par paquets de vingt à trente ; dans les premières lueurs du crépuscule, le ciel a une douceur qui hésite entre le bleu et le mauve. Rosine pense aux bonbons à la violette qu'elle suçait dans son enfance. Le blanc du sucre y recouvrait le mauve, comme le ciel ce soir.

Elle ne peut encore profiter du silence car elle chemine avec d'autres. Il y a là Rosalie, puis une grande femme qu'on appelle Berthe, une jeune ouvrière sympathique que Rosine a remarquée, et d'autres filles. Elles parlent, évoquent leurs hommes, leurs gosses, le quotidien. Berthe se plaint de « son homme, qui va encore rentrer saoul comme une barrique, et lui mettre un polichinelle dans le tiroir ».

— Tu m'agaces avec ton homme, dit Rosalie. T'as qu'à fermer la porte de ta maison. Et quand il arrive, s'il a bu, tu lui balances un seau d'eau sur la tête. Ça lui rafraîchira les idées et le reste.

Peu à peu, elles se séparent et s'égaillent dans les petites rues qui avoisinent la filature : rue Saint-Vincent, rue Saint-André, rue Danton... Il s'y trouve beaucoup de courées. Rosine gagne le faubourg des Postes. Elle va le franchir dans un instant et se retrouver à l'orée de Lille, presque dans les champs. Elle a fait ce choix car les loyers y sont moins chers que dans la ville.

Elle marche à pas souples et décidés. Elle respire le silence autant que l'air frais. Surtout, elle savoure le bonheur d'être seule, de pouvoir à nouveau exercer sa pensée, loin du bruit. Elle compte qu'elle sera rentrée vers six heures moins vingt. Le temps de se laver, à 18 heures elle sera prête. Si elle veut être dispose demain matin à 4 heures, lorsqu'elle se lèvera, il lui faudra se coucher vers 21 heures. Cela lui laisse trois heures. Rosine sourit... Un immense plaisir la parcourt malgré sa fatigue. Comme le soleil après la tempête, sur une mer qui s'apaise enfin. Car Rosine sait que ces instants lui appartiennent, elle va pouvoir étudier.

La maison de sa logeuse, au bout de la longue rue étroite où Rosine s'engage maintenant, est petite. Deux pièces au rez-de-chaussée : la première, très exiguë, est censée faire office de salle à manger ; la seconde, plus grande, sert de cuisine. Tous les actes de la vie journalière s'y passent : se laver, cuisiner, lessiver, repasser, manger, etc. À l'étage, auquel on accède par un escalier raide, il y a deux chambres minuscules.

La maison appartient à un riche négociant en vins. Elle est louée à un couple d'ouvriers : Désiré et Geneviève Duvinage. Lui est monteur en charpentes métalliques, elle travaille dans un atelier de tissage. Les parents dorment en bas, dans la petite pièce du devant, avec leur dernier-né âgé de six mois. Les trois autres enfants dorment en haut, dans l'une des deux chambres. La seconde est louée à Rosine, pour améliorer l'ordinaire de la famille. La formule convient à tous : aux Duvinage et à Rosine qui trouve là un loyer beaucoup moins cher. Et puis, son premier contact avec les Duvinage a été sympathique. Le couple est simple et avenant.

Rosine pousse la petite porte de la cour. Elle sait que la cafetière est déjà sur la table, et qu'une « jatte » l'attend.

— Une petite goutte de jus ? demande Geneviève Duvinage en l'accueillant.

Rosine accepte et, tandis qu'elle boit son café, sa logeuse sort deux enveloppes du tiroir de son buffet :

— Il y a déjà du courrier pour vous, mademoiselle...

Rosine en rougit de joie. Elle reconnaît l'expéditeur.

Elle grimpe dans sa chambre et n'attend pas de se laver pour ouvrir la première enveloppe : ses *Cours de géométrie*. Dans la seconde enveloppe, beaucoup plus grande, quatre petits recueils : *Andromaque, Le Cid, Phèdre, Polyeucte*, et une feuille blanche sur laquelle une grande écriture a couché ces mots : « *Lis cela. Puis essaie de traiter ce sujet : Peut-on dire que la règle des trois unités qui régit le théâtre classique amoindrit l'action et l'évolution des personnages ?* »

Une heure plus tard, Rosine se meut toujours avec fascination dans le monde des triangles isocèles et équilatéraux. Elle a cette foi qui soulève les montagnes, celle qui saisit ceux qui veulent changer le cours des choses et sentent qu'ils vont réussir : les Sculpteurs de destins.

11

C'est aujourd'hui samedi. Il est 17 heures. Vincent a étudié toute la journée. Il ne s'est accordé que le répit du repas de midi. Cours d'anatomie, de chimie, de biologie : il a tout mis à jour.

En étirant son corps las, il regarde sa chambre : les meubles y prennent presque tout l'espace : le lit, l'armoire, la petite table, les étagères. Mais, dans le pré carré qu'il lui reste, il se sent à l'aise. Car tout est propre et bien agencé. Vincent a compris que, dans un espace aussi exigu, il fallait de l'ordre. Et c'est une discipline de plus à laquelle il se soumet, l'autre étant la gestion rigoureuse du temps. Les cours de fac, le travail personnel, les courses, les travaux de survie : tout doit s'inscrire désormais dans un emploi du temps bien défini. Ces astreintes lui pèsent, lui qui n'avait eu, jusqu'à présent, qu'à se laisser vivre : les cours à la faculté de droit — il y mettait du sérieux mais sans plus —, puis les loisirs.

Il sourit en apercevant l'éphéméride punaisé un certain soir, à la date du 22 septembre : « *Aujourd'hui, fondation du Cercle des Sculpteurs de destins* ». Il glisse le petit feuillet dans un coin discret afin qu'il n'attire pas trop l'attention. Vincent redoute surtout le regard gentiment fureteur d'Églantine. Elle dirait :

— Mon chéri, tu fais partie d'un cercle ?

Et justement, voici qu'arrive un membre du Cercle. Il s'encadre dans l'embrasure de la porte ; ses cheveux rivalisent de blondeur avec ceux de Vincent.

— Salut, toubib. On fait un tour ?

Vincent sourit :

— Thadée !... Quel bon vent t'amène ?

Le jeune Polonais affecte un air sérieux :

— Si les Sculpteurs ne viennent pas au Cercle, le Cercle ira à eux. Je te propose une balade : on passe prendre Augustin, et on va voir Rosine... Hyacinthe ? Je ne crois pas que ce soit possible.

Vincent emboîte les doigts de ses deux mains comme pour former un gros verrou :

— Il est bouclé, dit-il en se levant. Bonne idée, l'ami. Je ne prends mon service qu'à 20 heures. Marcher me fera du bien...

Dehors, la nuit s'installe, mais en prenant son temps. Le rouge qui traînait encore tantôt entre les nuages passe au violet. Les premières étoiles paraissent. La perche d'un tramway en fait jaillir d'autres, éphémères étincelles que Thadée désigne à Vincent :

— Étoiles des hommes, dit-il. (Puis il lève les yeux vers le ciel :) Celles-là, à qui sont-elles ? Hyacinthe a choisi des valeurs sûres.

— Et si Dieu en était absent ? dit Vincent. Si Dieu avait déserté sa Création ?

Il rougit en disant cela, car il pense au bon curé de paroisse dont il a été l'enfant de chœur.

Thadée ne sourit pas. Son visage est concentré, presque dur :

— Si Dieu existe, dit-il, si Dieu a voulu créer l'homme et puis l'a abandonné, je L'inscris au premier rang des salauds. (Il serre les dents.) Tant de douleurs, Vincent... pour enfanter, pour extraire de la terre ce qu'elle peut nous donner, pour apprendre à s'en servir, pour trouver, en somme, le mode d'emploi de ce monde !... Et il faudra encore des années et des années pour que nous avancions dans la connaissance et que nous parvenions, de la sorte, à diminuer la souffrance des hommes ! Oui, si Dieu existe, si tel est Son plan ou s'Il nous a lâchés, c'est moche. Il ne mérite certainement pas d'être aimé.

Vincent pense à Hyacinthe :

— On peut toujours façonner son destin, dit-il, même si on croit à l'invisible.

Il a failli dire : « À l'improbable. »

Thadée ne répond pas. Sous sa casquette d'ouvrier, son visage est toujours concentré.

— Hyacinthe, dit-il enfin, est celui d'entre nous qui a la vie la plus régulière, la plus protégée... pour l'instant du moins. Mais je ne suis pas sûr que sa voie soit plus facile que la nôtre. Tout au contraire.

— Il aura un statut social enviable, dit Vincent. Aux yeux du peuple comme chez les bourgeois, le prêtre est respecté.

Thadée s'arrête, regarde Vincent bien en face :

— Ce n'est pas ce qui comblera Hyacinthe Librecht... Il lui faudra bien autre chose.

Vincent est d'accord. Ils savent tous deux que cette autre chose, c'est la révélation dans son être de la présence de Dieu, des horizons qui vaudront de vivre et de mourir pour eux.

— Je souhaite qu'il trouve ce qu'il cherche, dit Thadée songeur. (Et il ajoute à voix basse :) Je lui souhaite surtout de savoir construire à partir de ce qu'il trouvera, même si ça ne correspond pas tout à fait à son rêve.

— Hyacinthe, dit Vincent, est aussi fort dans ses bras que dans sa tête. Il trouvera.

Les voilà chez Augustin, au bout de la longue rue des Postes. Justement, le jeune homme rentre du travail. Il porte encore son costume d'apprenti : un long bliaud de toile bleue, serré à la taille, un pantalon et une casquette de même couleur. Et, des pieds à la tête, une brume de sciure de bois.

— Je rentre juste du boulot, explique Augustin. Un chantier urgent à finir.

— Et tu travailles depuis quelle heure ? demande Thadée.

— Cinq heures, dit Augustin en rougissant.

— Ça fait treize heures de boulot ! dit Thadée. Sacrés patrons ! Pas un pour relever l'autre. Ils pressent le citron tant qu'ils peuvent.

Augustin fronce les sourcils :

— Mon patron est un artisan. Il travaille autant que nous... Et puis, il me forme bien. C'est dur... mais j'apprends.

Thadée lui frappe amicalement sur l'épaule :

— Alors, en route, l'arpète ! Viens faire une virée avec nous.

— Où ça ?

— Chez Rosine. On va voir comment ça va.

Augustin époussette sa tenue de travail et un nuage de sciure s'en échappe.

Thadée sourit :

— Viens comme ça. T'es tout mignon là-dedans ; et puis, t'as l'air d'un homme.

L'air frais met un fard joyeux sur leurs joues. Malgré la fatigue, malgré le labeur, leur jeunesse fait d'eux des princes. Ils arrivent chez les Duvinage et toquent à la porte.

Germaine vient ouvrir :

— Vous venez pour Rosine ? Elle est là-haut, dans sa chambre. Elle travaille.

— Après sa journée à l'usine !... mais elle travaille à quoi ? demande Vincent un peu surpris.

Tout en montant l'escalier, il pense : « Des travaux domestiques, sans doute : lessive, repassage, nettoyage... On va peut-être la déranger. » Augustin ne s'embarrasse pas de questions. Il accélère allégrement la montée du raide escalier et arrive devant la porte de la petite chambre. Ils entrent. Les amis se pressent derrière lui et ils voient, sur la table, une bougie dont la lueur chaude éclaire un cahier aux pages emplies d'une fine écriture. À l'angle, un mince recueil. Vincent le prend en main et s'exclame :

— Ça alors !... *Polyeucte* ! Où t'es-tu procuré cela ?

Elle est belle, Rosine, en cet instant. Plus belle encore qu'à l'ordinaire. Car elle est rose et dorée sous la lumière mouvante de la bougie. On dirait un clair-obscur à la Fantin-Latour.

Elle sourit sans répondre à ses amis.

« *Cours de géométrie* », lit Thadée en feuilletant les premières pages d'un cahier sur lesquelles défilent des figures géométriques et des raisonnements.

— Rosine, dit Vincent, tu entreprends quelque chose...

La jeune fille doit-elle révéler aux Sculpteurs son grand dessein ? Il ne fait que commencer, et la route est si longue, la réussite si incertaine... Pourtant, ils ont juré de mettre en commun leurs espoirs, leurs efforts comme leurs échecs.

Mais Vincent la devance. Il tient un feuillet qu'il lit à haute voix :

— « *Lis cela. Puis essaie de traiter ce sujet...* » Mais cette écriture, je la connais ! s'exclame-t-il. Et c'est signé « *Luce* ». Ça alors !

— Qui est-ce ? demande Thadée.

— Ma sœur, répond Vincent. (Et à Rosine :) Pourquoi fait-elle cela ? Pour te faire plaisir ?

— Non, répond doucement Rosine, pour me préparer au brevet supérieur. Nous y mettrons le temps qu'il faudra.

Vincent repose les feuillets avec un sourire tendre.

— Ma sœur, dit-il. C'est une sacrée fille...

— Et toi, tu as un beau courage, ajoute Thadée à l'adresse de Rosine.

— Je le savais, dit Augustin, les yeux brillants. Et elle réussira. Nous réussirons tous, vous verrez.

Dans la chambre, la lueur de la bougie fait scintiller le regard des quatre amis, émus par la détermination de la petite ouvrière.

À huit cents mètres de là à vol d'oiseau, d'autres lumières inondent une façade devant laquelle des calèches ne cessent d'arriver. Sur le tapis persan qui couvre le hall de la demeure, les souliers délicats des dames voisinent avec les cuirs vernis des messieurs.

Tout est éclat, luxe, raffinement. L'industriel Leroux donne une réception. Et Reine Vanbergh fait son entrée.

12

Reine est tout ambre. Pour la superbe, la triomphante Reine Durieux-Vanbergh, l'ambre s'est fait étoffe et robe. Un décolleté profond découvre largement sa peau préservée du soleil. De petits plis partant de l'épaule aboutissent entre ses seins, là où une rose joufflue, couleur de thé fort, semble piquée dans le cœur. La robe, serrée à la taille par une large ceinture de soie au fermoir doré, se déploie sur les hanches de la jeune femme. La soie fauve se déplace, se meut, s'exalte de lueurs le long des reins et des jambes de Reine. Les manches sont amples, resserrées cependant à leur terme par un long poignet que ferme une rangée de brides et de petits boutons. Un ruban mi-havane, mi-grenat ceint le front de la jeune femme. La masse de cheveux blonds relevée en chignon dégage le profil sans défaut et laisse échapper, çà et là, de petites mèches rebelles.

Belle, jeune, riche, elle est destinée à être une des princesses de ce bal.

Elle voltige au bras d'un beau lieutenant dont elle admire l'uniforme bleu ciel aux brandebourgs dorés, ainsi que la prestance. Victor n'a dansé avec elle que pour l'introduire dans le bal. Puis il est parti s'attabler avec trois collègues. Ce n'est pas seulement le champagne de leurs coupes qui pétille, mais aussi la verve du jeune brasseur. Il parle de son nouveau projet : il va doter la brasserie d'une machine à vapeur de douze chevaux. Plus exactement, il va l'agrandir, et c'est dans l'extension que prendra place la formidable machine. Victor explique à ses amis qu'elle actionnera un arbre de transmission où s'enclencheront diverses poulies et courroies capables d'entraîner le mouvement de tous les appareils de brassage : la pompe, le mélangeur, l'aplatisseur... Victor s'exprime avec fougue et conviction. Sa verve donne à son teint un feu léger, dont s'accommode bien sa barbe blonde.

— Douze chevaux ! confirme-t-il, vous vous rendez compte ? Cette machine sera le cœur de la brasserie. La vapeur envahira toute la chaîne de production et impulsera l'activité partout où elle passera.

— Et ton père ? demande Sylvain Ledoux, un jeune brasseur de Lesquin.

— Mon père gérera l'ancienne brasserie, dit Victor, et se retirera peu à peu. Il vient d'avoir une petite attaque. Il sait qu'il doit se ménager.

— Tu fermeras la fabrique, alors, s'il s'en va ? demande son voisin de droite, et tu fonctionneras avec la nouvelle ?

Les yeux bleus de Victor s'animent.

— Pas du tout, dit-il, pas du tout !... Nous aurons deux brasseries : l'ancienne qui satisfera nos clients actuels, et que fera tourner Hamon, un excellent contremaître... Et la nouvelle, où tout sera neuf : la cuve-matière, le réservoir, le bac de décantation, la pompe à moût... tout ! Là, j'inventerai des bières et je gagnerai d'autres marchés.

Il remplit les coupes de ses amis et ajoute :

— Le monde change... il évolue très vite. Des énergies nouvelles et de nouveaux engins vont changer les systèmes de production. De tout cela sortiront des produits plus diversifiés. Les clients deviendront plus difficiles à satisfaire. Il faudra leur proposer des nouveautés.

S'adapter ou croupir, c'est l'alternative de l'avenir, conclut-il en s'épongeant le front.

Pendant ce temps, Reine évolue au rythme d'une valse lente. Son cavalier est un confrère de son père. Même âge. Peut-être est-elle un peu distraite pour cette raison, son regard s'attardant sur les couples qui tourbillonnent. Soudain, elle tressaille : cette haute silhouette, tout à la fois mince et ferme, ce port altier... elle connaît cet homme. Où l'a-t-elle vu ? Le mouvement de la danse lui révèle son visage et elle tressaille de nouveau. Ce regard transparent, qui scrute et honore à la fois les yeux dans lesquels il s'attarde, ce bleu névé des prunelles n'appartiennent qu'à un seul être : « Il. » Ainsi Reine le nomme-t-elle depuis le jour de son mariage. Elle se mordille les lèvres : « Je connais son nom... Il s'appelle Helmut... » Reine fronce les sourcils : « Dans ce cas, pourquoi est-ce que je le nomme ainsi... Parce qu'il m'a impressionnée ?... Parce qu'il m'en a imposé ? » La jeune femme secoue la tête : allons donc !... Qui peut se vanter d'en imposer à Reine Vanbergh ? Personne. Nul ne l'a jamais troublée ni épatée. « Cela vient, pense-t-elle, de ce qu'il est sûr de lui et le montre. Alors, on est suggestionné sur l'instant et il laisse une empreinte dans la mémoire. » Reine redresse la tête. « Si ce n'est que ça, c'est un bluff facile à déjouer. Et le moment est venu. »

La valse lente s'achève. Les danseurs sont un peu émus. On se cherche doucement un cavalier, une cavalière, avec qui on aura plaisir à danser pour partager cette sorte de romantisme qu'on a dans le cœur.

Reine esquive à temps un jeune brasseur, faraud et bruyant, qui s'apprêtait à l'inviter. C'est alors qu'elle aperçoit celui qu'elle cherche. Il est adossé à une colonnade, un peu en retrait de la piste de danse. C'est le moment de dissiper le sortilège.

Elle s'approche de lui. Il ne tressaille pas lorsqu'elle le salue. Elle sait qu'il l'a vue venir, bien que tourné de trois quarts.

— Vous ne dansez plus ? dit-elle.

Comme s'il devinait qu'une longue attente se terminait enfin pour lui, il se retourne, la regarde calmement.

— Je valse avec vous dans mon rêve depuis le début de la soirée, murmure-t-il.

Reine en reste figée de surprise ; le léger frisson qui la parcourt est celui d'une émotion inconnue.

Il effleure la rose de sa robe — « il ose ! » — et dit lentement :

— Elle est belle, mais vous l'êtes plus encore, comme une rose d'Ispahan en son jardin.

Elle ne voudrait pas que s'arrête la musique de sa voix que cet accent rythme et arpège, avec juste ce qu'il faut de douceur, de certitude et de tact.

Il se penche, choisit une rose dans un bouquet et la lui offre :

— Pour que vous n'oubliiez pas Ispahan, dit-il.

Et il s'éloigne. Reine reste là, avec un immense désarroi dans le cœur, la certitude que quelque chose de précieux, d'unique même, vient de traverser sa vie, puis s'en est allé. Elle ferme les yeux, revit ce moment, et un sentiment inconnu l'emplit. Une joie fervente qui investit chaque parcelle de son être. Un lieutenant se présente alors devant elle et la sollicite pour une polka. Elle hésite, puis accepte. La danse est enjouée. Reine y adhère sans faillir et le lieutenant la complimente. Mais sa pensée est un dédale d'images et de questions qui cherchent leur route sans trouver d'autre issue qu'une grande détresse.

Où est-il ? Reine regarde autour d'elle tandis que la polka déroule son rythme nerveux. « Il » n'est plus là.

À Woincourt, pendant ce temps, Luce passe une soirée comme elle les adore. Vêtue d'une vieille robe de chambre, assise sur le haut d'un escabeau, dans la cuisine de Sidonie (« M'zelle, vous allez tomber... »), elle

hume délicieusement les faluches que la servante a mises
au four. Les faluches sont des petits pains plats, blancs
et ronds, d'un diamètre de douze à quinze centimètres
environ. Les boulangers les fabriquent avec leurs restes
de pâte quand ils ont cuit le pain. Ils mêlent alors ces
restes et les aplatissent au rouleau. Puis ils les placent
dans un four à température élevée. La montée de la pâte
se fait donc dans le four et, pour cette raison, est réduite.
C'est pourquoi les faluches sont de petits pains plats.
Mais quand on les réchauffe, qu'elles en ressortent
toutes chaudes, un peu gonflées, elles sont délicieuses.
On les fend dans le sens de la largeur, on les fourre de
beurre et de cassonade, et c'est alors un régal ! Dans
toute la région du Nord, de la Belgique au pays minier,
chez les riches comme chez les pauvres, on mange des
faluches.

Luce adore ce genre de repas. Ils ont lieu dans la cuisine, car Romain ne supporterait pas cette sorte de
pique-nique dans la salle à manger. Ce soir, les époux
Vanbergh sont sortis, pour honorer de leur présence
une vente de charité organisée par les dames de Saint-
Vincent. C'est donc en l'absence des parents que Luce
a assiégé Sidonie et réclamé des faluches.

— SEN-SA-TION-NELLE ! dit Luce en savourant la
première faluche. Sido, je t'adore !

Quand Luce l'appelle Sido, la servante rougit jusqu'au
bout de ses oreilles (« M'zelle, il ne faut pas... »), mais
elle décode très bien le sens caché du message. C'est le
diminutif affectueux que Luce lui donnait quand elle
était petite fille.

— On est nous deux, Sido... On est bien, hein ?

Sidonie regarde Luce avec ce masque bourru qui lui
sert à endiguer un trop-plein d'affection.

— Vous n'avez pas accompagné votre sœur à la fête ?

— Non.

— Madame Reine vous l'a pas proposé ?

— Si, mais j'ai refusé.

— C'est pas comme ça que vous allez vous marier. Faut chercher, vous savez, pour trouver.

Le visage de Luce rayonne malicieusement comme chaque fois qu'elle s'apprête à dérouter Sidonie.

— Ma chère Sido, tu viens d'énoncer un paradoxe... Car s'il est vrai qu'en cherchant on trouve quelquefois, il est aussi vrai qu'on trouve d'autres fois sans avoir cherché.

Sidonie la regarde, perplexe :

— M'zelle, commencez pas... Quand vous parlez comme ça, je sais plus où j'en suis.

Juchée sur son escabeau, Luce éclate de rire.

— Sido, une autre faluche !... Le premier commandement de la vie, c'est de savourer l'instant présent quand il est bon. Et c'est le cas. Tes faluches sont épatantes. Cela dit, je ne chercherai jamais à me marier. Je ne crois pas à cette façon de faire. On se marie quand on rencontre quelqu'un dont on se dit : « Je ne peux plus m'en passer... » Ça sera comme ça pour moi, ou rien.

— Eh bien moi, je chercherai, dit une petite voix.

Luce et Sidonie se retournent. C'est Mariette qui a parlé et qui est entrée si furtivement dans la pièce qu'elles ne l'ont pas entendue. La cadette rougit mais maintient :

— Moi, je chercherai, car je veux me marier.

— Mademoiselle, voyons, dit Sidonie, vous n'avez que quatorze ans et demi.

Mariette hoche la tête :

— Oui, mais dans trois ans, j'en aurai dix-sept et je passerai mon brevet supérieur. Je serai mariable... Et je peux être fiancée en attendant.

— Je vois d'ici la tête de Papa, dit Luce.

— Je ne ferai rien de mal en étant fiancée, rétorque Mariette.

Luce la dévisage malicieusement :

— Y aurait-il anguille sous roche ?

— Pas du tout. Mais le mariage, j'y songe parce que...
c'est le bonheur. Un mari, des enfants, une maison à
tenir... c'est le meilleur de la vie pour une femme.

Et tandis que Sidonie tend à Mariette une faluche
bien chaude, Luce se demande : « Reine est-elle vraiment heureuse aux côtés de Victor ? Cette plénitude que
doit être le bonheur conjugal, la connaît-elle ? »

À cet instant, Reine quitte la fête. Elle a convaincu son
mari d'avancer leur départ, alléguant la fatigue. Et c'est
vrai qu'elle se sent lasse. Danser a fini de l'amuser, elle ne
se reconnaît plus dans ce corps qui réclame le repos.

Dans la voiture, elle est songeuse.

— Chérie, dit Victor, où êtes-vous ? Vous semblez perdue dans un rêve.

Reine sursaute. Elle réfléchissait aux deux décisions
qu'elle avait prises : demain, elle se fera conduire à Lille.
Elle verra son coiffeur et son médecin. La perspective
du médecin l'assombrit un instant, pourtant elle ne s'y
attarde pas. Son optimisme foncier prend le dessus.
« Voyons, voyons... il n'y a pas lieu de s'inquiéter. Tout
ira bien. »

13

Le lendemain, elle est allée chez son coiffeur à qui elle a dit : « Anatole, je tiens beaucoup à cette rose... Pouvez-vous vaporiser sur elle ce que vous nous mettez sur les cheveux pour qu'ils tiennent ? Cela l'empêchera sans doute de faner. » Anatole a pris son long vaporisateur et a ciblé la rose, libérant un nuage du soluté de sucre et de gomme arabique discrètement parfumé. C'était la laque de l'époque. Reine a dû attendre que le produit sèche et se fixe, puis elle est passée chez un cristallier et a fait l'achat d'un petit globe. Certes moins grand que celui qui abrite son bouquet de mariée, mais convenable pour la fonction qu'on lui destine : abriter une rose. Puis Reine est allée chez son médecin, et en est ressortie tout assombrie.

À son retour à Woincourt, son humeur était exécrable. Quand Victor lui a demandé pourquoi elle gardait cette rose sous un globe, elle était déjà dans le lit et lui a tourné le dos en lui répondant hargneusement que cette idée en valait bien une autre. Et lorsqu'il s'est approché d'elle pour la câliner un peu, il s'est vu repousser sans ménagements :

— Pas ce soir... Et pas avant longtemps...

Il fallait qu'elle se remette de ce qui lui arrivait.

Victor n'a pas insisté. Il a trop de joie au cœur ce soir-là. Il s'est relevé dès que Reine s'est endormie et a gagné la grande salle où allait être placée incessamment la nouvelle machine. Puis, dans une pièce plus éloignée, il a contemplé avec ravissement ce qu'il avait fait installer : une brasserie miniature. Un petit laboratoire. Là, il chercherait, jusqu'à ce qu'il trouve, la composition de bières nouvelles, celle de son père étant trop banale. Il en voudrait une plus virile, à laquelle les hommes feraient appel quand ils auraient fourni un gros effort. Elle les désaltérerait vraiment et leur laisserait en bouche un goût plaisant. Puis il voudrait créer aussi une bière raffinée : de celles qu'on pourrait offrir au cours d'un repas, même aux dames. Ce serait une blonde pétillante, qui enchanterait le palais en lui laissant un arôme framboisé. Cette bière-là, il aurait aimé l'appeler « Reine ». Mais sa femme avait repoussé cette idée : « Mon nom sur une bière !... mon nom sur toutes les bouteilles !... Ah ! non. » Victor ne s'était pas obstiné. Mais ce soir-là, il sut comment il l'appellerait : « Royale ». Car royale était sa joie, impériale même. En rentrant de Lille, Reine lui avait dit : « Venez chez mes parents, nous avons à parler. » Et devant son mari, devant Églantine et Romain, elle avait annoncé : « Je suis enceinte. »

Certes, elle avait dit cela comme on dit : « J'ai la grippe. » Certes, elle s'était laissé embrasser par sa mère, dont le visage était illuminé de joie, mais sans lui rendre son baiser. Certes, elle avait accepté l'étreinte de son époux, mais comme on endure une convenance. Elle n'avait dit qu'un mot quand son père l'avait prise dans ses bras : « Papa », mais ce mot-là était plombé de toute la consternation du monde.

Pourtant, dans le petit laboratoire où il s'est réfugié, ne trouvant pas le sommeil, Victor n'a retenu qu'une phrase : « Je suis enceinte. » Ils allaient donc avoir un enfant ! Oh ! mon Dieu ! Le jeune brasseur en étouffait de joie. Naturellement, il comprenait la déception de

Reine. Elle était jeune, c'est vrai. Mais en regardant les instruments de son laboratoire : la petite cuve, les mini-courroies, les éprouvettes, il se disait : « Mes deux amours, c'est pour vous que je vais travailler... Ma femme chérie, mon petit enfant, vous allez voir le grand essor que je vais donner à notre brasserie. Je vous mettrai à l'abri de tout aléa pour toujours. Vous serez à jamais dans l'agrément, le confort et la sécurité. »

Il était comblé, Victor. Il avait un but et les moyens de le réaliser. Un homme peut-il souhaiter mieux ?

Reine connut toutes les vicissitudes d'une grossesse difficile : nausées, mal aux reins, obligation de s'allonger longuement chaque jour. Lorsqu'elle vit son corps se déformer, elle ne pensa pas à la maternité qui s'ensuivrait ni à la rose. Elle ne fut plus que consternation. Son seul souhait : être délivrée promptement.

Et il vint, ce jour de juin. Dès les premières douleurs, Reine se fait transporter chez ses parents. Elle n'a pas besoin de sa belle-mère dans sa chambre en cette circonstance. Et puis, on monte la machine de la nouvelle brasserie, l'environnement est bruyant. Reine souffre de plus en plus. Elle a besoin de calme, mais surtout de voir près d'elle des visages en qui elle a confiance : Églantine, apaisante et sage, pleine de petits savoirs qui rendent la douleur moins intenable ; Romain et son ferme courage, qu'il essaie de transmettre à sa fille ; Sidonie, tout attentionnée... Que c'est bon, cette vigilance affectueuse ! Reine prend conscience qu'elle est restée une Vanbergh avant tout.

Mais l'après-midi passe et le Dr Dehornois est soucieux : le travail ne progresse pas, la parturiente se fatigue. À 19 heures, Dehornois téléphone à un obstétricien de Douai, il demande son intervention. Le spécialiste arrive en même temps que Victor, qui a quitté la brasserie où le montage de la machine est terminé. Le jeune époux est inquiet. Il couve des yeux le visage de sa femme, inondé de sueur, défait par la douleur. À chaque contraction, chaque cri, il frémit. Il n'ose approcher du lit, de peur de l'importuner. Mais dans les quelques instants de répit, il s'aventure timidement à saisir la main de Reine.

— Ma petite chérie, ma petite chérie, murmure-t-il, je suis avec vous.

L'obstétricien a terminé son examen. Son diagnostic est formel : il faut intervenir par césarienne. La mère et l'enfant sont en danger. Romain fait rapidement aménager sa voiture, une Panhard qu'il a achetée au début de l'année. Des coussins et des oreillers à l'arrière, deux couvertures qui emmitouflent Reine, et les voilà partis. Romain conduit lui-même, Églantine à son côté.

Qu'ils semblent interminables les vingt kilomètres qui les séparent de Lille ! Lorsqu'ils parviennent à l'hôpital, Reine ne crie plus. Elle n'est qu'un long gémissement. L'extrême pâleur de son visage angoisse Églantine et Romain. On place Reine sur un brancard. Ses parents l'accompagnent jusqu'au bout du long couloir où un médecin attend en blouse blanche. Une pancarte annonçant BLOC OPÉRATOIRE surmonte le chambranle de la porte, qui se referme devant eux.

14

Reine est toujours sous transfusion, isolée dans une chambre où on la tient sous stricte surveillance.

— Pronostic réservé, a dit le médecin accoucheur à Romain. Il faut attendre. (Puis il a ajouté :) Vous avez une petite-fille.

À la pouponnière où il obtient l'autorisation de la voir un instant, Victor est émerveillé par sa fille : comme elle lui ressemble, cette petite enfant aux yeux bleu faïence, et aux cheveux blonds presque roux ! « Ma petite fille ! » répète-t-il. Et le bonheur lui inonde le cœur, telles ces gorgées de rhum chaud qui raniment délicieusement l'organisme quand on a eu très froid. Pourtant, Reine est toujours entre la vie et la mort. Victor en est conscient, mais il s'accorde un répit et savoure cette petite minute auprès de son enfant.

Puis il rejoint ses beaux-parents dans la pièce où on les a installés à présent. Il a songé à leur apporter une thermos de café. Ils acceptent, le cœur glacé, mais Églantine ne parvient pas à avaler quoi que ce soit. Elle ferme les yeux, non de fatigue mais pour se recueillir. Elle prie, comme elle le fait toujours lorsqu'elle craint pour l'un de ses enfants. Elle prie Dieu d'armer le grand courage de Reine, né de son amour intense pour la vie, afin qu'elle parvienne à vaincre ce qui la tire vers la mort. Son chapelet glisse lentement entre ses doigts.

Le ciel bleuit un peu. C'est l'aube. Dans la chambre de Vincent, le réveil sonne et, malgré l'heure très matinale, l'étudiant se lève. Il passe aujourd'hui le premier volet de ses examens de fin d'année : l'épreuve d'anatomie. Dans la salle de dissection où il est allé maintes fois cette année, Vincent n'a connu ni pâleurs ni nausées, comme certains de ses camarades. Les cadavres sur lesquels on l'a fait travailler ne l'ont pas impressionné. Il a fouillé leur chair sans effroi, sans trouble de conscience, toujours concentré sur ce qu'il y apprenait. En revanche, il n'appréciait pas du tout les plaisanteries de certains étudiants qui se lançaient des lambeaux de chair en criant : « V'là de la bidoche ! » Par on ne sait quel destin, misérable probablement, cette salle était leur sépulture ; et même si on les outrageait parfois en les laissant sans mâchoire ou les bras tailladés, ces morts avaient droit au respect, peut-être davantage encore que l'occupant du cercueil le plus cossu, car leur trépas était utile aux vivants. En salle de dissection, en tout cas, Vincent avait beaucoup appris. Et s'il était sans appréhension ce matin, assis à sa table auprès d'un café, révisant une dernière fois ses cours, c'était à ces séances qu'il le devait autant qu'à l'enseignement de ses maîtres.

Quelqu'un sifflote dans l'escalier : c'est Thadée qui s'en va au travail. Rosine y est déjà depuis une heure. Et là-bas, au séminaire, Hyacinthe écoute la première messe. Les Sculpteurs de destins engagent leur journée : un tout petit coup de burin sur la masse compacte qu'il leur faut façonner.

À l'hôpital aussi, une nouvelle journée commence. Tout s'anime. L'équipe de jour remplace celle de nuit. On entend des chariots rouler dans les couloirs.

Enfin, la porte s'ouvre. Un médecin paraît. Le regard des parents de Reine n'ose se tourner vers lui. Le cœur d'Églantine se resserre pour parer le coup, Victor est blême.

— Bien, dit le médecin. Elle est toujours en vie. Ce n'est pas brillant mais elle s'accroche. Néanmoins, le donneur de sang a dû partir. Il faut une autre transfusion. L'un d'entre vous...

Il n'a pas le temps d'achever sa phrase que Romain est déjà debout et déboutonne sa manche :

— J'ai déjà donné mon sang pour ma fille quand elle était enfant. Cela s'est bien passé.

— Suivez-moi, dit le médecin.

Une nouvelle épreuve commence pour Églantine et Victor, tandis que Romain, bouleversé, pénètre dans la chambre de sa fille. Il chavire en la découvrant : « Mon Dieu ! pense-t-il avec effroi, elle a déjà un visage de morte... »

On pose un garrot autour du bras de Romain. On pique. Un mince tuyau est fixé à l'aiguille. Il est relié au bras de Reine. Le lent goutte-à-goutte commence. Deux idées fortes s'installent dans l'esprit de Romain et le réconfortent : « Je lui donne mon sang, ma vie. Elle va y puiser ce dont elle a besoin pour repousser la mort. » Et puis : « Je suis près d'elle maintenant. Je vois les médecins, je les entends, je suis l'évolution de la situation. Je ne suis plus dans l'attente, et Reine n'est plus seule. »

La matinée s'écoule. La petite fille qui vient de naître s'appelle Joséphine.

Les portes de la faculté de médecine s'ouvrent, libérant quatre cents étudiants qui ont eu à traiter « Les muscles faciaux ». Vincent s'ébroue sur les marches du bâtiment. Il communie avec la luminosité ambiante, cette blondeur chaude et réconfortante qui remplit l'air. Il s'y immerge car son cœur est au diapason. Il pense avoir bien réussi. Oubliés alors les fatigues de l'année, les soirées et les dimanches consacrés au travail pour étoffer son budget. Oubliées les longues heures d'études. Demain viendront l'épreuve de biologie, puis celle de physique... Vincent se sent armé pour les affronter. Il est prêt. Si tout se passe comme aujourd'hui, juillet lui apportera la lumière de la réussite. Chèrement payée, elle éclairera son avenir.

Les cloches sonnent l'angélus. Et comme si elle les entendait, Reine ouvre les yeux. Son regard effleure la chambre. Elle revient à la vie, comme le plongeur, avec lenteur, remonte des fonds marins. Et soudain, c'est la surface, un repère, elle le reconnaît et s'y accroche.

— Papa !

Les larmes jaillissent des yeux de Romain. De sa main libre, il caresse le visage de son enfant, lui parle lentement mais fermement, comme pour l'imprégner des mots qu'il prononce :

— Ma petite fille... Tu as été un vaillant soldat... Tu as gagné ton combat. Tu entends, Reine, tu as gagné. Tu vas vivre. Tu es une vraie Vanbergh. Ma fille chérie, tu vas vivre...

Quand Romain sort de la chambre de sa fille, le bras libéré de la transfusion, son sourire radieux annonce la nouvelle : Reine est sauvée !

Victor éclate en sanglots. Romain et Églantine, main dans la main, se hâtent vers la chambre. « Un instant seulement », a dit le médecin.

Églantine retrouve sa fille, si pâle, si faible, mais qui lui sourit.

Une infirmière entre, un petit enfant tout blond dans ses bras et le montre à la jeune mère. Reine a un sourire incrédule qui se veut tendre. Puis la lassitude ferme doucement ses paupières, cependant que les prunelles bleues de l'enfant semblent capter l'azur de ce premier jour de vie.

15

Cette journée du 12 juillet s'achève enfin. Rosine vient de sortir de l'usine, harassée par l'ouvrage et la chaleur. Cet après-midi, l'atelier était une étuve que martelait un boucan infernal. Les mains moites, les membres lourds, les ouvrières ont lutté tout le jour, jusqu'à l'usure, contre l'engourdissement et la maladresse.

Rosine a hâte de se laver tant elle a transpiré. Pourtant, elle ne se presse pas, elle ralentit même, par lassitude, mais aussi parce qu'une certaine enveloppe l'attend à la maison, et que de son contenu, elle le sait, dépendront bien des choses.

Sur les marches de la maison, les enfants Duvinage jouent. L'aîné, Michel, est typiquement du Nord. Ses cheveux ont la couleur du blé mûr, et ses bonnes joues ne demandent qu'à recevoir le rouge vernissé qu'elles auraient si l'enfant respirait du bon air. Le second, Jules, dit Julot, ressemble à un petit Irlandais. Il a une tignasse rousse, rebelle à tout peigne, et des yeux verts piquetés de brun. Ses joues sont criblées de taches de rousseur. Il est vif, déluré et adroit. Sa sœur, Maria, complète le trio. Sur son front pâle ses cheveux se collent en mèches blondes, et les grands yeux qu'elle pose sur sa poupée de chiffon sont d'un bleu pur. Avec son fichu croisé sur sa poitrine, on dirait une petite Bécassine septentrionale.

Dès qu'ils aperçoivent Rosine, les enfants accourent au-devant d'elle car ils l'adorent. Rosine les aime aussi, ces petits mioches. Peu de jouets pour eux à la maison : une toupie qu'on lance avec une ficelle et qu'ils font tourner sur le trottoir, quelques billes pour les garçons et une poupée de chiffon pour Maria. Les sucreries sont rares. Une crème à la vanille le dimanche, et un caramel chacun. Puis un peu de barbe à papa le jour de la ducasse du quartier, une fois l'an. Sans gâteries, sans jouets, les enfants doivent recourir à leur imaginaire pour se distraire. Mais cet imaginaire est superbe ! « Juste retour des choses, pense Rosine. Les enfants des riches sont blasés. Les enfants des pauvres, démunis de tout, s'inventent des mondes qui les émerveillent ! » Le soir, nichés dans leur lit, ils font une petite place à Rosine et lui racontent des histoires de dragons à six langues de feu qui avalent les hommes méchants, des histoires de fées si belles qu'elles se transforment en statues jusqu'à ce que vienne un prince pour les rendre à la vie. Et aussi l'aventure de ces nuages farceurs qui font le tour du monde et racontent des histoires rigolotes.

Et Rosine rit de plaisir. Elle se dit qu'un séjour à Woincourt cet été leur ferait du bien. Ils s'amuseraient dans le jardin de sa mère, ils cueilleraient de l'herbe pour les lapins, ils apprendraient à traire la chèvre Pépette... Zélie voudra-t-elle ? Ses rapports avec Rosine ne sont pas simples : rancunière à l'égard de la vie, consciente que celle de sa fille sera difficile, Zélie ne l'a guère cajolée. La rudesse l'a nettement emporté sur la tendresse. Du moins, dans le comportement et le propos. Car, en son for intérieur, Zélie aime son enfant et l'estime. « Ma tiote, dit-elle volontiers, c'est une vaillante. » Zélie est sans illusion sur la société des hommes. Elle sait que les riches et les pauvres n'ont rien à se dire. Les uns commandent, les autres obéissent. Zélie connaît bien cette grande injustice et sait qu'on ne la changera pas de sitôt. Peut-être aura-t-elle un geste envers les petits Duvinage. Rosine lui en parlera demain. Car demain...

Elle n'a pas le temps d'évoquer la journée magnifique qui l'attend, car Rosalie déboule en courant dans la rue :

— Denise, elle est tombée ! crie-t-elle, haletante.

— Où est-elle ? demande Rosine.

— À sa maison, répond Rosalie. Elle est tombée dans ses escaliers.

— Il faut appeler un docteur, dit Rosine.

Mais elle lit dans les yeux de Rosalie une réponse qu'elle connaît bien : « Trop cher. »

— Non, dit-elle, faut qu'elle va voir Titi.

— « Titi ? »

— Titi, le rebouteux... Il est connu comme le Barrabas de la Passion. Il va lui remettre son pied en place, et comme ça, elle pourra aller au boulot mardi... Si elle y va pas, elle peut perdre sa place, hein ! Mais il faut de l'aide. T'as Albert Ryckwaert, « le marchand d'os », dans ta rue.

Le « marchand d'os » est une sorte de brocanteur ambulant. Il passe régulièrement dans les rues, d'un quartier à l'autre, en tirant sa charrette et en lançant son cri familier : « Marchand d'os. Peaux... eaux d'lapins ! » Il vend ou achète des objets qui ont déjà bien servi : bols ébréchés, casseroles un peu rouillées, roues de bicyclette... Et surtout des peaux de lapins. Les mères en achètent quand elles ont quelques sous, pour doubler le manteau d'un enfant, ou en glisser une sous le tricot d'un petit quand il fait froid.

Rosine, qui comprend que Rosalie compte sur Albert pour transporter Denise, dit à Michel :

— Va chercher ton papa.

Désiré Duvinage est rentré du travail, il accourt aussitôt. Il connaît bien Albert Ryckwaert. Il va le voir, et la chaîne de solidarité des petites gens se met tout de suite en place. Albert sort immédiatement sa charrette, se place entre les brancards. Ils parviennent en quelques minutes chez Denise. Désiré et Albert la soulèvent doucement et la casent entre un vieux buffet et deux grosses bouilloires. Puis on se hâte vers la maison de Titi, toute proche. On installe Denise dans un vieux fauteuil. Titi tâte doucement la cheville enflée. Un docteur dirait que Denise a une belle entorse et prescrirait une compresse d'eau blanche et un bandage serré. Peut-être même un plâtre. Mais, dans les deux cas, trois semaines d'immobilité. Le médecin des pauvres, lui, sait que c'est impossible pour les ouvrières. Heureusement, il a, pour soulager les gens, des gestes précis que ses aïeux se sont transmis depuis les temps anciens. Il place ses doigts sur la cheville de la jeune fille, ne cherche ses repères qu'un court instant, et tire. Denise a crié.

— C'est fini, ma fille, dit Titi. C'est remis. Essaie de pas trop marcher demain, puisque c'est congé. Et ça ira.

Denise et Rosalie connaissent le tarif du rebouteux. Il y a une soucoupe sur la table, et on donne ce qu'on veut. Ce qu'on peut. Denise met deux sous, remercie, et voilà l'attelage reparti en sens inverse : « Marchand d'os ! Peaux... eaux d'lapins ! »

Elle est jolie, Denise, au milieu de ce bric-à-brac. Elle a un teint nacré où vivent deux grands yeux noirs, qui brillent d'intelligence et de convivialité. Ses cheveux bruns se placent en bandeaux le long des tempes. Denise les noue sur la nuque en chignon lorsqu'elle travaille. Mais le soir, la jeune fille les détache, et cela fait miroiter une mer brune qui encadre son visage de reflets moirés. Dès sa première journée de travail à l'usine, Rosine a remarqué Denise à cause de son allant chaleureux et de sa tenue. Serviable, mais discrète, elle lui a plu tout de suite.

Ils sont tous sur le chemin du retour à présent. « Eh ! » crie-t-on derrière eux. C'est Vincent et Thadée qui musent dans le faubourg des Postes. Albert stoppe sa charrette.

— Que se passe-t-il ? demande Vincent.

Rosine raconte brièvement l'accident de Denise et présente ses amis à ses compagnons.

Denise est transportée chez elle par des bras vigoureux jusqu'à son lit. Elle est confuse. Ces quatre hommes dans sa toute petite chambre ! Rosalie s'enfuit très vite : son homme l'attend pour les courses.

— Bouge point de ton lit ! crie-t-elle du bas de l'escalier. Je t'apporterai de la soupe, ce soir.

Rosalie est la voisine de Denise dans la courée où elles habitent, la courée Mazurel, du nom du filateur qui l'a fait construire. Mais elle ressemble à toutes les courées du Nord. Un boyau étroit et malodorant y conduit, parcouru en son centre par un caniveau où courent les eaux sales qui s'en vont rejoindre l'égout dans la rue. Dans la petite cour, adossées à un mur, se côtoient des cages à lapin, la pompe à eau et la cabane qui sert de latrines communes. En face, six maisons ouvrières blotties les unes contre les autres sont bâties à l'identique. Le même habitat que celui des Duvinage. Une pièce exiguë à l'entrée, censée faire office de salon, puis le poumon de la maison : la cuisine, où se déroulent toutes les activités de la famille. À l'étage, deux petites chambres auxquelles conduit un escalier raide.

Après le départ d'Albert et Désiré, Thadée, Vincent et Rosine restent encore un peu auprès de la jeune fille étendue sur son lit.

— Je ne suis pas encore très expérimenté, dit Vincent en examinant la cheville, mais je passerai demain matin avec un baume au camphre que mon interne m'a donné. Je masserai votre cheville si elle est encore douloureuse.

— Faut pas, M'sieur. Faut pas, bredouille Denise, confuse.

— Si, justement, il le faut, dit Vincent en souriant. À demain.

Puis tous trois prennent congé.

Dans la rue, Thadée dit à Rosine :

— Elle est sympathique, ton amie.

— Attachante, souligne Vincent. (Il reste songeur un instant, puis :) Oui, vraiment attachante.

Rosine les saisit chacun par un bras et murmure :

— Écoutez, j'ai des choses à vous apprendre. On a dit qu'on mettait tout en commun pour s'aider. Eh bien, ce que j'ai découvert ce soir peut être utile à tous. Voilà : une enveloppe m'attend à la maison, et je suis impatiente d'en connaître le contenu. C'est un examen blanc que Luce m'a fait passer. Il correspond au passage de la troisième à la seconde. Dans la lettre, il y a les notes, et les corrections. Quand je suis sortie de l'usine, j'avais grande envie de la lire, et en même temps j'étais très fatiguée, alors j'appréhendais... Je ne me suis pas pressée pour rentrer. Je me suis occupée de Denise volontiers. Maintenant, je me sens moins fatiguée et ma peur est partie. Je suis prête à ouvrir cette enveloppe, quoi qu'elle m'apporte.

— Ce qui veut dire ? demande Thadée.

— Que lorsqu'il y a surchauffe, dit Rosine, lorsqu'on se sent très fatigué ou très exalté, il vaut mieux faire une pause, même si on a l'impression de perdre du temps. Car ensuite on a tout en main pour reprendre la tâche : on est calme, et on y voit clair.

— En somme, dit Thadée, tu verses dans la cagnotte des Sculpteurs de destins un savoir bien utile.

— En tout cas, dit Rosine, c'est ce que j'ai expérimenté. Mais je pense que ça doit convenir à bien des gens.

— Le décalogue des Sculpteurs s'enrichit, dit Vincent, ravi. Nous y avons déjà inscrit la constance, le courage...

— L'amitié, la solidarité, dit Thadée.

— L'organisation, ajoute Vincent. Et voilà que Rosine nous indique quoi faire en cas de « surchauffe ».

— C'est bien vrai, on s'enrichit, dit Thadée en riant. On devient plus forts.

Devant la maison des Duvinage, Vincent propose :

— Alors, cette enveloppe, on l'ouvre ensemble ?

Rosine secoue la tête sans hésiter :

— Non, c'est le résultat de mon travail. Je veux l'assumer, même si c'est mauvais. C'est comme ça que je m'endurcirai.

Les deux amis acquiescent, la mine sérieuse.

— Écoute, dit Vincent, à un examen blanc, il y a les notes des épreuves, et la note finale qui est la moyenne de toutes. Fais-nous un signe par la fenêtre si tu as 12 ou plus. Là, nous saurons que tu as le niveau.

Rosine entre dans la maison, écarte les petits Duvinage qui l'invitent à jouer, presse le pas pour traverser la cuisine, et grimpe rapidement l'escalier. Elle décachette l'enveloppe et ne fait pas attendre ses camarades. Devant la fenêtre, elle lève le pouce et articule :

— Treize.

— Ouah ! crient les deux garçons.

Et ils s'éloignent en discutant vivement.

Rosine s'assoit à sa petite table et découvre les annotations et corrections portées par Luce. 15 en français. Rosine rougit de plaisir. Luce a noté : « *Sujet bien compris — Style incisif — quelques fautes de syntaxe.* » Elle les analysera tout à l'heure afin de ne plus les refaire. Elle tient maintenant en main sa copie de mathématiques, et, là, elle fronce les sourcils en lisant l'annotation : « *Étourderie impardonnable !* » Rosine regarde, et se rend compte tout de suite de l'erreur qu'elle a commise. Elle serre les poings : Non, Luce, ce n'est pas une étourderie, mais bien la fatigue. Je la vaincrai, se dit Rosine. Pourtant je sais que je ne serai jamais tout à fait gagnante ; quand on sort de l'usine, on l'a en soi, partout et pour long-temps. »

On toque à la porte de sa chambre, et la petite Maria entre, avec ses grands yeux bleus et son zézaiement d'enfant :

— C'est vrai que demain on va faire un voyaze avec toi ?

Rosine la prend dans ses bras, et fait claquer sur sa joue un énorme baiser.

— Oui, c'est vrai ! Demain, c'est la fête ! Demain, c'est enfin Woincourt !

16

Il est 18 heures. Dans le jardin des Vanbergh, chacun s'adonne au farniente. L'heure est propice, car la chaleur décroît et laisse passer dans l'air de longs rubans de tiédeur. C'est agréable.

Ce 14 Juillet a fait taire les machines tonitruantes des filatures et bâillonné les maillets des ouvriers forgerons. C'est un jour avec lequel la République ne transige pas. Et comme la veille était un dimanche, les deux jours sont fériés... Joie dans les usines. Et répit enfin pour les corps usés par le travail. Chez les bourgeois, on a accueilli sans ciller ces deux journées festives. On a lancé des invitations, on s'est reçus, on a siroté des rafraîchissements sur les pelouses dans de confortables fauteuils en rotin, à l'ombre des parasols vert et grège, couleur des arbres, couleur de la terre. On essaie toujours de rester dans le bon ton. Et l'on regarde avec une commisération qui se veut bienveillante les teintes gaillardes que le peuple apporte dans les kermesses : jaune des frites, rouge du vin, rouge encore des ceintures qui enserrent les reins des hommes, et surtout bariolage des toilettes féminines... vert, jaune tournesol, blanc, bleu drapeau... qu'importe, pourvu que la vie et la joie en jaillissent.

Chez les Vanbergh, Romain porte pour l'occasion un pantalon de toile grège avec gilet assorti croisé sur une chemise de linon blanc. Victor a une tenue similaire, mais en gris clair, avec une chemise bleue au col rond fermé par un délicat bouton blanc. Reine fait bouger des bouquets aux tons discrets sur sa robe blanche. Seule Luce se donne des apparences de gitane, mais en restant dans la note. L'ample robe dans laquelle elle se prélasse va du brun au grège, en passant par des orangés furtifs, des sépias distingués. Elle a assorti sa tenue de multiples colifichets dorés : colliers, bracelets qui tintinnabulent à chaque mouvement.

Elle scintille, Luce, non seulement par le jeu de ses bijoux, mais surtout par son beau succès à l'examen de première année de l'école normale. Reçue première ! Lorsqu'il a appris ce résultat, Romain a dit :

— C'est bien. (Et il a ajouté comme à regret :) Si tu veux vraiment devenir institutrice...

Luce l'a cajolé, comme elle seule ose s'y risquer :

— Oui, je le veux, a-t-elle dit en l'embrassant. Mon petit Papa, je vais être une institutrice remarquée... non, remarquable. Je vous ferai honneur et je satisferai la République !

Églantine apparaît à la porte du jardin. Elle porte avec précaution un petit berceau en rotin. Drap, taie d'oreiller, couverture, tout est bleu, assorti aux yeux de l'enfant. À pas prudents, Églantine rejoint le groupe familial. Aussitôt, Victor se précipite et se penche vers le berceau :

— Comment va ma petite fille bien-aimée ? demande-t-il.

Il tend un doigt que le bébé ne parvient pas à serrer. Alors, il lui caresse la joue.

— Tout va bien, dit Églantine. Elle a bu son biberon en entier... À présent que la chaleur est tombée, elle va pouvoir profiter un peu du bon air.

Elle place le berceau près de Reine et s'assied sur une chaise, de l'autre côté.

Reine regarde Joséphine, mi-émue, mi-indifférente. Elle se dit qu'elle aime certainement ce petit poupon puisque c'est son enfant, mais ne sent pas encore se lever en elle la tendresse. Depuis son accouchement, cette carence affective la surprend et parfois l'irrite. Que ressentent les autres mères ? On lui dit qu'en cas d'accouchement difficile, certaines ne s'attachent pas tout de suite à l'enfant, qu'il y a une période d'attente, voire de rejet. « C'est peut-être cela », se dit Reine.

Elle ne cherche pas à approfondir. Elle est encore faible. La langueur qui l'habite et la tiédeur ambiante font dériver ses pensées dans une sorte de somnolence confortable. Ainsi est-elle depuis son retour à la maison : précautionneuse, en raison de sa cicatrice, et languide. Elle n'a retrouvé son allant d'autrefois que pour signifier à Victor dès qu'ils ont été seuls :

— Plus jamais ça !

— Chérie, a répondu Victor, nous n'aurons plus d'enfants. J'ai eu trop peur pour vous. Nous consulterons le docteur Dehornois quand vous serez rétablie, et nous verrons comment reprendre une vie normale sans risquer de maternité.

— Pas de sitôt, a répondu Reine entre ses dents.

Il ne l'a pas entendue. Il s'est agenouillé devant elle, l'a serrée dans ses bras... tout son regard disait l'adoration :

— Je vous aime, ma très chérie. Vous m'avez fait un cadeau royal : notre petite fille. Et toute ma vie, je la passerai à vous construire du bonheur.

Reine en a été touchée. Mais peu après, évoquant ce moment, elle a soupiré : « Pourquoi faut-il qu'il m'agace ? Ah ! Comme la vie est compliquée et le mariage, somme toute, déroutant. » Victor et elle s'entendent bien pourtant, et forment une équipe agréable dès qu'il s'agit de conduire leur vie : la brasserie, la maison, les voyages qu'ils projettent... Mais leur intimité n'est pas au diapason. Victor a de l'élan, pas elle. Lui est plein d'amour ; elle subit, parce qu'ils sont mariés, parce qu'elle a de l'affection.

Tout à l'heure, après le repas, Reine s'était réfugiée dans le salon aux volets clos pour échapper à la chaleur. L'oncle Irénée s'y trouvait.

— Ça va, ma fille ? a-t-il demandé doucement.

— Mmm...

— T'as pas l'air dans ton assiette.

— J'ai chaud..., avait-elle répondu en s'éventant.

Mais l'oncle Irénée connaît par cœur ses petits-neveux, qu'il adore... L'âge et l'affection lui ont donné assez de clairvoyance pour trouver les âmes au-delà des apparences.

— Toi, t'es pas heureuse, malgré que t'as un joli poupon.

Reine s'était tue. L'oncle Irénée avait laissé ce silence s'installer comme une onde bienfaisante. Il avait traversé la pièce, telle une ombre légère. Le silence peut décrisper les cœurs parfois. L'oncle Irénée le savait. Puis il avait repris doucement.

— Tu sais ce que t'as ?

— Mmm...

— T'as que t'es point accordée à ton mari. C'est un bon fieu, Victor, et il t'adore, ça oui. Mais toi, c'est pas pareil... Il te donne le plus de son cœur, le plus de lui-même. Ça fait qu'il te place très haut... Mais toi, tu lui donnes le moins de toi. Alors, ça le met en bas. Et il est toujours à lever le nez en l'air quand il s'agit de toi... Et ça t'énerve. Tu lui en veux et tu t'en veux. C'est pas ta faute et c'est pas la sienne. Pourtant, il a de l'idée, le fieu, et il est courageux... Il la mènera loin, la brasserie, tu verras ! Mais devant toi, c'est plus pareil. Tu lui en mets plein la vue ; et alors, ça lui fiche le trac. Voilà.

— Oncle Irénée, je l'estime, Victor, et je l'aime bien...

Et il y avait une sincérité suppliante dans sa voix qui embarrassa l'oncle Irénée. Il toussota avant de se lancer :

— Vous êtes mariés, mes enfants, dit-il enfin. Probable qu'avec le temps, vous arriverez à arranger tout ça. La vie, tu sais, c'est pas seulement un lit. C'est aussi les enfants qui viennent, les affaires, la barque à mener. Quand on arrive à bien faire ça à deux, il y a des liens qui se forment. Et on peut être heureux quand même.

Reine avait hoché la tête, pensive. Et tout à coup :

— En fait, c'est pas Victor que tu aurais dû épouser, c'est un homme comme le Monsieur.

— Le Monsieur ?

— Celui qui a parlé à ton mariage... Tu te souviens ? Ça, c'est un homme. Il n'a pas mis longtemps pour connaître la vie, et il sait aussi ce qu'il veut... Avec lui, c'est toi qui aurais dû lever le nez pour le regarder... Et ça aurait marché.

Le cœur de Reine s'était mis à battre à grands coups : Helmut ! Comment se fait-il qu'au moment où la mort avait essayé de la tirer vers elle, Reine ne s'était pas souvenue de lui, ni de Victor, ni même de son père, son rocher, son repère ? Elle n'avait eu qu'un mot auquel s'agripper : *vivre.* « Sommes-nous tellement attachés à la vie qu'elle est à notre insu la seule chose qui compte ?... Les sentiments les plus sincères ne seraient alors qu'illusions ? »

L'oncle Irénée s'était levé pour mettre un terme à cette conversation qui bouleversait sa nièce. Il ne voulait pas la perturber davantage. Mais, avant de quitter la pièce, il avait regardé le bouquet de roses que Sidonie avait posé sur une table basse :

— Les roses sont belles, cette année, avait-il dit.

Alors, Reine avait eu cette réponse rêveuse et surprenante :

— Oui, comme à Ispahan.

— Ispahan !... Où est-ce que tu vas chercher ça ? s'était étonné le vieil homme.

Et Reine avait fermé les yeux sur quelque image connue d'elle seule.

17

À 19 heures, ce 14 juillet 1906, le carillon de la mairie retentit. Dans la famille Vanbergh, on commence à se dire qu'il est temps de rentrer.

Vincent s'est arrangé pour prendre le moins de repas possible chez lui. Hier soir, Reine et Victor l'ont invité. Reine n'approuve pas le choix de son frère. Son père est bien meilleur juge, pense-t-elle. Mais elle veut éviter les tensions dans la famille. C'est pourquoi elle a convié Vincent.

Ce soir, ce sont les Librecht qui l'ont invité car Hyacinthe rentre pour quarante-huit heures. Ensuite, Vincent retournera à Lille où il travaillera dans un entrepôt où l'on fait l'inventaire. Puis il ira moissonner dans des fermes de Flandre.

Il se fait tard mais, dans le pré des Librecht, personne ne pense à regagner la maison. Ce ne sont que cris joyeux et fous rires. Les trois enfants Duvinage se saoulent de grand air, de verdure et d'espace.

Tout le jour, ils se sont occupés à gravir et dégringoler le talus de la prairie dans un va-et-vient allègre et rieur. De loin, on ne voit d'eux que des pirouettes, des cheveux en broussaille et des herbes qui s'agitent, dans une explosion de cris et de rires qui se répercutent dans la campagne.

Thadée, Vincent et Rosine se sont cotisés pour leur payer le train. La dépense a écorné leur budget déjà serré, surtout celui de Rosine. Mais sa détermination l'a emporté, comme chaque fois qu'elle a une certitude. « Ces trois petits ont besoin d'être au vert, s'était-elle dit. Et puis, en les faisant connaître à Zélie, peut-être lui soufflera-t-on l'idée de les inviter au mois d'août. » Mais ce sont les Librecht qui ont offert de prendre les enfants. L'anémie des petits a tout de suite ému madame Librecht :

— Ils sont pâlichons, ces tiots ! Ils auraient bien besoin de grand air, et aussi de manger de bonnes choses. Pourquoi ne viendraient-ils pas ici pendant les grandes vacances ?

Vincent et Rosine ont tout d'abord approuvé avec enthousiasme, puis ils se sont regardés avec un certain embarras qui n'a pas échappé à madame Librecht.

— Un problème ?

Confus, Vincent a dû expliquer qu'ils ne pourraient peut-être plus financer le voyage des enfants jusqu'à Woincourt.

Madame Librecht a éclaté de rire. Un rire frais, comme le bon beurre qui est dans sa cuisine, comme ses draps blancs qui sèchent au pré, comme toute cette ferme qui est à son image :

— J'invite, a-t-elle dit. C'est donc moi qui offrirai les billets.

Le train de Hyacinthe arrivera à 20 heures, et Vincent attend ce moment avec impatience. Il est 19 heures 30. Rosine appelle les enfants Duvinage et prend congé. Vincent devine qu'elle ne veut pas rencontrer Hyacinthe ; ce qu'il trouve bien légitime.

Rosine emprunte un petit sentier où elle ne risque pas de tomber sur lui.

— Pourquoi tu pleures ? demande Michel.

— Je ne pleure pas, dit Rosine, j'ai le soleil dans les yeux.

Mais les enfants devinent bien des choses :

— Nous, en tout cas, on t'aime de tout notre cœur, dit Maria, la petite Bécassine des Flandres.

Rosine l'embrasse. Elle sait que les enfants peuvent être durs entre eux, voire cruels parfois, avec la même innocence. Mais, ils sont aussi capables d'une tendresse rare et sincère parce qu'ils ne sont pas encore doués de calcul.

Rosine pose donc un gros baiser sur les joues de Maria, puis elle presse le pas, car monsieur Pétrée, un cousin des Librecht qui rentre à Lille ce soir avec sa calèche, va venir les chercher bientôt.

Peu après 20 heures, la porte s'ouvre chez les Librecht et Hyacinthe paraît. Le silence se fait. Hyacinthe en soutane, Hyacinthe presque prêtre... et puis, le choc passé, les réactions diffèrent : les parents ont les yeux mouillés de larmes, les frères et sœurs sont affectueusement narquois, leurs regards expriment un : « Eh, Hyacinthe !... T'es tout drôle en curé ! » Vincent, lui, est grave. Il se demande : « Est-il heureux ? »

Le teint de Hyacinthe, privé de plein air depuis près d'un an, a à peine pâli, car toutes les averses et les canicules qu'il a dû subir depuis tant d'années lui ont boucané la peau à jamais. Il observe un instant ceux qu'il aime, puis il dit : «Je reviens », et grimpe dans sa chambre.

Lorsqu'il redescend, c'est le Hyacinthe de toujours. Il porte son pantalon de velours et une chemise sans col de couleur bise.

— Tu as le droit ? demande son frère.

— De quoi ?

— De te remettre en civil.

Hyacinthe répond par un léger haussement d'épaules. Vincent, qui l'observe, connaît son ami ; il sait ce que ce mouvement-là signifie : « Qu'importe ! L'essentiel n'est pas là. » Mais où est donc l'essentiel pour lui, après cette première année de séminaire ? Vincent a hâte de se retrouver en tête à tête pour le lui demander.

Madame Librecht sert le repas. Hyacinthe savoure ces plats retrouvés. « Mais alors, se demande Vincent, où t'amarres-tu, Hyacinthe ? As-tu un autre port ? Et s'il existe, t'y sens-tu aussi à l'aise qu'ici ? »

Une heure plus tard, les deux amis sont enfin seuls. Dans la chambre de Hyacinthe, ils sont assis côte à côte sur le sol, comme ils l'ont fait tant de fois dans leur enfance :

— Alors ? demande Vincent.

Hyacinthe reste silencieux un moment, puis :

— Qu'est-ce que tu veux savoir ?

— Es-tu heureux ?

— Ce n'est pas l'enjeu, à moins qu'être heureux consiste à être en accord avec soi-même. Cela, oui, je le recherchais.

— Et es-tu satisfait ?

— Oui... et non, répond Hyacinthe en s'étirant. Oui, parce que je le cherche toujours, je n'ai donc pas dévié de mon but. Non, parce que je ne l'ai pas trouvé... pas encore.

Vincent tressaille :

— Dieu ne te comble pas ?

Hyacinthe cherche ses mots :

— Il existe, Vincent, j'en suis sûr. Mais contre toute attente le chemin que j'ai pris ne m'aide pas vraiment à Le rencontrer...

— Le séminaire ? Comment est-ce ?

— Beaucoup de grisaille. De petites règles, de petits rites, de petites cucuteries qui m'agacent parfois...

— Exemple ? demande Vincent.

— Les confessions à tout bout de champ, et qu'on

veut nous faire faire scrupuleusement, les pas feutrés, les repas silencieux, les lectures contrôlées...

Le grand Hyacinthe s'ébouriffe et retrouve ses gestes larges de paysan :

— Tout cela ne permet pas forcément le contact avec Dieu.

— Mais tu restes, cependant...

— Oui, dit-il. Il y a aussi des choses intéressantes... Et puis je considère que, si la voie qui mène à Dieu est dure, ce n'est pas une raison pour y renoncer, au contraire. (Il a un petit sourire, mi-serein, mi-attristé :) Les Sculpteurs de destins... Il faut faire avec ce qu'on a pour atteindre son but.

— On te verra un peu plus, l'an prochain ? demande Vincent.

— Possible. Je vais suivre des cours dans des facultés catholiques... Si nos emplois du temps s'arrangent, on pourra peut-être se voir un peu.

Mais il s'interrompt soudain. Son regard est devenu immense comme un océan, son attention tout intérieure comme s'il saisissait enfin la trame de sa pensée :

— Et si, dit-il... Et si Dieu s'était détourné de Son œuvre ?... S'Il la menait vers un point Oméga que lui seul connaît, et en regard de quoi nos petites vies indivi-duelles ne seraient qu'incidentes ?...

— Dieu s'en moquerait ?

— Non, dit Hyacinthe, mais elles seraient englobées dans ce flux majeur, lequel irait vers un terme infini-ment supérieur à toute existence, quelle qu'elle soit... Mais, de ce fait, chaque existence s'en trouverait, au terme, totalement comblée.

— Hyacinthe, dit Vincent, troublé, ce n'est pas là, tant s'en faut, la théologie catholique et romaine, selon laquelle Dieu est attentif à chacun de nous.

— Et si c'était nous qui devions l'être pour Lui ?... Et

104

s'Il nous déléguait cette tâche, Lui, toujours immergé dans Son œuvre gigantissime...

— Hyacinthe, dit Vincent dans un murmure, je ne sais pas si tu deviendras un jour un prêtre catholique et romain, mais si tu l'es, tu seras atypique. Ne renonce pas à ton esprit critique, néanmoins. Ce... ce ne serait pas digne d'un homme.

Vincent a peur pour son ami. Ce sera peut-être lui qui aura la tâche la plus ardue parmi les Sculpteurs de destins.

Hyacinthe sourit et sort de sa méditation :

— Et toi ? dit-il, où en es-tu ?

— Reçu, indique Vincent, et très honorablement. Je suis content mais je reste inquiet pour mes ressources, ce sera juste.

— Ton père te subventionne encore ?

— Jusqu'à présent... mais plus depuis que je suis majeur. Cette année, je vais préparer l'externat. J'aurai moins de temps pour les travaux alimentaires. J'espère avoir mis assez d'argent de côté pour tenir deux ans.

— Deux ans ?

— Oui. Dès la troisième année, je préparerai l'internat. L'examen a lieu en quatrième année, mais on s'y prépare sur deux ans. C'est un concours difficile. Je ne pourrai absolument pas distraire du temps pour gagner de l'argent, sauf pendant les vacances...

Hyacinthe lui tape sur l'épaule :

— Tiens bon. Un jour après l'autre. Rappelle-toi : on fait avec ce qu'on a et, à partir de là, on façonne sa destinée.

Dans la calèche qui la ramène à Lille avec les enfants Duvinage, Rosine se remémore la conversation qu'elle a eue la veille avec Luce. Elle s'y réfugie, ce qui l'aide à oublier que Hyacinthe est à Woincourt.

— C'est remarquable, lui a dit Luce, en parlant de ses progrès. Atteindre ce niveau-là en travaillant est non seulement méritoire mais aussi prometteur. C'est que tu as en toi de grandes capacités. L'année prochaine, tu te présentes au brevet.

Rosine a soupiré :

— Même si je l'obtiens, je ne pourrai pas encore m'en servir.

— Pourquoi ? a demandé Luce.

— Il me faudra encore travailler au moins deux ans pour avoir assez d'économies et payer mes études à l'école d'infirmières.

Luce lui a tapé sur l'épaule :

— Qu'importe que le but soit lointain. L'essentiel est que tu puisses l'atteindre. Et de cela, à présent, tu peux être totalement sûre.

Rosine songe à la filature qu'elle retrouvera demain dès 5 heures, à sa chaleur moite, à son vacarme assourdissant, à la cadence d'enfer... Mais désormais, de jour en jour, devant son métier, auprès de ses collègues aussi fatiguées qu'elle et respirant la bourre de coton, elle aura en tête l'affirmation de Luce : « Tu peux être totalement sûre. »

Quand la calèche s'arrête devant la maison des Duvinage, les enfants s'en échappent comme des cabris. Rosine remercie le conducteur et s'apprête à suivre les petits dans la maison, lorsqu'un homme se détache de l'ombre :

— Thadée !

Le visage du jeune homme est radieux. Toute la joie et la fierté du monde sont en lui, il rayonne. Il saisit Rosine aux épaules et lui dit d'une voix contenue :

— Tu connais la nouvelle ?

Rosine secoue la tête, étonnée.

— Eh bien, notre gouvernement a voté la loi du repos

106

hebdomadaire. On ne travaillera plus le samedi après-midi et le dimanche, dans certaines usines !

Rosine voit soudain des boulevards de liberté s'ouvrir devant elle : des boulevards de repos et de temps pour travailler... Elle se jette dans les bras de Thadée :

— Oh ! Thadée !... C'est merveilleux !

Thadée murmure à son oreille, mais d'une voix ferme :

— Le progrès humain est en marche... Il ne s'arrêtera plus.

Quand la jeune fille se dégage de ses bras et s'éloigne, il reste un moment immobile. Il a contre sa joue un parfum de fleur de pommier. La joie qui l'envahit alors double de rêve son enthousiasme, et il sent monter en lui un sentiment doucement mûri dans une des contrées désertées de son être. Le grand Thadée s'arrête un instant, comme ébloui. Puis il repart d'un grand pas, résolu et joyeux. Un pas de conquérant, nouveau pour lui. « Tout, se dit-il, je vais tout faire pour gagner son cœur. »

18

L'été a laissé la place à l'automne. Les enfants Duvinage, dorés à point, ont zébré le pré des Librecht de leurs courses effrénées ; ils l'ont enchanté de leurs rêves, décrétant tour à tour qu'il était l'empire des fées... Puis ils ont regagné leur petite maison du quartier de Lille-Sud, mais avec des joues vermeilles et des carrures de petits matelots.

En même temps qu'ils reprenaient leurs ardoises et leurs craies et s'acheminaient vers l'école, Vincent retrouvait l'hôpital et la faculté. Thadée et Rosine ne s'étaient arrêtés que ce court week-end de juillet et avaient depuis longtemps réintégré leurs ateliers. Quant à Hyacinthe, le séminaire l'avait repris dès la mi-août.

Novembre souffle un vent froid dans les rues, juste au-dessous d'un ciel de suie. C'est un vent qui a erré sur les labours gras et lourds des campagnes sans avoir rien trouvé à faire voltiger. Un vent affamé qui pousse la poussière, le moindre papier et pénètre les manteaux et les lainages en faisant frissonner les chairs.

Thadée et Vincent devisent en attendant la sortie de la filature. Ils ont décidé de prendre Rosine au dépourvu et de l'emmener boire un café chaud. Thadée a dit à Vincent :

— J'ai quelque chose à annoncer.

Et son ami insiste vainement depuis une heure pour savoir ce que c'est.

— Non, a dit le grand gars, en rajustant sa casquette. Quand tout le monde sera là.

Il semble heureux, sûr de lui, mais un peu inquiet.

La sirène de l'usine retentit. Son sinistre meuglement puissant et uniforme s'apparie bien à la couleur du ciel : un gris de fonte, étale et pesant, qui ne tardera pas à faire place à l'obscurité.

Les ouvrières sortent par ateliers, ou par affinités. De petits groupes moutonnent devant le porche de l'usine qui n'en finit pas de vomir son personnel fatigué. Peu de femmes portent un manteau. La plupart se contentent, par ce froid, d'un fichu croisé sur leur poitrine ou d'un caraco. Le manteau est trop cher, hors de portée de leur salaire. Peu de couleurs également. Les vêtements semblent assortis à l'usine et à la dure vie qu'on y mène : du noir et du gris.

Rosine sort en compagnie de Denise, de Rosalie et de sa collègue Léonie. En apercevant Thadée, Rosalie l'apostrophe cordialement :

— Tu viens voir ta dulcinée ?

Thadée sourit. La grande Rosalie ne lui laisse pas le temps de répondre, il fait froid et elle a beaucoup à faire. Elle s'éloigne en disant :

— Doucement, hein les enfants ! Faites pas de bêtises... S'agit pas de décrocher le gros lot !

Léonie intervient et l'entraîne :

— Tais-toi... Laisse-les tranquilles, ces tiots ! Et pis, ferme ta capote, tu vas attraper froid !

Rosine a rougi, mais Thadée ne se formalise pas. Il connaît bien le langage ouvrier, et sa sagesse brutale. Il sait combien d'ouvrières ont sévèrement payé de leur santé un avortement fait par une matrone sur une table de cuisine, et Rosalie croit que Rosine et lui « se fréquentent », comme on dit.

Les quatre jeunes gens s'éloignent ensemble. Arrivés devant le petit estaminet de la rue Saint-André, Denise s'apprête à prendre congé :

— Bonne soirée. À demain, Rosine.

Mais Vincent s'interpose :

— Non, non. Vous rentrez avec nous. Venez prendre un café.

Elle hésite. Vincent insiste :

— Je vous en prie.

Et devant ses yeux verts, tout à la fois emplis de gentillesse et d'obstination, elle cède. En prenant place avec ses camarades autour d'une table, Denise se demande si elle saura un jour résister à ces yeux-là. Il est si charmant, Vincent ! Tant de qualités se devinent en lui. Parfois elles apparaissent sur son beau visage comme une véritable image. Et ce qu'on aperçoit est séduisant. Naturellement, Vincent n'a pas la rusticité des jeunes gens que Denise côtoie chaque jour à l'usine et dans son quartier. On sent qu'il a été bien élevé, et aussi qu'il est instruit. C'est un monsieur d'un autre milieu que le sien. Mais à ce raffinement, acquis par l'éducation, s'ajoutent des qualités foncières : la gentillesse, l'attention profonde portée aux autres. Le tact.

Le groupe s'assoit autour d'une petite table ronde sur pied. Presque un guéridon.

— Un café ou un chocolat ? s'informe Thadée.

— Un jus ! dit gaiement Rosine.

Le « jus », c'est le café. Une boisson majeure dans le Nord, avec la bière. Il est d'abord convivial, car on le boit rarement seul, plutôt en famille ou entre amis. Et puis, on lui prête une vertu de tonicité. « Ça requinque », dirait Rosalie. Et un soir de grand froid comme celui-ci, elle ajouterait : « Ça réchauffe. »

En attendant d'être servi, Vincent regarde l'estaminet.

Il a eu peu d'occasions d'en fréquenter jusqu'alors. Quand il était petit et qu'il accompagnait Églantine à Lille pour des courses, on l'emmenait au Café Jean. C'était un vaste établissement où tout était imprégné de luxe jusque dans les moindres détails : fauteuils et banquettes capitonnés, tapis moelleux, tables recouvertes de marbre, consommations servies dans le cristal ou la porcelaine. Un orchestre de femmes, en longues robes de velours rouge, jouait en permanence une musique de bon goût. Son père, lui, l'emmenait à la Brasserie flamande, qui ressemblait à un club anglais réservé aux gentlemen. Fauteuils profonds en cuir, petits vitraux jaunes et verts aux fenêtres, tables cirées, atmosphère feutrée. Un autre genre que le Café Jean, mais du même bon ton.

L'estaminet, Vincent le découvre... Au sol, un mélange de sable blanc et de sciure. Le cabaretier le balaie chaque soir et le renouvelle. Ce saupoudrage donne à l'établissement une odeur toute particulière, à la fois fraîche et rustique. On se croirait dans une menuiserie à cause de la sciure. C'est une odeur d'homme, et les clients aiment ça. Le mobilier se réduit à des tables en bois. Certaines sont petites et carrées. On peut se mettre à quatre autour. D'autres, rectangulaires et plus vastes, permettent des tablées plus grandes. Le bois est tout juste poli et teinté au brou de noix. Au centre du cabaret, un gros poêle en fonte dispense la chaleur. Il est chargé de gaillettes et rougit parfois, tant la combustion est ardente. Près de lui, un seau à charbon, une pelle pour nourrir le feu, et un tisonnier pour l'attiser. Les clients qui entrent aiment venir tendre leurs mains vers la chaleur, surtout s'ils travaillent dehors, comme les charretiers, les éboueurs, les charbonniers, les maçons... Ils réchauffent leurs gros doigts crevassés, puis s'approchent du comptoir pour boire une chope ou une « bistouille[1] ». Il fait bon vivre, alors. Non

---

1. Petit verre de genièvre.

111

loin du feu, le crachoir. C'est une boule de métal montée sur pied, et qui s'ouvre en son milieu. On en écarte les bords, quand on en a besoin, et on crache à l'intérieur. Puis il y a le comptoir, sorte de front bombé de l'estaminet. Il longe le mur face à la porte. Derrière, sur des étagères, des bouteilles d'apéritifs, de liqueurs et de sirops : du malaga pour les dames ; du saint-raphaël, du picon, du pastis, du genièvre pour les hommes. Au sol, des caisses de bières. Le patron s'active, sert les consommations, relave les verres et les tasses qui ont servi... Il porte toujours, sur ses vêtements, un long tablier bleu sans manches. On dirait une bavette géante qui se croise dans le dos, et dont les cordons ramenés devant viennent se nouer à la taille. Au bout du comptoir, un énorme bocal contient des sucettes rondes et des caramels pour les enfants.

Un patron d'estaminet est censé avoir une certaine philosophie. Tout d'abord, il doit bien connaître la vie des travailleurs qui forment sa clientèle. Il doit avoir vu, ou avoir entendu, la rudesse de leurs métiers. Il doit aussi écouter ce qu'ils disent des difficultés de leur foyer : le budget serré, les fins de mois qui conduisent à acheter à crédit ou à solliciter l'aide des dames des bonnes œuvres — toutes des femmes de patrons ! —, les maladies des gosses dans des logements peu salubres, les avortements des femmes. Une Bon Dieu de vie ! Le cabaretier connaît aussi leurs loisirs. Les combats de coqs, qui se font dans certains estaminets, et où l'on parie sur les bêtes qui vont jusqu'au bout de leur combat. Alors ça crie de tous les côtés, ça s'excite, ça saigne, ça meurt : et on boit des chopes en se frottant les mains si l'on a gagné, ou en pestant contre le coq vaincu si l'on a perdu. Puis il y a les jeux de quilles, beaucoup plus calmes, pratiqués sur des terrains plats, non loin de la porte de Paris. On forme des équipes et l'on s'affronte. Les vaincus paient une tournée, et l'on se retrouve alors à l'estaminet. Là, on est bien, on parle entre hommes. On fanfaronne un peu, mais ça ne fait rien. On est pris par la griserie de la bière et par la trame de camaraderie qui fait l'ambiance. Et si un copain a trop bu, s'il s'est pris une « biture », on est plusieurs à le raccompagner chez lui.

Un cabaretier n'en est pas un s'il ne connaît pas toutes ces choses. Il s'approche des quatre jeunes gens et leur sert leurs consommations.

— Alors, l'ami ? dit Vincent quand le patron s'est retiré. Alors, qu'est-ce que tu nous annonces ?

Thadée les regarde en souriant. Ses yeux brillent, et l'on y distingue la détermination et la joie.

— Je suis entré au parti socialiste.

Un long silence lui répond.

— Pourquoi ? demande enfin Vincent.

— Le moment est venu. Les combats sociaux ne font que commencer. Mais ils ne vont plus s'arrêter. Il va falloir être groupés et forts pour les gagner. Seul le Parti me semble vraiment soucieux du monde ouvrier. Il veut mettre à bas cette société inégale où le petit nombre a toutes les richesses et la grande masse, rien. C'est la marche de l'humanité vers le meilleur... vers la fin de l'esclavage... vers l'émancipation des hommes, pour qu'ils puissent travailler librement avec un salaire à la mesure de leur labeur. Plus d'exploitation... plus d'horaires inhumains... Et des loisirs... des loisirs pour tous, pas seulement pour les bourgeois et leurs enfants.

— C'est un bel idéal, dit Vincent. Nous y adhérons tous. Mais es-tu sûr que le socialisme fera cela sans aliéner les libertés ?

— Au contraire, dit Thadée, il les veut accrues face au patronat et au gouvernement.

— Mais face à l'individu ? dit Vincent. J'ai lu certains livres de Karl Marx : pour lui, la masse prime sur l'individu. Il en vient presque à nier la valeur de celui-ci.

— L'individu gagnera ses combats au sein d'une

113

masse solidaire, tranche Thadée. Et au sein de cette masse, il trouvera ensuite sa place, un travail valable, et des capacités dignes d'un homme pour fonder une famille.

— Puisses-tu voir juste, dit Vincent.

— Mais ce n'est pas tout, ajoute Thadée. Les imbéciles se déchaînent en ce moment pour qu'il y ait la guerre. Il faut les en empêcher.

— Quels imbéciles ? demande Denise.

— Les revanchards de 70... Les généraux galonnés, les officiers freluquets, et toute cette clique qui a pris pour devise « Dieu et la patrie ». Dieu... Dieu... Croyez-vous, s'Il existe, qu'Il veuille vraiment qu'on recommence à se taper sur la gueule jusqu'à ce que mort s'ensuive ? En Allemagne, c'est pareil. Le Kaiser et son Konprinz bombent le torse. « *Gott mitt uns* », disent-ils. Ils ne pensent qu'à remettre ça au nom de Dieu. Vois-tu, Vincent, ajoute-t-il, je plains Hyacinthe. Car si nos dirigeants politiques et militaires lient Dieu à un idéal de guerre, il va devenir très difficile de croire en Lui. En tout cas, l'Internationale ouvrière va tout faire pour empêcher la guerre. Les travailleurs allemands ne la veulent pas plus que nous. Alors, il est urgent que nous soyons nombreux à la refuser.

Il se tourne vers Rosine, et dans ses yeux se lit l'inquiétude.

— Voilà, dit-il.

Sa voix ne tremble pas, il sait que, même si Rosine le désapprouve, il restera chez les socialistes. C'est sa conviction d'homme, sa voie. Mais il lui sera plus difficile, sinon impossible, de conquérir son amour. Et à cette pensée, une sorte de crispation douloureuse noue son être tout entier.

Mais Rosine le regarde et sourit, comme à son habitude, elle est calme et sincère :

— Si c'est ta certitude, dit-elle, il faut la suivre. De toute façon, l'idéal est beau, même si je crains comme

Vincent qu'il n'y ait un revers à cette médaille-là. Mais si cela arrive, tu sauras t'en dégager. On n'imagine pas Thadée Cikowski acceptant d'être privé de penser et de s'exprimer. Tu sauras toujours secouer tes chaînes.

— Et toi ? demande Thadée.

— Quoi, moi ?

— Tu n'aimerais pas rejoindre le Parti ou autre chose pour mener le combat ?

La réponse de Rosine est prompte :

— Ni un parti, ni une église. Jamais. Ce n'est pas fait pour moi. Mais je participerai, chaque fois que je le pourrai, même si c'est risqué, à ce combat pour la justice. Car il faut qu'elle s'impose.

— Tu ne condamnes pas le socialisme, alors ? demande Thadée.

— Je ne le condamne ni ne le soutiens. Je me ferai une opinion avec le temps... Pour l'Église, j'ai déjà mon idée.

— Et ? dit Vincent.

— Et je crois qu'elle se trompe, dit Rosine, ou plutôt que ses dirigeants se trompent. Elle s'allie trop à la bourgeoisie, même si ses œuvres s'efforcent de soulager les pauvres ; elle prend alors la forme d'un paternalisme fait par les patrons et leurs dames. Ça ne donne en rien la liberté et la dignité. Il faut toujours leur dire « merci ». Et de même pour les dogmes, ajoute-t-elle d'une voix sourde.

— Pour les dogmes ? demande Vincent.

— L'Église se trompe, ou plutôt elle s'est trompée.

— Que remets-tu en cause ? L'infaillibilité du pape, la virginité de Marie ?

— Tout ça m'est égal, répond Rosine, ça n'est pas important. Ce qui compte, c'est leur schéma fondamental : Dieu et le Bien d'un côté... Satan et le Mal de l'autre... Et ce qui existe entre les deux, qu'en font-ils ?

— Entre les deux ? interroge Vincent.

— Tu vas être médecin. Les maladies, tu les mets où ? La tuberculose, la lèpre, ça nous vient d'où ?

— De la misère, dit Vincent, troublé.

— Et aussi la diphtérie et le croup ? Sois honnête, Vincent. Tu sais que tout cela nous vient d'éléments infimes mais terribles : les microbes. Qui les a créés ? Dépourvus d'intelligence, ils ne sont pas le Mal, mais ils font le mal. Alors, qui les a conçus : Dieu, Satan, le hasard ?

Thadée exulte. Elle est drôlement intelligente, cette petite Rosine. Il rappelle, finaud :

— L'Église dit que ce sont des châtiments de Dieu en réponse à nos fautes.

— Un gosse qui meurt étouffé par le croup, un châtiment ? s'exclame Rosine. Il est châtié de quoi, ce marmot ? Il commence à peine à vivre.

Le problème soulève un silence. Problème aussi indéniable qu'insoluble.

— Non, conclut Rosine, le schéma de base n'est pas binaire : Bien/Mal. Il est bien plus complexe. Nous n'avons pas les capacités qu'il faudrait pour comprendre. Dieu, s'Il existe, le connaît car Il l'a déterminé. Nous, on ne peut que suivre...

— Rien à faire, alors ? dit Vincent.

La véhémence de Rosine colore ses joues de façon ravissante :

— Pourquoi veux-tu devenir médecin, Vincent ? Pour faire échec au Mal selon ta petite mesure. Thadée fait la même chose en entrant au Parti. Et Denise et moi, on fait ce qu'on peut dans l'atelier pour que ça soit moins dur parfois, plus juste.

— Rosine-pivoine ! dit Thadée en éclatant de rire.

Cette boutade met fin à la conversation et détend l'atmosphère.

— Pourquoi pivoine ? demande Rosine.

— Parce que l'ardeur vous donne de belles couleurs, mademoiselle, répond Thadée.

Ils sortent de l'estaminet. De façon naturelle, deux couples se forment : Thadée et Rosine devant, Vincent et Denise derrière. Spontanément, le jeune homme prend le bras de Denise :

— Toute cette conversation ne vous a pas trop ennuyée ? demande-t-il.

Il n'écoute pas ce qu'elle répond. Il la regarde à la dérobée. « Mon Dieu, pense-t-il, j'ai l'impression de marcher près d'un pommier en fleur. »

De fait, le teint de Denise est d'un blanc émouvant. Frais et profond en même temps. Et ses grands yeux noirs sont des vasques de jais où brûle une flamme que Vincent reconnaît : la bonté.

— Vous regardez mes cheveux ? demande Denise. Ils sont pleins d'étoupe. C'est comme cela chaque soir.

— Ce sont les étoiles d'une petite princesse des usines, répond Vincent.

Denise sourit :

— Vous me flattez.

19

À vingt kilomètres de là, un bourgeois enfile le pantalon en gros velours des charbonniers et un tricot dépenaillé. Il enserre ses reins dans la ceinture de flanelle rouge des travailleurs manuels, puis il se coiffe d'une casquette.

Quelques minutes plus tard, Victor Durieux ouvre la porte d'un estaminet d'Ennevelin.

Il a travaillé dur, Victor, avant d'arriver là, accoudé au comptoir de La bonne soif. Déguisé en travailleur, il guette les réactions de ceux à qui le cabaretier va servir la nouvelle bière : *La Fameuse*. Victor et le patron se sont mis d'accord : on ne dira rien aux clients. Ils demanderont une chope et on leur servira *La Fameuse*, sans prévenir. On verra alors s'ils percevront le changement et l'apprécieront. Pas d'augmentation de prix, ni de remise. Rien. On fait comme d'habitude, et on verra.

Victor demande une chope et considère la bière, sa bière, qui pétille dans son verre. Sous la couche de mousse, chaque bulle lui rappelle les heures et les semaines qu'il a passées avant d'aboutir à sa création. Mais elle est là, aujourd'hui, *La Fameuse*, celle que les hommes devraient en principe apprécier. Et Victor se dit que si *La Fameuse* est un succès, alors par le même chemin de recherche, d'invention et de labeur, ils devront créer *La Royale*, Freddy et lui.

Freddy est un jeune ouvrier brasseur à toupet. Victor l'a pris avec lui après avoir remarqué très vite son intérêt pour la bière, et son culot. Depuis qu'il lui a dit un jour : « Faudrait changer la bière, patron. C'est une bière de vieux », Victor a su que c'était lui qu'il s'adjoindrait dans la nouvelle brasserie.

Dès que le laboratoire a été monté, Victor a détaché Freddy auprès de lui, et le garçon est venu volontiers, avec son air dégagé, sa tignasse dorée et ses taches de rousseur qui le font ressembler davantage à un Irlandais fabriquant du whisky qu'à un brasseur du Nord. Victor repense à leur première conversation. C'était peu après la naissance de Joséphine. Victor était alors porté par un grand désir d'essor. Il voulait réussir quelque chose de vaste et de qualité, et s'en sentait capable ; ambition nourrie avant tout par le désir d'offrir durablement une vie aisée à son foyer. Il avait fait venir Freddy dans son bureau, en fin de journée. Victor aimait cette heure de l'été où la chaleur tombait, où la brasserie se vidait de son monde, et où l'on était bien à l'aise pour réfléchir.

— Assieds-toi, Freddy, avait-il dit. Voilà : nous savons toi et moi ce qu'il faut pour fabriquer de la bière, en tout cas une bière convenable : de l'orge germée pour faire le malt, de la bonne eau, de la levure, des aromates... Ces choses-là, nous les avons, et nous nous en servons correctement. Mais ça ne suffit pas pour faire une bière forte, une bière qui ne soit pas de « vieux », comme tu dis.

Freddy n'avait pas hésité :

— Y a les levures, patron.

— Quoi, les levures ?

— Les nôtres, elles sont moches.

— Mais elles viennent des établissements Van Breucken... Tout le monde s'approvisionne là.

— Justement. Tout le monde fait la même. C'est faiblard.

— Mais où trouver d'autres levures, et comment être sûr qu'elles valent la peine ?

Freddy s'était gratté la tête :

— Y a que Grégoire qui peut le dire, avait-il répondu.

— Qui est Grégoire ?

— L'oncle de ma mère. Il a brassé en Belgique dans une petite fabrique. Mais sa bière, elle était fameuse ! D'après ma mère, on fera jamais plus de bière comme ça.

— Et où vit-il, Grégoire ?

— Dans une petite cahute, près de la frontière belge.

— Alors on ira, avait dit Victor.

— Non, m'sieur, vaut mieux pas. Grégoire, il aime pas avoir du monde. Vaut mieux que j'y aille seul.

Et il y était allé à vélo, un dimanche après-midi.

— Une belle trotte ! avait-il dit à sa mère en rentrant.

Warneton était en effet situé à la frontière belge, mais dans l'Armentiérois. À une quarantaine de kilomètres de distance. Arrivé dans le bourg, Freddy ne s'était pas trompé. Sa mère lui avait bien expliqué le chemin. On longeait le canal et, juste après la borne frontière, sur la gauche, il y avait une petite maison. C'est là que vivait l'oncle Grégoire, entre roseaux et vent. Il était en train de réparer l'une de ses cages à lapins quand Freddy était arrivé.

— Te v'là, fieu ! avait-il lâché en guise de bienvenue.

— Ben, ouais.

— Qu'est-ce qui t'amène ?

— Je cherche des levures.

— Pour en faire quoi ?

— De la bière.

L'oncle l'avait regardé sans un mot. Puis :

— Des levures... des levures..., avait dit le petit homme en feignant de s'absorber dans son travail, t'en

120

trouves partout. T'as qu'à aller à Comines, chez Vansprange, elle est bonne.

Freddy avait coupé court et tiré au but :

— Bonne comme la bière que tu faisais à Jamagne ?

— Et comment tu sais ça, toi ?

— Ma mère.

— Et pourquoi que tu veux avoir cette levure ?

— J'suis brasseur, avait rappelé Freddy. Mon patron et moi, on veut fabriquer une bière qui sera pas comme les autres. Une bière d'hommes.

— Un tord-boyaux ? avait plaisanté Grégoire. T'as qu'à mettre de la bistouille dedans.

— Te moque pas, l'oncle, avait demandé Freddy. Nous, on voudrait faire une bière plus forte que d'habitude, avec du bon goût... J'ai discuté avec mon patron. À mon point de vue, c'est déjà notre levure qui cloche.

— D'où elle vient ?

— De chez Van Breucken.

— De partout, alors, avait grommelé l'oncle.

— Oui, était convenu Freddy.

Les deux hommes s'étaient alors compris.

— Et tu voudrais en trouver une qui se tienne ? avait continué l'oncle.

— Ouais. Ma mère m'a dit que, quand tu brassais, t'en avais une fameuse.

— Ce n'était pas moi.

— Ouais... mais où tu l'achetais ?

Grégoire le regardait, la bouche plissée et l'œil méfiant :

— Y a qu'une chose qui me chiffonne dans ton histoire. C'est ton patron. Va faire des sous avec ça, lui... J'aime pas les patrons, tu l'sais bien.

— C'est pas un patron comme les autres, avait dit Freddy. Il est futé, y sent qu'on peut faire mieux et que c'est le moment ! Il est jeune, il a de l'idée. Et pis, il est réglo. Si on trouve à deux comment faire cette bière, j'vas avoir une grosse prime et je passerai chef-brasseur.

— T'y tiens vraiment ?

— Ouais...

— J'sais même point si elle existe encore, avait murmuré Grégoire.

— Dis toujours.

— Je l'avais par un moine.

— Un moine ?

— Il brassait dans son abbaye... mais pas trop. Juste pour les visiteurs. Dans sa cave, il avait des pots de levure, fallait voir ! Les moines, y tripotaient ça depuis la nuit des temps. J'sais point trop ce qu'ils y faisaient... Mais c'était fameux ! Ça donnait à la bière un goût pas comme les autres... Ce que c'était bon !

— Où qu'elle est, ton abbaye ?

— Près de Chimay, dans les Ardennes. L'abbaye Saint-Joseph.

— Et tu crois qui brassent encore ?

— Va voir. Tu demandes le père Armel, et tu dis que c'est de ma part.

Freddy était remonté sur son vélo et, rentré à Woincourt, il avait tout de suite convaincu Victor de l'opportunité d'une visite à l'abbaye. Ils avaient décidé de ne pas s'y rendre en voiture, parce que la voiture, selon Freddy, « faisait riche » et ne plairait peut-être pas aux moines.

Le père Armel vivait toujours. Il avait écouté Freddy. La fougue du jeune brasseur, sa dévotion pour la bière lui avaient plu, mais il n'en avait rien laissé paraître. Puis il avait entendu Victor qui, lui aussi, avait fait bonne impression. Ce jeune patron intelligent, en quête de qualité, et prêt à se dépenser pour arriver à un bon résultat, avait convaincu le père Armel. Il avait indiqué à ses visiteurs qu'il brassait encore, mais très peu. En revanche, les levures étaient toujours là, et les moines en prenaient grand soin, faisant chaque année de nouvelles souches à partir des anciennes. Leur qualité était due à la température et au degré hygrométrique précis dans les caves où elles étaient entreposées.

Victor avait alors exprimé son désir de se fournir à l'abbaye. S'ensuivit un long entretien avec le supérieur d'où il résulta un accord commercial : l'abbaye fournirait les établissements Durieux pendant cinq ans, et les initierait en même temps à la culture des levures. En contrepartie, les établissements Durieux verseraient à l'abbaye un pourcentage de 15 % sur chaque litre de bière vendu.

Restait à transporter les premiers pots de levure à Woincourt. Il avait fallu concevoir une sorte de glacière qui assurerait à la levure la même température et la même hygrométrie que dans la cave. Après quoi, Victor et Freddy s'étaient mis au travail. D'un commun accord, ils avaient décidé de garder la même orge qu'ils utilisaient jusqu'alors. Une orge des Flandres, solide et riche, qui donnait corps et goût à la bière. Cependant, ils l'avaient torréfiée à 135°C au lieu des 105°C précédents, à peu près certains qu'une torréfaction plus élevée donnerait un goût plus fort à la bière. Puis ils avaient suivi les autres étapes de la fabrication sans rien changer. À l'orge, ils avaient aussi ajouté un peu de maïs comme ils le faisaient d'ordinaire, puis ils avaient effectué le brassage afin d'obtenir le moût. Après filtration du moût, ils l'avaient porté à ébullition comme il convenait. Là, ils avaient particulièrement renforcé la dose de houblon et retardé l'instant où ils l'introduisaient, afin que l'arôme soit plus frais et plus fort. Au houblon, ils avaient ajouté la coriandre, comme à l'accoutumée, et avaient ensuite refroidi le moût en optant pour la fermentation haute à température de 15 à 20°C durant cinq jours. Et c'est là qu'ils avaient introduit la levure des moines. La fermentation terminée, ils avaient enclenché le processus final : la bière fut transvasée dans des cuves de garde jusqu'à ce qu'elle arrive à maturité.

Au premier essai, Victor et Freddy avaient été à la fois contents et déçus. Contents, parce que le goût avait indéniablement changé. La bière avait plus de « chien », comme disait Freddy. Elle avait un arôme plus prononcé que la bière habituelle, et qui restait en gorge de manière plaisante. Mais ça n'était pas encore « la bière d'hommes » dont ils rêvaient. Alors, ils avaient recommencé maintes et maintes fois, et toujours méthodiquement. Ils ne modifiaient qu'une phase de la fabrication à la fois, et notaient méticuleusement ce qui en résultait. Par exemple, ils avaient remarqué qu'une torréfaction basse à 105°C ne convenait pas à cette bière. En revanche, elle conviendrait probablement à *La Royale* car elle donnait un goût caramélisé qui plairait.

Souvent, Reine avait vu revenir son mari soucieux et fatigué. Il l'embrassait et s'asseyait à la table du dîner, indifférent au contenu de son assiette, absorbé par une longue concentration dont seule Joséphine le distrayait. Quand la domestique venait lui présenter la petite emmaillotée pour la nuit, son visage s'éclairait enfin, toute lassitude envolée. La petite magicienne revigorait son papa d'un sourire. Il la prenait dans ses bras et lui murmurait : « Bonsoir, ma fille, ma très chérie... » Lorsque l'enfant était couchée, il abrégeait le repas, pliait sa serviette et retournait à la brasserie. Mi-intriguée, mi-compatissante devant tant de fatigue, Reine lui avait demandé un soir :

— Mais enfin, que se passe-t-il à la brasserie ? Vous n'allez quand même pas y dormir ?

Victor était revenu sur ses pas et l'avait embrassée tendrement. Il aurait aimé lui expliquer sa recherche, mais il craignait que cela ne l'ennuyât. C'était tellement complexe ! Il s'était contenté de lui murmurer à l'oreille :

— Je nous prépare un bel avenir... Du moins, j'essaie.

Depuis quelques semaines, lorsqu'il rentrait se coucher, passé minuit, Reine était le plus souvent endormie.

Au terme de leur expérimentation, Victor et Freddy avaient acquis une certitude : le schéma était bon, il ne fallait plus en changer. Toutefois il manquait à la bière un aromate, mais lequel ?

Freddy était retourné voir l'oncle Grégoire, mais seul. Il n'en avait rien dit à Victor pour lui éviter une possible déception. À force de mener cette recherche ensemble, de partager tant d'heures de veille, Freddy avait fini par s'attacher à son patron. Certes, la barrière sociale était toujours là, incontournable, mais des liens d'estime et de connivence s'étaient noués entre eux.

L'oncle Grégoire était tel qu'en lui-même : crasseux, fluet, son unique touffe de cheveux gris ébouriffée sur son crâne. Ses mains calleuses étaient parcourues de rugosités qu'on devinait garantes de savoir-faire.

La conversation ne s'était pas encombrée de préambules :

— Te voilà ?

— Ben ouais.

— Quoi qui t'amène ?

— La bière.

— T'es point allé acheter mes levures ?

— Si... La bière, elle est mieux, c'est sûr. Mais c'est pas encore ça.

— Quoi qui te manque ?

— Des aromates.

— Qu'est-ce que t'as mis ?

— De la coriandre.

— La coriandre, c'est bon... ouais. Mais ça suffit point.

L'oncle Grégoire s'était mis à hocher pensivement la tête, cependant que Freddy l'imitait.

— Tu la veux comment, ta bière ?

— Forte, mais quand même pas à arracher le gosier.

L'oncle était resté un moment silencieux, puis il avait dit :

— Mets-y des baies de genévrier... c'est avec ça qu'on faisait la bistouille dans le temps.

Dès son retour, Freddy avait essayé. Mais le résultat avait été excessif. La bière était forte, oui, mais trop âpre. Elle brûlait la gorge.

— C'est comme le bonhomme qui crache du feu, avait-il dit à Victor. Celui qui est sur les paquets de ouate jaune.

Victor comprit l'allusion à l'emballage, convaincu lui aussi qu'il fallait « adoucir ». Mais avec quoi ? Les recherches avaient recommencé. Beaucoup de nuits de veille s'étaient succédé. Et un matin, en arrivant dans le laboratoire, Victor avait trouvé Freddy endormi dans un coin de table, la main posée sur un bout de papier où zigzaguait ce message : *Jé trouvé, patron.*

Avec autant de curiosité que d'émotion, Victor avait réveillé doucement le garçon.

— Tu as trouvé ?

Freddy avait déplié son jeune corps, puis avait entraîné Victor près d'une cuve de garde. Là, en plongeant une louche, il avait recueilli un liquide doré et pétillant qu'il avait versé dans un verre pour Victor :

— Goûtez, patron.

Victor avait respiré la bière, puis l'avait gardée en bouche, et enfin avalée. Il avait alors regardé Freddy avec des yeux brillant de larmes.

— Comment as-tu fait ?

— J'ai rajouté quelque chose... un tout petit quelque chose.

— Quoi ?

— De la rhubarbe... Ça m'est venu à l'idée comme ça. (Un soleil jouait dans ses yeux.) Et de la rhubarbe, patron, y en a tout plein dans le Nord. On n'en manque jamais !

Victor s'était approché de lui et l'avait serré dans ses bras :

126

— Freddy, avait-il dit avec une drôle de voix, j'aurais aimé que tu sois mon frère.

— Dites pas de bêtises, M'sieur, avait répondu Freddy simplement.

Ils s'étaient compris. L'instant d'après, ils éclataient de rire, célébrant leur joie : *La Fameuse* était là.

— Au travail, Freddy ! avait crié Victor. Tu es le chef-brasseur. Il faut passer à la fabrication. C'est toi qui organises.

Et le garçon avait soigneusement choisi son équipe. Sa jeunesse ne l'avait pas empêché d'être lucide. Il était futé et avait choisi des jeunes, désireux d'innover et de se promouvoir, et aussi des hommes d'expérience. Il aurait voulu embaucher l'oncle Grégoire, mais le vieil homme avait tout de suite décliné :

— C'est plus de mon âge, fieu !

Alors, on avait lancé la fabrication. *La Fameuse* avait été mise en cuves, puis en bouteilles. La commercialisation commence à présent, et ça c'est le domaine de Victor.

Et c'est aujourd'hui, à l'estaminet de La bonne soif dont le patron vend les bières Durieux depuis longtemps, qu'il observe les premiers consommateurs de *La Fameuse*. Les clients arrivent. Ce sont des ouvriers de la fabrique de lin Vandeghem. Ils s'assoient autour d'une table et commandent quatre bières.

Le patron ne tarde pas à les servir. Victor regarde la scène à la dérobée. Son cœur bat à grands coups. Lorsque le premier ouvrier porte la chope à ses lèvres, le regard du brasseur devient aigu. L'homme avale sa première gorgée et fronce les sourcils. Il boit à nouveau puis s'exclame :

— Nom de Dieu, c'est fameux ! Qu'est-ce que c'est que ça, Marcel ?

— Une nouvelle bière, dit le cabaretier en s'approchant.

— Eh ben, c'est fameux ! Goûtez-moi ça, vous autres !
Ses camarades l'imitent, déjà curieux.

— Celui qui l'a fait, dit un ouvrier, nous connaît bien.
Il sait ce qui nous faut. Après le boulot, une bière
comme ça, c'est fin bien.

Une véritable joie submerge Victor. Désormais il en
sait assez. Il laisse une pièce sur le comptoir et s'éloigne.
Il sait que sa bière a enfin reçu son baptême : « Nom de
Dieu, a dit l'homme, c'est *fameux* ! » *La Fameuse* pouvait-
elle être mieux reconnue ?

Il regagne alors sa voiture et s'achemine vers d'autres
estaminets, disséminées dans tout le district où les bières
Durieux s'imposent. Partout, c'est le même scénario :
Victor entre déguisé, commande une chope et attend.
Et dans tous les cabarets, ce soir-là, les réactions sont
identiques. Sur le chemin du retour, le jeune brasseur a
l'impression qu'il manque quelqu'un à ses côtés...
Freddy devrait être là et partager avec lui ce moment
d'euphorie qu'apporte la réussite, le but enfin atteint.
Comme il va être heureux ! Ses yeux brillent quand il
gare la voiture sous le porche de la maison. À présent,
ils peuvent s'attacher à la fabrication de *La Royale*, la
bière délicate, la bière pour dames. Là, ils le savent déjà,
il faudra changer de houblon. Ceux des Flandres sont
toniques mais trop forts pour cette bière-là. Victor songe
à des houblons alsaciens. Mais il aura besoin de conseils
car il ne les connaît pas bien.

Il pénètre dans la salle à manger, embrasse Reine qui
l'attend, et radieux et grave lui annonce :

— Chérie, nous avons inventé une nouvelle bière,
plus appropriée aux travailleurs manuels que sont essen-
tiellement nos clients. Mais à présent, nous allons tenter
la fabrication d'une bière à la fois prenante, savoureuse
et délicate, qu'on pourra servir au cours des repas,
même aux dames... Mais pour cela, j'ai besoin de
conseils. J'inviterai Helmut Meyer cet été.

20

Il a fait très chaud en juin. La moisson, en ce début juillet, est en avance. Les épis de blé craquent leurs gaines de paille. Les premiers dahlias, d'ordinaire annonciateurs de l'automne, pointent déjà leurs têtes ébouriffées dans les jardins et se mêlent au charivari des roses, bleuets, lupins, fuchsias et œillets.

Dans trois jours enfin, « Il » sera là. Reine oscille de l'incrédulité au ravissement. La perspective de retrouver la voix d'Helmut Meyer, son regard profond, toute sa personne, l'émerveille. Au point qu'elle doute de la réalité de l'événement. « Il » va venir. Est-ce possible ? Mais très vite l'angoisse s'infiltre dans sa joie. Pourquoi se réjouir si fort ? Que sont-ils l'un pour l'autre ? Rien. Pas même des amis, juste des connaissances. Le moment qu'ils ont partagé au bal a été bref, fugitif. Qu'en restera-t-il ? Quinze mois ont passé. Reine a frôlé les frontières de la mort. Elle est maman d'une petite fille. Ces événements et le temps l'ont changée, du moins le pense-t-elle. Elle a repris sa vie mondaine et ses frivolités en refusant de se poser désormais la moindre question sur quoi que ce soit. Elle ne vit pas, elle papillonne. À Joséphine, dont il arrive qu'elle croise çà et là les petits pas, elle dit « ma petite fille » avec douceur. Le cœur y est, mais sans plus. Elle va rarement dans sa chambre ou la salle de jeux. Elle se décharge, sur la nounou et sur sa mère, de tout ce qui concerne l'enfant. Peut-on encore accéder au miracle quand on n'est plus qu'une ombre, une sorte de mirage de soi-même ? Elle en doute.

Et lui, qu'est-il devenu ? Il a sans doute changé également. Peut-être s'est-il marié ? En tout cas, il ne s'est jamais manifesté. Juste une carte de vœux, conventionnelle, adressée début janvier à « la famille Durieux ». « Qu'attendre alors de cette rencontre ? songe-t-elle. Rien, selon toute vraisemblance. » Mardi soir, elle le sait, elle remettra pour le dîner le même ruban qui retenait ses cheveux le soir du bal. Mi-havane, mi-grenat ; et elle a déjà choisi la robe qu'elle lui assortira. Son tissu blanc et vaporeux est brodé de bouquets et, çà et là, une petite touche de brun, un rien de rouge sombre, vient s'accorder au ruban. Elle relèvera ses cheveux en chignon, prétextant la chaleur. Son cou est long, l'ovale de son visage toujours admirable. Elle se veut et sera parfaite.

Luce est rentrée à la maison avec ses valises et un beau diplôme à la main. Elle, si calme d'habitude, s'est avancée d'un pas hardi et joyeux en pénétrant dans la demeure familiale. C'est que l'élève a achevé sa mue. Une institutrice fraîchement émoulue a pris sa place : dans ces dernières semaines à l'école normale, Luce a surpassé toutes ses camarades en sortant major de sa promotion.

À bonne distance de là, un jeune homme sort en courant de la faculté de médecine, persuadé qu'il vole... « EXTERNE DES HÔPITAUX ! » Il voudrait le crier au monde... Mais il n'a pas envie de prendre le premier train pour Woincourt, non, il veut des réactions de joie vraie, pareille à la sienne, un visage qui s'éclaire... C'est samedi. Il est 13 heures. Les usines ont libéré leurs travailleurs. D'un pas léger, Vincent se dirige vers la rue de la Plaine. Des souvenirs l'accompagnent, qui l'enchantent. Il revoit ces moments doux et charmants passés chez Denise cet hiver. Tant d'admiration de la part de la jeune fille ! Elle l'écouterait des heures entières, et elle le comprend. Et puis son humilité est touchante, charmante. Combien de fois ne lui a-t-elle pas dit en hésitant sur le choix d'un mot : « J'm'ai trompé ? » pour rectifier tout aussitôt : « Non, je me suis trompée. » Et le rougissement qui s'ensuivait était adorable. Denise, sa confidente et son élève qu'il s'efforce, tel Pygmalion, de guider vers un enrichissement culturel dont elle est avide. Denise, qui l'a encouragé dans ces moments épars, courts mais cependant nombreux, où il est passé lui dire bonjour. Oui, Vincent trouvera en elle un écho à sa joie.

Il grimpe les escaliers qui mènent à la chambre de la jeune fille et toque à la porte.

— Mademoiselle, dit-il, je vous apporte du soleil en bulles. Je l'ai pris dans le ciel où il transportait une bien belle nouvelle.

Il sort de la poche de son paletot la demi-bouteille de champagne qu'Églantine lui avait apportée un jour. Il la débouche rapidement devant Denise ébahie, en saisissant d'autorité deux verres dans la petite armoire, les remplit, lui en porte un et dit :

— Mademoiselle, vous avez devant vous un externe des hôpitaux.

Elle pose son verre et vole à son cou. Toute sa joie s'enroule autour de lui, rejoint la sienne. Sa joie et son amour qu'elle ne peut plus dissimuler. Elle murmure :

— Mon chéri...

Il tressaille, relève doucement vers lui le petit menton qui tremble mais ne se dérobe pas. Leurs lèvres se joignent. Denise se laisse emporter avec ravissement. Il y a ce long baiser. Il y a le champagne qu'ils boivent et l'étreinte de leurs doigts. Il y a leur jeunesse, leur désir irrésistible de joindre leurs lèvres à nouveau. Ils ne sont plus que l'un à l'autre, à l'émoi de la découverte de leurs corps.

Rouge de fureur, Thadée vend l'*Humanité* dans la rue.
— La troupe a tiré sur les travailleurs à Narbonne ! hurle-t-il.
De fait, la production viticole est en crise dans le sud de la France. Le développement des chemins de fer a permis à d'autres produits de pénétrer sur le marché, notamment le vin algérien. Puis, des agriculteurs se sont mis à fabriquer « un vin de sucre » à partir de la bette-rave. Ils y ont été encouragés par le gouvernement, qui a baissé les taxes sur le sucre. Colère des viticulteurs du Sud qui se trouvent par conséquent en surproduction. Ils ont déferlé dans les rues de Montpellier, Perpignan, Béziers, Narbonne, criant leur mécontentement. En riposte, le gouvernement a envoyé la troupe, qui a ouvert le feu à Narbonne : six morts et de nombreux blessés. Alors, l'émeute se développe, gagne toutes les villes du Sud. Thadée est porté par l'indignation. Son cri est fort et âpre :
— Achetez l'*Humanité*... Le gouvernement a tiré sur les travailleurs !
La révolte du vendeur est communicative. Les gens se pressent autour de lui. Parmi eux, Rosine qui lui sourit. Elle lui tend une pièce d'un sou pour son journal et un gobelet rempli d'une boisson fraîche.
— Tiens, lui dit-elle, je t'ai préparé une citronnade. Tu dois avoir soif à te démener comme ça.
Thadée remercie. L'attention lui fait plaisir. Mais il ne peut pas penser à Rosine en cet instant. Il est tout entier au militantisme. Là, sur ce trottoir, il est d'abord un socialiste. Rien d'autre. Au geste de Rosine, il repensera ce soir, quand son service au Parti sera terminé. Rosine

132

ne semble pas s'en formaliser. Elle va marcher par ce beau temps, profiter du soleil et de la bonne humeur ambiante qu'il dispense. Puis elle déjeunera rapidement et prendra le train pour Woincourt. Elle veut féliciter Luce et discuter avec elle.

En fin d'après-midi, Thadée peut enfin s'étendre sur son lit, il est mécontent. Il a trop chaud d'abord. Sa chambrette est étouffante. « Les baignoires, pense-t-il, les salles de bains, c'est pour les bourgeois. » Il n'est pas content non plus de la tournure que prend le combat social : « On n'avance pas. On piétine. » Et quand il pense à Rosine, il s'en veut terriblement : « Elle t'a acheté l'*Humanité*, pense-t-il, elle t'a gentiment apporté une boisson fraîche, et toi, tu l'as à peine remerciée. Militant, tu te sentais... Eh bien, voilà où tu en es... Elle mérite une place de choix dans ta vie. Alors, comment faire pour combiner l'amour avec la politique ?... »

Il se lève, boit un grand verre d'eau.

« Comment faire ? se répète-t-il. (Et la réponse coule de source :) Être honnête... totalement honnête... dire enfin à Rosine que tu l'aimes, que tu veux être son mari... qu'il y aura des moments dans ta vie où le Parti te mobilisera totalement, mais que ça n'enlèvera rien, absolument rien, à l'amour que tu lui portes. Si elle accepte, sincère et courageuse comme elle est, tout sera possible. »

Les idées enfin claires, il saute sur ses pieds. Voilà, il va aller voir Rosine et lui parler.

Mais Rosine n'est pas là. Elle est dans le jardin des Vanbergh que Luce appelle « le petit labyrinthe ». Ce sont quelques allées sinueuses et bordées de troènes, qui mènent à un petit espace herbeux dans lequel les Vanbergh ont placé deux fauteuils en rotin. L'endroit est comme capitonné, à l'abri des regards indiscrets. Il y fait doux.

— C'est beau, tu sais, la complimente Rosine. Sortir première de l'école normale !

— Aucun mérite, dit Luce paisiblement. Quand tu as le temps pour étudier, de bons professeurs, et aucun souci matériel, bref, toutes les conditions favorables, tu ne peux que réussir.

— Tout de même, tu as une belle intelligence, tu le sais. Tu comprends vite ce qui est compliqué. C'est une capacité rare et précieuse. Et pour le reste, la poésie par exemple, tu es intuitive !

— Taratata, dit Luce. Je ne suis pas si douée que ça, la preuve : je n'ai pas su décider ta tête de mule à passer le brevet supérieur cette année. Pourtant, tu es à niveau.

— Luce, dit Rosine, je t'ai expliqué. Je n'ai pas encore suffisamment économisé pour me payer des études d'infirmière.

— Eh bien, dit Luce, dans un an ce sera réglé.

— Comment ça ?

Luce s'étire gaiement :

— Je vais travailler. Je suis nommée à l'école des filles de Fretin. J'aurai un logement de fonction. Donc, pas de loyer. Et le soir, je mangerai chez mes parents. Donc, peu de frais de nourriture. Alors, dans un an, j'aurai de belles économies. Tu les prendras, et hop !

Rosine s'immobilise, et la regarde intensément.

— Je te remercie, Luce. C'est bien de toi de me proposer ça. Mais je ne peux accepter. Je dois faire ma route moi-même. Je me le suis juré.

— Orgueilleuse ! la taquine Luce.

— Non, dit Rosine. Vois-tu, si je ne peux pas réussir toute seule mon ascension sociale, alors cela signifierait qu'elle n'est pas possible et qu'il y aurait une loi humaine du genre : On reste pour toujours dans le camp où l'on est né. Il n'y a qu'à se résigner...

— Attends, dit Luce, il doit bien exister un moyen...

Je vais y réfléchir. Je trouverai une solution à ton problème. Il en existe une, j'en suis sûre.

— En tout cas, dit Rosine, tu es très belle, coiffée comme ça.

Luce a dénoué ses cheveux et accepté que le coiffeur de Reine les ondule un peu. Elle rit :

— C'est seulement pour quelques jours, il y a une réception à la maison mardi soir. Mon beau-frère reçoit un grand brasseur allemand. Il a invité mon père, car il se peut qu'ils parlent affaires. Et ma mère, naturellement. Et moi, pour fêter mon succès. Une belle-sœur diplômée, c'est toujours agréable à présenter. Je crois que les parents Durieux seront là aussi. D'où grandes festivités... Je ne sais pas si Victor fera affaire, mais ce dîner a déjà un effet positif : ma sœur redevient elle-même. Elle prend ce repas à cœur, l'organise, règle les moindres détails, s'enflamme, pique des colères... Bref, c'est notre Reine retrouvée.

Arrive enfin le soir tant attendu. Debout dans le salon, guettant l'arrivée de ses invités, Reine est fourbue. Non de s'être dépensée pour le repas, son jeune corps porte allégrement cette fatigue-là, mais d'attendre. La reconnaîtra-t-il ? Comment se comportera-t-il ?

Il est 20 heures. Romain et Églantine sont présents, tels qu'en eux-mêmes. Lui, impeccable dans son complet de lin, elle, toujours fine et jolie dans une robe de lamé gris et or parfaitement accordée à ses cheveux. Ils se tiennent discrètement par le bout des doigts. Près d'eux, Luce à l'aise, un brin goguenarde, se veut spectatrice. Elle suivra la soirée avec une curiosité amusée. Victor est un peu à l'étroit dans son costume de toile grège car il a forci ces derniers temps. Il jette des regards nerveux à la pendule et ne prend pas garde à l'éblouissante beauté de sa femme. Reine s'est vêtue comme elle l'avait projeté :

chignon relevé, robe blanche où crépitent des bouquets, bijoux assortis. « Comme elle est belle, ma fille ! » pense Romain. Églantine également, mais avec une arrière-pensée inquiète : « Pourvu que Victor sache la garder ! »

On introduit enfin monsieur et madame Durieux. Derrière eux, la haute silhouette d'Helmut Meyer s'encadre dans l'embrasure de la porte. C'est chez les Durieux qu'il est descendu, et Reine en est un peu dépitée.

Il s'avance vers Reine. Elle comprend tout de suite que les yeux gris ont toujours sur elle le même pouvoir magique. Les réticences, les doutes, les crispations de l'attente disparaissent d'un coup. Il s'incline devant elle : « Madame », puis il saisit la main de Reine et la porte à ses lèvres, comme c'est l'usage.

Reine exulte. Le geste est d'usage, certes, mais elle est seule à en avoir perçu la pression particulière. Oh ! Il se souvient d'elle !

La porte s'ouvre et une domestique paraît, tenant une petite fille de treize mois par la main. Elle trotte menu dans ses petites sandales. Sa robe orangée convient très bien à la mousse dorée de ses cheveux. Elle avance gentiment en regardant les invités, puis se jette dans les bras de Reine avec un air joyeux : « Maman ! »

Reine se fige. Elle a vu Helmut tressaillir. Elle se défait rapidement de l'enfant, que Victor prend dans ses bras et présente à Helmut. Sa voix est gorgée de tendresse quand il lui dit :

— Ma petite fille !

Helmut le complimente :

— Elle vous ressemble tant. Demoiselle, vous êtes bien jolie.

Reine est restée pétrifiée. Elle ne s'attendait pas à ce que Joséphine paraisse. Elle n'avait pas donné d'instructions pour cela. C'est Victor qui a dû demander qu'on amène l'enfant. Elle le regarde, courroucée : « Celui-là !... Il lui faut sa fille à tout propos. Il en est ridicule. »

On passe à la salle à manger. Helmut est assis à la droite de la maîtresse de maison. À sa gauche, il y a madame Durieux. Victor lui fait face.

À la grande déception de Reine, Helmut Meyer se cantonne dans les conversations d'usage : la vie économique, les charmes respectifs de la Flandre et de la Bavière, la qualité d'un vin. À chaque plat, les doigts de Reine et de Helmut se frôlent, et elle frémit. Il se tourne soudain vers elle et lui dit :

— Ainsi donc, vous avez un enfant.

Reine s'entend répondre :

— Oui, et j'ai failli mourir.

Elle a dit cela spontanément parce que c'est en lui, et en lui seul, qu'elle voudrait reléguer pour toujours cette tragédie dont l'empreinte demeure en elle, malgré tous ses efforts. Ce chemin des limbes qu'elle a parcouru, et dont le souvenir la hante, comme elle voudrait lui en parler pour qu'il l'abolisse à jamais !

Il ne répond pas. Elle le regarde. Les yeux gris sont toujours rivés aux siens. L'expression est profonde, mais elle semble voilée. « Helmut, mon amour, vous faites le deuil de nos destins parce que je suis mère. Oh ! mon Dieu ! »

Déjà, il tourne la tête vers madame Durieux et parle d'autre chose. Reine est folle de douleur, et folle de colère contre Victor qui a fait venir ici leur petit marmot et a tout gâché. « N'est-ce pas suffisant qu'il m'ait fait cet enfant et ait mis ma vie en péril, faut-il encore qu'il éteigne ma joie de vivre ! »

Alors, Reine ne se contrôle plus. Elle s'étourdit en parlant mondanités, frivolités. Elle s'esclaffe, ses rires de gorge sont un peu bruyants. Elle rit de tout, à tout propos, et c'est parfois choquant. « Elle a trop bu, ou elle a un problème », pense Luce, en l'observant.

L'assistance est un peu gênée. Victor est contrarié de ce que sa femme monopolise la conversation pour autant de futilités. Mais, en la regardant de coin, il se dit qu'elle est très belle. Le feu aux joues comme un fard superbe, ses yeux verts tout emplis des étoiles de la verve, quelques mèches s'échappant sur son front, elle est terriblement séduisante. Victor se lève, emmenant les hommes au fumoir.

Une heure se passe. Reine est à l'agonie. Toute son énergie est retombée. Il lui est pénible de tenir une conversation, de parler à madame Durieux, à sa mère. Elle n'a qu'une hâte : que cette journée finisse, qu'elle se retrouve dans un coin bien à elle pour pleurer...

La porte du fumoir s'ouvre. Les hommes ont terminé : Victor a fait affaire avec Helmut Meyer pour qu'il l'approvisionne en houblon alsacien, dont tous deux pensent qu'il conviendra à la future *Royale*. On a même envisagé pour elle une double commercialisation en Allemagne et en France sous le label « Durieux-Meyer ».

Tout est dit. Helmut Meyer va prendre congé de ses hôtes. Il est plus distingué que jamais dans le complet bleu marine qu'il porte avec une cravate de même ton piquetée d'un petit semis blanc. Il complimente Luce pour son succès. On sent qu'il est sincère. Luce se dit que « c'est un type bien ». Un baise-main à Églantine. Il s'incline devant Reine. Et là, il lui prend les deux mains :

— Madame, dit-il, acceptez tous mes remerciements pour ce bon accueil.

Et elle reconnaît le regard profond du bal qui s'empare du sien, le pénètre pour y laisser un message... Mais lequel ?

21

C'est le 1er janvier. Dans les capitons neigeux de l'hiver, sous la lueur pâle et fragile d'un réverbère, un jeune homme et une jeune fille se parlent. Il est grand, et l'émotion tend ses traits. Elle est plus petite, mais sur ses joues fraîches, le vent d'hiver a mis du rouge. Il est sérieux, elle est attentive :

— Je t'aime... Veux-tu m'épouser ? demande le jeune homme.

Rosine n'a pas donné de réponse mais a expliqué qu'elle voulait devenir infirmière et y parvenir par ses seuls moyens. C'est sa quête et ce serait sa conquête si elle aboutissait. Elle a ajouté, après un silence pur et doux comme un baiser fraternel, que s'il voulait l'attendre, elle lui donnerait sa réponse lorsqu'elle serait au but. Il est polonais, il est socialiste, il est ouvrier : Thadée sait être endurant. Et il l'aime. Il a promis qu'il l'attendrait.

Les mois ont passé. Ce 1er octobre 1908 s'enclenche normalement dans la vie des hommes. Les écoliers reprennent leurs cartables. Les étudiants réintègrent les facultés. Les ouvriers poursuivent un travail qu'ils n'ont jamais interrompu au cours de l'année, si ce n'est le samedi après-midi et le dimanche.

Luce retrouve avec joie sa salle de classe. Elle s'occupe de la section des moyens, des enfants de neuf à dix ans. Elle est arrivée à 7 heures 30 ce matin pour bien préparer cette journée de rentrée. Debout sur l'estrade, elle contemple la vingtaine de pupitres qui lui font face. Tous sont en bois. Sur le dessus, une latte rectangulaire, plate, évidée à une extrémité, a reçu un godet de porcelaine blanche. Luce y versera dans un instant de l'encre violette. Le pupitre, en plan incliné vers l'élève, se termine par une petite moulure qui permet à l'écolier de le soulever. Au-dedans, une case permet de ranger l'ardoise, le plumier et les cahiers.

Luce écrit au tableau la morale du jour : « *Il faut protéger les plus faibles.* »

Dans peu de temps des petites filles entreront. Certaines portant des tresses, d'autres de longues boucles retenues par un gros ruban. Toutes auront dans leur cartable une tartine ou un « croûton » pour la récréation. Elles se rangeront devant la porte de la classe quand la cloche sonnera, et s'écrieront : « B'jour, M'zelle ! » lorsque Luce apparaîtra. Debout à côté de leurs pupitres, elles attendront qu'elle leur dise de s'asseoir. Puis elles regarderont, les yeux brillants, leur maîtresse. Luce accomplit avec aisance et plaisir ce métier qu'elle a choisi. C'est une joie profonde pour elle que d'éveiller ces petits cerveaux, et d'écouter le babil des enfants. Elle découvre leurs rêves, parfois somptueux, tant l'imaginaire est riche. Elle rassure certaines fillettes, console les gros chagrins, puis suit, à travers leurs propos, le fil de leur rude quotidien dans une ferme ou dans des chaumines.

Au pensionnat Sainte-Gudule, Mariette prépare le brevet supérieur. Quant à Vincent, il est entré dans l'année décisive. Il dit « l'année d'enfer », car le travail sera si dense qu'il n'aura pas le temps de se consacrer aux travaux lucratifs et aux loisirs. En quatrième année de médecine, il prépare l'internat. Deux anges gardiens s'efforcent de veiller sur lui : Denise, qui lui prépare ses repas du soir, tant pour s'assurer qu'il mangera, que pour alléger le budget de l'étudiant. C'est juste, très juste, pour la petite ouvrière, mais c'est pour Vincent... et Églantine qui apporte des provisions dans le même souci. Sans se connaître, mais avec une vigilance de même qualité, les deux femmes œuvrent pour le garçon qui est entré dans l'âpre tournoi de l'internat.

Au séminaire, Hyacinthe a reçu le diaconat. Dans presque trois ans, il sera prêtre. Le soir, il arrive que le grand gaillard écrive sur un petit carnet la théologie qu'il élabore au fur et à mesure qu'il étudie et que sa réflexion s'exerce. Si ses supérieurs en prenaient connaissance, Hyacinthe Librecht ne serait probablement pas ordonné prêtre. Mais lui s'accommode de ces distorsions entre la foi de cette Église qui va le consacrer comme un des siens, et sa propre foi. Parce que, pour lui, la vérité se situe bien en amont. Dieu existe. Point. Témoigner de sa présence suffit à justifier une vie.

L'année 1908 poursuit donc tranquillement son cours.

Pourtant, à la filature Lesage, une voix tonitruante vient soudain perturber les lourdes habitudes.

— On arrête ce soir ! On arrête ! clame-t-on par-delà le fracas des métiers.

Cet homme, c'est Octave Wilhem, « Tatave » pour les ouvriers. Il fait partie de la CGT, et semble hors de lui :

— Ils ont renvoyé Julot ! hurle-t-il. Ils ont renvoyé Julot ! On arrête !

Jules Huylebroucke est un ouvrier mécanicien qui entretient et répare les métiers. Ce matin, il a eu des mots avec Jean Deroisin, le contremaître, qui le rendait responsable de l'arrêt d'une machine, alors que l'ouvrier n'y était pour rien. Une pièce s'était soudainement brisée. Sans doute un défaut de fabrication. Julot adore son métier malgré le maigre salaire qu'il perçoit. Les courroies, les engrenages, les cylindres, il connaît. C'est un monde complexe où il retrouve toujours son chemin car ces pièces sont « ses fieux », comme il dit. Sous ses doigts, elles se révèlent telles qu'elles sont. Une fêlure, un écrou desserré, un joint fatigué, Julot détecte tout et y remédie. Il resserre, huile, change une pièce qu'il sent défaillante. Mais ici, l'accident était imprévisible. Une clavette a cassé sans signe avant-coureur. Comme l'a répété Jules tout à l'heure, avec sa compétence et sa probité :

— Je pouvais point le voir. Y avait rien qui clochait hier soir.

Mais Jean Deroisin n'a pas raté l'occasion qu'il guettait depuis longtemps. Il n'aime pas Julot, qui dit parfois des vérités avec ses yeux limpides et sa voix tranquille.

— Toi, t'es un moche. Tu cours après ces gamines parce que t'es le plus fort... Elles disent rien parce qu'elles ont peur de perdre leur place... Mais tu pourrais être leur père. C'est honteux ! a-t-il lancé un jour au contremaître.

Les gamines, ce sont les jeunes ouvrières nouvellement embauchées. Jean Deroisin exerce sur nombre d'entre elles une sorte de droit de cuissage. Et il est vrai que plusieurs petites, terrifiées et écœurées, laissent faire car on a besoin de leur paie à la maison. Les ouvriers le détestent, en raison de son arrogance et de sa dureté. Inflexible, il veille au rendement plus que ne le ferait le patron lui-même. Pourtant, il a été ouvrier autrefois. Il sait combien la vie est difficile en filature. Mais justement, il trouve une sorte de joie perverse à accentuer la dureté du travail en houspillant les uns et les autres pour des détails, en poussant à l'accélération des cadences.

Puis il fait partie du « Syndicat mixte » créé par le patronat avec l'aide du clergé. N'y entre pas qui veut. On n'y est admis que si l'on est perçu comme un bon élément, c'est-à-dire quelqu'un qui ne bronche pas et dont le rendement est correct. Au cours des réunions, on ne parle jamais de revendications, ni d'amélioration de la condition ouvrière. Non. On entend d'abord une péroraison religieuse qui incite à la concorde avec le patronat, au bon travail et à la discipline dans l'entreprise, parce que Dieu le veut ainsi. Puis des distractions sont mises à la disposition des membres : jeux de société, jeu de quilles, etc. Une sorte de patronage pour adultes.

— On me paierait, dit souvent Rosalie, qu'j'irais point. Y nous prennent pour des babaches avec leurs jeux de gosses. Bientôt, y vont acheter des poupées pour qu'on joue avec !

À l'heure de la pause, l'atmosphère est tendue. Tatave passe rapidement dans les ateliers et indique :

— Réunion à la sortie sur le terrain vague.

Les ouvriers n'ayant pas de salle de réunion, ils se regroupent sur une zone en friche qui fait face à l'usine, quand ils ont à parler. Le fait est rare, car le temps disponible est restreint après ces longues journées de travail. Tous ont hâte de rentrer chez eux. Aujourd'hui cependant, le ton de Tatave est ferme :

— Tout le monde doit venir sans faute.

— Mes gosses y vont être à la porte, dit Léonie angoissée.

— Si la grève elle démarre, tu seras tout le temps avec tes tiots, mais c'est le début du tintouin, tu vas voir ! lui répond Bernadette, une ouvrière à peu près du même âge.

Ce « tintouin », les ouvrières le connaissent : c'est la disette à brève échéance, et son corollaire : l'endettement, si ce n'est la mendicité. Il faudra faire des « ardoises » chez l'épicier, qu'on aura bien du mal à apurer ensuite, puis faire appel aux « dames de Saint-Vincent », qui feront la morale aux grévistes !

À l'heure de la sortie, ils gagnent tous le terrain vague. Tatave grimpe sur une chaise. Il est calme et résolu :

— Julot, dit-il, c'est inadmissible. On peut pas laisser passer ça. Je demande trois volontaires pour aller voir le patron avec moi.

Il les obtient sans peine, mais ajoute :

— Seulement, y a pas que ça, vous le savez. Dans tout le pays, depuis des mois, y a des usines qui se mettent en grève. On peut plus continuer comme ça. On est trop mal payés pour un boulot trop dur. On réclame le respect de la loi sur la réduction de la journée de travail de dix heures et une augmentation des salaires.

— Et si le patron peut pas nous les donner ? demande un ouvrier.

— Il peut, rétorque Tatave. Ils peuvent tous... Regarde comme ils sont riches. Ils ont des belles maisons, qu'on pourrait en mettre huit comme la tienne dedans. Et des voitures, et des calèches, et des toilettes, sans compter les domestiques ! Tout ça, ils l'obtiennent grâce à notre travail. C'est toi qui turbines ici, et c'est eux qui mènent la belle vie. Et ça, c'est injuste. C'est de l'exploitation. Tiens, prends deux petits enfants : le tien, Bernadette, et celui du patron. C'est deux bébés tous les deux. Celui de Bernadette, il aura peut-être pas à manger tous les jours, et il finira ici ; celui du patron manquera de rien et fera de belles études pour devenir patron à son tour. Pourtant, au départ, c'est deux tiots, innocents l'un comme l'autre. Mais, quoi qu'on fasse, ils feront pas la même route : l'un, la misère ; l'autre, la richesse. C'est décidé d'avance. Et ça, on n'en veut plus.

Un immense applaudissement salue la péroraison de Tatave, même si dans l'assistance beaucoup de visages sont crispés par l'inquiétude. Octave Wilhem tire tout de suite avantage de l'ovation qu'il a reçue.

— Demain, dit-il, on se réunira au syndicat avec des ouvriers de plusieurs filatures. On décidera de ce qu'on fera tous ensemble. Qui vient avec moi pour nous représenter ?

L'assemblée reste d'abord immobile comme une houle humaine soudain figée. Puis quelques bras se lèvent. Ce sont surtout des jeunes, enflammés par la quête de justice sociale. Les anciens sont prudents et se taisent.

— On va voter maintenant, dit Tatave. Chacun va avoir une bille. On la met dans ce sac si on est pour la grève. On la garde dans sa main si on est contre. Comme de toute façon chacun va plonger sa main dans le sac, on ne verra pas ceux qui garderont la bille et ceux qui la lâcheront.

Il réfléchit un instant et ajoute :

— Comme ça, vous êtes libres. Et c'est juste.

La grève est votée à la majorité. L'assistance se disloque. Les femmes pressent le pas pour rentrer chez elles. Les hommes se retrouvent par groupes dans les estaminets du coin. Ils ont besoin de la bière, du genièvre, de la chaleur des autres, de leur verbe, pour s'encourager et se convaincre que la grève aboutira.

Rosine et Denise sont envahies par l'inquiétude. L'une se dit qu'elle va devoir trouver de petits travaux à tout prix, sous peine de voir fondre ses économies. L'autre aussi, en songeant à Vincent.

Rentrée chez elle, Denise accepte la jatte de café que madame Duvinage a posée sur la table. Geneviève Duvinage partage son angoisse. « La fabrique n'est pas en grève pour l'instant, mais ça va venir. C'est surtout pour les petits. Désiré et moi, on peut se passer de tout. Mais pas les gosses », pense-t-elle.

Le lendemain, Rosine est réveillée dès 4 heures. L'idée qu'elle ne doit pas aller travailler la désempare. Que va-t-elle faire de tout ce temps ? Réviser ses cours de mathématiques et de français pour ne pas perdre ses acquis ? Sûrement. Mais après ? Elle n'aime pas l'oisiveté. Quand une personne s'est habituée à se lever très tôt pour rejoindre un enfer qui va lui ôter toute pensée jusqu'à 17 heures, elle a du mal à se retrouver face à elle-même.

Rosine se fait un café et, sa tasse à la main, se met à réfléchir. Elle prend trois décisions : écrire à sa mère, se restreindre le plus possible, chercher de petits travaux : couture, repassage, ménage, etc.

Thadée l'a prévenue hier soir : « Ne va pas chercher du travail dans une autre usine. Ils te demanderont ton "bon de sortie" et ton patron ne te le donnera pas. Je n'ai pas besoin de te dire de ne pas aller au travail demain matin. Cette grève est juste. Je sais que tu en seras solidaire. D'ailleurs tu te ferais recevoir par les piquets de grève. »

Rosine sort une feuille blanche du tiroir de sa petite table et écrit :

Chère Maman,

L'usine où je travaille est en grève depuis hier soir. J'ai peur qu'un mouvement général ne se déclenche à Lille, Roubaix, Tourcoing, et que cela dure. Je vais chercher des petits travaux pour gagner quelques sous. C'est pour les enfants Duvinage que je m'inquiète. On va bientôt manquer d'argent pour acheter le nécessaire. Si tu as des légumes du jardin, et si tu connais une personne qui va à Lille, peux-tu me faire parvenir quelques vivres par son intermédiaire ? Peux-tu aussi prévenir madame Librecht ? Elle pourra peut-être donner quelque chose.

Maman, je sais que tu ne seras pas contente de cette situation, mais je sais aussi que tu comprends la révolte des ouvriers. Ils travaillent trop dur pour des paies de plus en plus maigres. C'est trop injuste. Ils ont raison de se révolter.

Je t'embrasse, ma petite mère, en te remerciant d'avance de ce que tu pourras faire.

Ta fille affectionnée.

Quand le facteur apporte cette lettre à Zélie, elle est en train de mettre des carottes en silo dans son jardin. Elle ouvre la missive avec des mains pleines de terre, lit, puis jette sa bêche et se met à gronder avec des jurons de flibustier :

— Saloperie de saloperie de bourgeois !... Ils n'ont pas fini d'exploiter le monde comme ils le font ? Et c'est de pire en pire ! Ils tiennent les pauvres gens pour leurs esclaves. Ça va à la messe, tout ça. Ça s'occupe de bonnes œuvres. Ça croit faire la charité et ça ne fait pas avancer la justice d'un pas... Je voudrais les voir toute une journée dans une courée, ou bien poser leurs culs sur mon cabinet en plein vent avec les mouches à brin qui leur grignotent les fesses... Pas deux minutes, ils tiendraient ! Pas deux minutes ! Et quand on leur demande de lâcher quelques sous qui sont notre dû, ils crient comme des brûlés ! C'est pire que le Barrabas de la Passion ! Ils disent qu'ils sont ruinés, qu'ils ne vont pas y arriver ! Grippe-sous, va ! Faux-culs à l'eau bénite ! Profiteurs des autres !

Zélie s'assoit à la table de cuisine. Elle va aider la petite. Des poireaux, des patates, des carottes, du lait de Pépette, bon. Mais pour tringuebaler tout ça à Lille, ça va être autre chose ! Faudra trouver quelqu'un. Elle a raison, la tiote. C'est madame Librecht qu'il faut voir. Mais pas question pour Zélie d'aller à la ferme. C'est curé-catho, là-bas. Pas son genre. Elle va guetter dans le pré, tout à l'heure, la petite Andréa qui a remplacé Rosine. À l'heure où elle rentrera les vaches, Zélie lui parlera et lui confiera pour sa patronne la lettre de Rosine.

C'est l'heure du dîner : madame Librecht lit la lettre que lui a remise Andréa sous la suspension de la salle à manger. Elle la tend à son mari. Ils se regardent et se comprennent. Ils ont leur Hyacinthe au séminaire. Hyacinthe s'est fait prêtre pour témoigner de l'amour de Dieu et de Son fils. Et Jésus-Christ est venu prêcher le partage des plus riches avec les plus pauvres. Leur choix est donc limpide : ils aideront la jeune femme et les petits Duvinage. Tant qu'il le faudra. Madame Librecht jette un fichu sur ses épaules et va voir Zélie. Elle parle simplement et sans ambages :

— Comment s'arrange-t-on ? Je peux fournir du beurre, du lait, des œufs, des confitures et des légumes.

— Les légumes, ça sera moi, l'interrompt Zélie. Chacun fait ce qu'il peut.

Madame Librecht acquiesce. Elle a son sourire frais, cette aura de femme sincère et généreuse qui apparaît dès qu'elle s'exprime.

— Mon beau-frère va à Lille deux fois par semaine, dit-elle. Il se chargera de nos colis.

Et la petite noria qui se met en place entre Woincourt et Lille devient vite précieuse, car l'usine où travaille Geneviève s'est mise en grève comme elle le craignait.

On partage tout, en servant les enfants d'abord, puis en s'accommodant des restes entre adultes. On partage avec Denise aussi, car la pauvre fille a bien du mal à s'organiser pour se nourrir et servir son Vincent. Lui ne se rend compte de rien. Il est entré dans un long corridor de connaissances qu'il doit assimiler. Ce sont ses seuls compagnons. Il ne peut rien percevoir du dehors.

— Tu fonctionnes comme un bourgeois, lui a durement assené Thadée l'autre soir. Tu ne penses qu'à toi, à ta réussite future. Tu ne sais rien de nous. Tu ne sais même pas que la classe ouvrière est en grève et que les patrons essaient de la mettre à genoux.

— Pas le temps, Thadée, a dit Vincent avec un geste évasif : désolé... mais pas le temps. J'ai trop de choses à apprendre.

— Et si on crève dans ce combat, si la troupe nous tire dessus ou si la faim nous réduit à rien, tu auras toujours nos macchabées pour continuer d'étudier, toubib !

Les jours s'écoulent dans une tension grandissante. Comme beaucoup d'hommes, Désiré Duvinage bat les remparts de Lille pour ramasser tout ce qui peut se brûler. Geneviève fait le ménage chez un marchand de légumes. On la paie avec des cageots vides. Rentrée à la maison, elle les casse en petits morceaux et alimente le feu. Car il n'est plus possible d'acheter du charbon. Avoir chaud, manger. Ce sont les seuls buts qui restent aux grévistes, avec l'espoir, de plus en plus ténu, que les patrons finiront par céder.

Du côté des patrons, se livre un autre genre de combat : la concurrence économique devient féroce. Dans les usines qui tournent, on fait doubler les cadences et venir des Flamands frontaliers pour honorer les commandes et, si possible, s'emparer de celles des autres. Le personnel est hébété de travail. Il dort à l'usine, gardé par des gendarmes, de peur de se faire écharper dans la rue par les grévistes. Leur vie est infernale, celle des grévistes âpre, celle de certains patrons très angoissée. C'est notamment le cas de Gaston Lesage, le patron de Rosine et Denise. Il est inquiet. Plusieurs clients menacent d'annuler leurs commandes ou d'engager un procès pour non-respect des délais de livraison. Parallèlement, de lourdes traites commencent à arriver, qu'il va falloir honorer. En effet, Gaston Lesage a procédé à l'achat de trois nouveaux métiers destinés à remplacer les plus usagés. Ils sont beaucoup plus performants que les anciens mais très coûteux. Leur paiement s'échelonne sur trois mois à dater d'octobre. Déjà, la première traite, versée le 4, a créé un déséquilibre préoccupant dans la trésorerie. Le flux des dépenses dépasse largement celui des entrées, et les traites de décembre ne vont pas tarder à arriver. Lesage fait tourner son usine, lui aussi, avec des frontaliers belges. Mais ils sont peu nombreux, mal formés, et, pour cette raison, moins performants que le personnel habituel. Le rendement est médiocre. On peut dire que l'usine tourne au ralenti. Lesage voudrait négocier avec les ouvriers, mais la toute-puissante Fédération patronale du textile l'interdit.

Au vingtième jour de grève, alors que, sous un ciel gris, la fin octobre se vêt de feuilles mortes et annonce l'hiver tout proche, Rosalie gagne le terrain en friche devant l'usine. Un brasero y brûle en permanence, et des ouvriers viennent vers 17 heures pour prendre des nouvelles ou échanger des informations sur les moyens de trouver de quoi manger. Hippolyte, un jeune magasinier, membre de l'orphéon de la ville, a apporté son accordéon. Il joue *Tristesse*, de Chopin.

— Eh ben... Eh ben ! s'exclame Rosalie. On dirait l'*Obit des quiens*[1]. Tu peux pas jouer quelque chose de plus gai ?

Hippolyte engage alors *Viens poupoule, viens poupoule, viens...* Mais personne ne s'enlace pour danser. Le cœur n'y est pas.

On écoute dans un silence désabusé le délégué du syndicat qui indique, pour la énième fois, que « les dernières négociations n'ont pas abouti ». Sentant son auditoire découragé, il ajoute : « On tiendra ! Les patrons ne nous auront pas ! » Personne n'a plus la tête à la lutte.

---

1. Un air funèbre.

Les esprits se focalisent sur l'éternelle préoccupation : manger. La débrouille est devenue le credo des grévistes, et la grève est dévolue à la fatalité : « Elle finira quand elle finira. » Rosalie résume bien le sentiment général :

— Bon, je m'en vais. Si c'est tout ce que t'as à nous dire, c'est pas la peine de rester ici... Allez... Je vais à la mendicité.

— Où ? demande une ouvrière.

— Aux dames de Saint-Vincent. Elles me feront la morale sur mon homme qui picole et sur la grève « qu'il faut savoir finir », mais elles me donneront mon souper.

Rosine la regarde. Elle a le cœur serré pour ce peuple ouvrier dont elle connaît le courage et qui doit s'humilier au jour le jour, alors que ses revendications sont justes. « Le pire, pense Rosine, c'est qu'ils doivent passer outre à cette humiliation. Une seule chose est importante désormais : survivre. »

La veille, Thadée a indiqué à Rosine qu'au siège du Parti on délivre des vivres aux grévistes ainsi que du charbon.

— Ce n'est pas désintéressé, ça, a remarqué Rosine.

La réplique de Thadée a fusé :

— Le désintéressement, c'est un sentiment de luxe. On ne peut pas encore se l'offrir... On est trop petits, trop fragiles. Il faut nous renforcer, avancer chaque jour au coude à coude. Plus tard, on pourra peut-être se permettre d'être vraiment généreux.

La nuit tombe à présent. Une nuit noire et humide. La pluie qui frappe les vitres n'a aucune poésie. Elle a mouillé le bois ramassé sur les remparts. Il va brûler en dégageant une fumée qui empestera les cuisines des courées. Au coucher, les draps seront froids et humides, et les rêves avec eux.

La machine à coudre de Denise dévide son tic-tic-tic. Un peu de travail de confection, maigrement payé : trois centimes les douze pantalons, deux centimes les douze chemises. Mais c'est mieux que rien.

Vincent arrive en coup de vent. Il est gai, bien nourri, ravi de la note qu'il a obtenue pour sa conférence d'internat.

— Un petit bisou en passant, dit-il tendrement.

Denise lui sourit. Il vient vers elle, renifle au passage une petite marmite posée sur le poêle.

— Hum ! Ça sent bon, dit-il.

Il soulève le couvercle et s'apprête à goûter. Denise devient très pâle :

— Ne mange pas ça ! crie-t-elle.

Il la regarde, stupéfait.

— Mais pourquoi ? Ça sent très bon...

— Tu as ton repas chez toi. J'y suis passée tout à l'heure. Ta maman t'a apporté deux belles tranches de rôti et des légumes. Tu n'as qu'à les réchauffer.

— Mais je veux juste goûter, dit Vincent. Seulement un bout, je te le promets.

Éberlué, il voit Denise se dresser devant lui, déterminée :

— Non, Vincent, tu ne toucheras pas à ça.

— Mais pourquoi ?

Et il entend Denise proférer à voix basse :

— C'est du rat.

Elle n'a même plus honte. Elle se sent comme les autres, au-dessus de l'hygiène, de la prudence.

Vincent est devenu blême.

— La grève..., murmure-t-il, comme s'il prenait soudainement conscience de l'immense désastre social.

Il saisit la marmite, et en vide le contenu dans la poubelle.

— Viens, dit-il à Denise, nous allons partager mon repas. Je ne veux pas que tu manges cela.

— J'ai encore trois pantalons à finir, objecte la jeune fille.

Vincent sent monter en lui une honte, une douloureuse désolation. Thadée avait raison : plongé dans ses études, il n'a su ni percevoir ni partager la dure lutte de ses camarades ouvriers.

— Je t'attendrai, dit-il. Je travaillerai jusqu'à ton arrivée, mais je ne mangerai pas sans toi.

Denise acquiesce enfin. Sait-elle d'ailleurs lui refuser quelque chose ? Son dos, courbé sur la machine depuis ce matin, est douloureux. Au bas de l'échine, elle sent comme une plaie à vif. Dès qu'il est parti, elle va récupérer dans la poubelle le ragoût de rat et de pelures de pommes de terre. Elle lave soigneusement le tout et le replace dans la marmite. Demain, il faudra manger...

Une semaine se passe, battue par la pluie, gavée de désœuvrement et de lassitude. Un sentiment d'écrasement général pèse sur la grève. On sent aussi que, si quelqu'un parvenait à susciter un sursaut, il y aurait des initiatives pour mettre fin au conflit. La grève a apporté au patronat son quota de tensions, de fausses solutions, de pertes et d'inquiétude qui atteint maintenant son maximum ; aux ouvriers, elle a administré jusqu'à l'écœurement l'angoisse, l'oisiveté, l'amertume et la misère. De part et d'autre, cette grève dégage une odeur de pourrissement.

C'est le gouvernement qui introduit une petite chiquenaude dans le conflit. Il s'engage à faire appliquer plus rigoureusement dès avril la durée légale de la journée de travail. Du coup, les syndicats parlent d'« avancée sociale », ce qui permet des négociations dans les usines.

Et ce matin du 6 novembre, cependant que Denise dort aux côtés de Vincent, un hurlement déchire le ciel. Vincent ne bronche pas, mais Denise se réveille en sursaut. Ce hurlement lui est familier. Ce sont les sirènes des filatures. Le travail reprend ! Elle se lève en hâte, s'habille et prend le chemin de la fabrique. Elle a retrouvé sa mentalité ouvrière : exactitude, docilité, application au travail, rendement. Les ouvriers qui se croisent dans les rues se pressent et se font des signes. C'est une immense joie qui flotte sous le ciel gris. Ce bonheur est pourtant mitigé, car on a obtenu bien peu d'augmentation : deux centimes la journée. Il est également bien relatif, car il ne fait que reconduire chacun vers son enfer : l'atelier, ses étoupes, son tintamarre et ses cadences épuisantes. Mais c'est un bonheur quand même, car on travaille.

Le soir, au Parti, un vieux militant dit à Thadée :

— On dirait qu'on s'est usés pour rien, hein... Eh bien, c'est pas vrai. On a fait un pas, mon grand, vers la justice qui viendra un jour. La seule chose qu'on doit bien savoir, c'est qu'il faudra beaucoup de petits pas pour qu'on arrive jusqu'à elle.

— Et tu es sûr qu'on y arrivera ? a demandé Thadée.

— Oui, a répondu fermement le vieil homme. Notre cause est juste et finira par triompher.

22

Presque trois ans se sont écoulés. Il fait beau et chaud, ce 23 juin 1911. La lumière somptueuse du ciel donne à cette journée des allures de sacre. Celui de l'été est bien là, mais d'autres s'apprêtent à s'accomplir.

Vincent a réussi son concours et a maintenant terminé l'internat. Aujourd'hui, dans la salle des thèses de la faculté, il va devenir docteur en médecine. Tout est prêt pour la cérémonie. Les prélats sont là, qui officieront dans un instant : six professeurs en toge. La salle est comble. Au premier rang, Reine, Luce et Mariette sont assises aux côtés de leur mère. Églantine est ravissante sous sa capeline bleu assortie à sa robe. À sa gauche, l'oncle Irénée. Le vieil homme a tenu à venir. Il a revêtu, pour la circonstance, son costume de serge noire, sa cravate de même ton, sa chemise blanche au col cassé, et même les rubans de ses décorations qu'il a fait coudre au revers de sa veste. Il s'agit d'être à la hauteur, car ce qu'il a fait, le petit, c'est bougrement bien.

La salle s'emplit d'étudiants, condisciples de Vincent. Mais dans les derniers rangs, discret, attentif et fraternel se tient un petit groupe mené par un grand jeune homme aux cheveux blonds, exceptionnellement gominés. Thadée Cikowski porte son costume du dimanche : complet noir, chemise blanche sans col, fermée par un bouton. Il est

155

un peu raide mais très digne. Les professeurs en toge et les étudiants en blouse blanche ne l'impressionnent pas. On se positionne dans l'humanité là où la vie vous a mis, et on y fait de son mieux pour être un homme. Et si l'on y parvient, on en vaut bien un autre. Le grand Thadée est donc présent, mais sans complexe. Près de lui, Rosine en robe printanière, et, à sa suite, Denise. Elle a rogné sur tout pour s'acheter un petit tailleur. Oh ! rien d'extraordinaire... un tissu bon marché qui se chiffonnera vite. Mais tout de même, dans son petit ensemble rose, avec son corsage fleuri et ses beaux cheveux noirs soigneusement lissés en bandeaux, elle est très bien. Une seule chose lui importe : ne pas détonner dans cette assemblée, ne pas faire honte à Vincent. Et puis, il y a Augustin, la tignasse en bataille. Lui aussi semble intimidé par son costume gris, la cravate que sa mère lui a nouée ce matin et la pochette blanche qui orne sa veste. Le jeune menuisier n'a pas l'habitude de se sentir endimanché. Il est ouvrier confirmé à présent. Bientôt, il commencera son apprentissage d'ébéniste. Il se sent plus à l'aise dans les copeaux et la sciure de bois qui poudre habituellement ses vêtements. Mais Vincent a atteint son but, et il est normal que les Sculpteurs soient là pour le complimenter. Près d'eux, il ne manque que Hyacinthe. Il est en retraite, car dans trois jours il sera ordonné prêtre.

La cérémonie va commencer. Un professeur demande le silence, mais la porte de la salle s'ouvre une dernière fois. Vincent tourne la tête et pâlit. Ses lèvres murmurent : « C'est... c'est Papa... » De fait, Romain Vanbergh a décidé d'être présent : Vincent va devenir médecin. Souci de réconciliation ? Non. Hommage. Son fils a accompli un vrai parcours d'homme, même si son choix est contraire au sien. Et puis, Romain a entendu dire que Vincent songerait à une spécialisation. Rien d'officiel encore. Mais il paraît que le professeur de pédiatrie

156

l'encourage à le suivre dans son équipe. Cette perspective lui plaît. Médecin spécialiste, plutôt que médecin des pauvres, c'est un bon choix. Romain est prêt à l'encourager et à le financer. Allons, mon fils, nous allons peut-être reprendre le dialogue.

Un premier professeur prend la parole. Comme c'est l'usage, il formule quelques critiques sur le travail de l'étudiant et pose des questions. Vincent l'écoute. La concentration du jeune homme, sa foi en ses travaux et sa parfaite maîtrise des connaissances lui permettent de répondre juste. D'une voix ferme, mais également déférente — il ne se départ jamais du respect et de la modestie —, il énonce ses convictions. C'est le ton idéal. Vincent serait-il taillé pour entrer dans ce caravansérail complexe, où la courtisanerie est de mise, où les coups bas menacent le grand patron ? Romain y songe et sourit. Mais, debout dans l'hémicycle, celui qu'on fera médecin dans un instant n'est que ferveur. Il veut que sa soutenance soit réussie et que ses maîtres en soient fiers. C'est acquis. Les six professeurs qui se sont retirés pour délibérer réapparaissent. Ils délivrent la mention la plus haute à la thèse de Vincent : *Très honorable.*

Vient à présent le serment d'Hippocrate. L'assistance est aussi émue que le jeune homme qui prononce d'une voix distincte : « *En présence des maîtres de cette école, de mes chers condisciples, et devant l'effigie d'Hippocrate, je promets et je jure d'être fidèle aux lois de l'honneur et de la probité dans l'exercice de la médecine.* »

Reine tressaille. Elle a le sens de la transcendance à présent. C'est par l'amour, certes, qu'elle l'a acquis, non par un serment de ce genre, mais cet instant en est habité, elle en est sûre. La jeune femme rejoint son frère dans l'émotion et la qualité de l'instant. Victor s'en inquiète.

— Chérie, vous n'êtes pas malade ?

Reine secoue la tête sans répondre. Elle vit dans l'attente que l'amour s'accomplisse.

Le serment s'achève. Un court silence, puis une salve d'applaudissements. Les spectateurs sont ensuite invités à passer dans une salle attenante, où un buffet les attend. Églantine a bien fait les choses : un traiteur et ses serveurs sont là, qui offrent champagne, canapés, petits fours. Les yeux de Vincent pétillent. Il se sent tel un jeune Murat, héros de l'Empire fait général à vingt-deux ans : sa carrure s'en trouve renforcée. Il présente ses maîtres à ses parents. Églantine et Romain ont la prestance et le bon ton qu'il faut pour être au diapason des professeurs. Puis, c'est la famille qui entoure Vincent. L'oncle Irénée lui dit :

— Mon fieu, je te félicite. Tu as très bien œuvré. Nous sommes fiers de toi. Mais à présent que t'as la vie que tu veux, la lâche plus, gamin, fais ta route.

Vincent promet, remercie, serre de multiples mains. Il y a beaucoup d'étudiants en médecine dans la salle. Ils s'approchent de lui par petits groupes, le complimentent, discutent de sa thèse...

Dans un coin de la pièce, les Sculpteurs de destins font bloc dans l'amitié authentique. Ils mériteraient que le jeune lauréat vienne vers eux sans tarder, mais ne se formalisent pas de l'attente. Tout le monde entoure Vincent : famille, camarades, ils le comprennent. Ils parlent tranquillement entre eux. Seule, Denise est crispée. Elle boit Vincent des yeux, puis se reproche immédiatement son audace. Alors, elle abaisse son regard vers sa coupe, avec l'air gauche et malheureux de quelqu'un qui ne sait quelle contenance adopter.

L'assistance commence à diminuer quand Vincent murmure à sa mère :

— Maman, je voudrais vous présenter quelques camarades.

Il se dirige vers les Sculpteurs en compagnie d'Églantine :

— Ce sont mes meilleurs amis ; ils m'ont beaucoup

aidé durant ces dures années. Voici Thadée, un excellent fondeur et aussi un grand philosophe. Rosine et Augustin, que tu connais déjà. Et voilà Denise, une amie.

Églantine a un mot aimable pour chacun. Son sourire rayonnant, tout empreint de sincérité et de douceur, met un peu de nostalgie au cœur des Sculpteurs. Rosine pense à Zélie, qui fut si rude avec elle, et Denise à la nourrice qui lui a tenu lieu de mère et qu'on appelait Marie-la-taloche. Chacun songe que Vincent a bien de la chance d'avoir une telle femme pour mère.

Il va prendre congé, quand il se ravise.

— Vous venez tous à l'ordination de Hyacinthe samedi matin ?

Ils acquiescent, sauf Rosine. Vincent en est troublé.

— Tu en veux à Dieu ?

— Non. Nous sommes seulement incompatibles, c'est tout.

Malgré le sourire, le ton a été catégorique. Vincent hoche la tête, et Thadée jubile intérieurement : « Elle est bien, cette réponse. Elle adhère tout à fait à la situation. Dieu aime Hyacinthe (du moins le croit-on), Rosine aussi a aimé Hyacinthe, mais Dieu a gagné. Donc, Rosine se retire. Dieu et elle ne peuvent plus se côtoyer dorénavant. C'est évident. *Incompatibles*, le mot est juste. » Elle trouve souvent le terme ad hoc, et elle l'énonce avec toute sa fraîcheur. Une sincérité forte mais jamais mordante, qui n'a pas besoin d'être caustique pour convaincre et s'imposer.

Thadée la regarde avec bonheur. Il sait qu'elle a passé le brevet supérieur voilà quinze jours. Il sait qu'on aura prochainement les résultats, et qu'ils seront bons car Luce a lu les brouillons et en augure favorablement. Cette même Luce était venue voir Rosine un mois plus tôt et lui avait dit :

— J'ai trouvé la solution de ton problème. Il te faut un prêt. Il couvrira tes études d'infirmière, et, dès que tu commenceras à travailler, tu le rembourseras selon un plan établi avec ton prêteur.

Rosine avait souri :

— Et qui sera cet homme généreux, qui acceptera de ne revoir son argent qu'au bout de quelques années, sans que j'aie personne pour me cautionner ?

— Moi, avait dit Luce tranquillement.

Elle avait remonté ses lunettes et déployé ses longs bras comme chaque fois qu'elle sait devoir convaincre :

— Écoute, avait-elle dit à Rosine en tendant vers elle un index résolu, si tu vas voir une banque, elle ne te prêtera rien. Si tu vas voir un usurier, il te prêtera mais avec des intérêts énormes. Tu ne t'en sortiras pas pour rembourser. En revanche, avec moi, pas de problème. Tu commences à rembourser quand tu commences à travailler. C'est logique, non ?

— Logique, avait grommelé Rosine, oui... avec toi, tout est logique. Ce qui ne l'est pas, c'est que tu vas te priver pour moi. Et ça, je ne le veux pas.

— Je t'ai déjà expliqué que je dors chez mes parents et que j'y prends mon repas du soir. Aux vacances itou. Ça me fait donc de belles économies sur mon salaire. Ce que je te prêterai n'en représentera pas la totalité et je l'aurai reconstitué en un an. Donc, ce n'est pas une gêne.

— Et si tu désires t'établir... quitter tes parents... avoir ton chez-toi ? Ça va coûter de l'argent, ça. Il va falloir acheter des meubles, une literie, des tas de choses. Tu auras bien besoin de tes économies.

— Mon émancipation ? avait souri Luce, c'est prévu, mais pas tout de suite. J'attends d'être nommée à Woincourt, ou tout près, de façon à avoir l'œil sur mes parents. Ça ne se fera pas avant quelques années.

— Tu les aimes donc tant que ça ?

— Ils vieillissent..., avait répondu Luce. Ils vieillissent...

— Et si tu te maries ?

— D'abord, ce n'est pas au programme pour l'instant... Ensuite, si cela arrive, mon père me dotera et pourvoira à tout. Normal, je suis sa fille.

— Je veux payer des intérêts, avait bougonné Rosine.

— C'est prévu ! s'écria Luce, le visage radieux. Viens voir ce plan, et dis-moi ce que tu en penses.

Elle avait déplié une grande feuille sur laquelle couraient des chiffres. Ils étaient disposés en trois colonnes : trois ans de remboursement. Chaque colonne était subdivisée en douze parties : les mois de l'année. Cela faisait trente-six petites cases qui comportaient un chiffre. L'ensemble était à la fois si parfait et si complexe que Rosine ne vit pas que les intérêts étaient dérisoires.

— Alors, je signe, et toi aussi, lui avait enjoint Luce.

Elle signa. Rosine l'imita. Luce lui remit aussitôt une grosse enveloppe :

— Voilà ton prêt, mademoiselle la future infirmière.

Émerveillée, Rosine avait tenu dans ses mains le pécule qui allait lui permettre, joint à ses propres économies, de poursuivre ses études. Le cœur empli de bonheur et de gratitude, elle s'était demandé à voix haute :

— Alors, ça y est ? Je vais pouvoir commencer ?

— Attends d'avoir ton brevet supérieur, tête de mule ! Mais tu l'auras, c'est certain. Allez, tâche de nous faire une très bonne infirmière.

« Je le serai, s'était dit Rosine. Oh ! Je le serai. »

Elle se sentait armée de forces nouvelles pour atteindre son but : elle était robuste, habituée à travailler durement, et emplie de conviction. En quittant Luce, elle lui avait dit :

— Entre nous, c'est à la vie à la mort. Si un jour tu es en difficulté, de quelque façon que ce soit, je serai là...

— Croix de bois, croix de fer..., avait juré Luce, imitant le serment des enfants.

— Ne plaisante pas. C'est vrai, et c'est définitif.

La voix de Rosine était grave. Luce s'en était alors allée, avec son châle noir où passaient des flammes, et sa foncière générosité. Elle avait repris tranquillement le train pour Woincourt.

À son retour Rosine s'est confiée au grand Thadée, et il s'est dit : « Si dans trois ans Rosine n'a pas changé d'avis, peut-être pourrai-je l'épouser. » Un immense bonheur emplit son cœur. C'est comme des ailes qui le suspendent parfois au-dessus de tout : le travail, le Parti, le syndicat. Il aime cette fille si fraîche et si volontaire. Il aime sa tranquillité limpide et ses décisions réfléchies. Il aime le cran avec lequel elle s'y tient ensuite. Il aime sa santé, qui a subsisté malgré les années de filature. Il aime son odeur, ses senteurs agrestes : des fleurs sauvages, du bon lait et du plein air...

Le soir tombe sur Lille à présent. Dans sa petite chambre, Denise attend Vincent. Elle a fait la folie d'acheter une bouteille de bon vin pour fêter son succès. Pas du champagne, bien sûr, elle ne peut pas se le permettre, mais tout de même du bon vin. Elle se dit qu'elle va entendre le toc-toc à la porte, qu'elle ouvrira, qu'elle se jettera dans ses bras et qu'ensemble ils savoureront son succès. Mais les minutes passent... Denise n'entend personne gravir l'escalier. Le ciel est inutilement bleu, et la lumière du couchant verse en vain des taches d'or dans la pièce.

Pourtant Vincent est à Lille, dans sa chambre où il se répète : « Je suis médecin ! » Cette certitude et le bonheur qui s'en dégage le comblent. C'est comme un sanctuaire dans lequel il ne souhaite personne. Plusieurs fois, il se relève du lit et, que ce soit pour boire un verre d'eau ou déplacer machinalement un objet sur la table, chacun de ses gestes suscite la même phrase : « Je suis médecin ! » Ce soir-là, il ne rejoindra pas Denise.

Deux jours plus tard, la journée qui commence semble avoir rassemblé, dès l'aube, tous les ors du ciel et les exhibe à présent avec force. Comme des sonneries de cloches résonnent, on se dit qu'un autre sacre se prépare. Cependant, les vingt jeunes gens qui vont être adoubés dans un moment sont, pour l'instant, dans une attitude d'humilité totale, allongés face contre terre dans le chœur de la cathédrale. On compte deux rangs de dix jeunes hommes.

Entouré de Thadée, Denise et Augustin, Vincent regarde le dernier séminariste de la première rangée. Son corps massif et ses bras en croix adhèrent totalement au sol. « Oh ! Hyacinthe, pense Vincent, est-ce que tu te soumets ? Toi si libre, toi si fort, toi qui reçois des intuitions si justes, acceptes-tu le joug d'une Église qui régente la piété, et ses lois étriquées ? Oh ! Hyacinthe ! Passes-tu vraiment la tête dans ce carcan pour t'y laisser emprisonner toute ta vie ? »

Les orgues font monter l'émotion générale car ils jouent parfois des musiques émouvantes et d'autres fois des morceaux glorieux. Les séminaristes sont debout à présent. Un par un, ils vont s'agenouiller devant l'évêque qui oint leurs mains de chrême et les consacre. « Le chevalier devant son suzerain, se dit Thadée. Et tu Lui obéiras toute ta vie, Hyacinthe... J'aime encore mieux la lutte ouvrière. Là, on se bat durement, mais c'est précisément pour la liberté, pas pour une tutelle à vie. »

Quand il les rejoint sous le porche de l'église, la cérémonie terminée, Hyacinthe sourit à ses amis. La chasuble d'or dont il est revêtu, l'amict croisé sur sa poitrine et l'étole à son bras le rendent plus impressionnant encore. Mais ça ne fait qu'ajouter à sa nature. Car il est naturellement imposant. On le sent caréné de certitudes. « Oui, pense Vincent, il sait ce qu'est le carcan. Il est conscient qu'il sera souvent pénible à porter. Peut-être même qu'il s'en affranchira parfois parce qu'il estimera que c'est indispensable. Et il le reprendra ensuite. Oui, il est prêtre en connaissance de cause. »

Comme Vincent il y a trois jours, Hyacinthe est très entouré dans la grande salle paroissiale où les nouveaux prêtres reçoivent leurs parents et leurs amis. C'est avec un regard admiratif que madame Librecht contemple son fils. Il la comble de bonheur, et en même temps l'intimide. « Ô mon fils, comme nous sommes fiers de toi ! »

Malgré le monde, Vincent parvient à avoir un court entretien avec Hyacinthe.

— Compliment, toubib. C'est fort, ce que tu as fait. Bravo !

— Toi aussi. Tu entres dans la voie que tu t'es fixée. Tu en as ouvert le porche... (Et tout de suite vient la question qui lui brûle les lèvres :) Es-tu heureux ?

— Je suis là où je désirais aller.

Vincent ne peut s'empêcher de formuler ses craintes :

— Mais lorsqu'on te demandera d'apporter les saintes huiles à un gosse qui se mourra du croup, que diras-tu aux parents ?

— Et toi ? répond tranquillement Hyacinthe.

— Moi, j'essaierai de guérir l'enfant. Je mènerai le combat... Je ne me lasserai pas. Mais si je le perds, je leur dirai ma désolation et ma compassion. Et ils percevront ma sincérité parce qu'elle sera évidente. Mais je n'aurai pas à justifier le croup. Je n'aurai pas à répondre au « pourquoi ». Mais toi ?

— Le moment ne convient pas au débat, répond Hyacinthe. Il y a trop de monde ici. Pourtant je ne me dérobe pas... Je crois que j'essaierai de dessiner une grande comète. J'expliquerai qu'elle est gigantissime. La tête, l'étoile : c'est Dieu. La queue scintillante : c'est l'univers, et nous dedans. La tête oriente la comète vers la plénitude absolue. Mais sur son trajet, vers cet ailleurs, la queue traverse des zones de turbulence. Elle reçoit des aérolithes : nos souffrances, nos maladies. L'étoile file droit devant sans intervenir trop dans nos avanies parce que, dans son projet, c'est aux hommes de progresser. Et elle nous a donné deux ressources pour cela : l'intelligence et l'amour. L'intelligence ne cesse d'avancer vers la connaissance, aiguillée par l'amour. Avant notre mort, tu verras, nous aurons compris bien des choses sur l'homme et sur le monde. Notre accès à la connaissance est voulu par le divin. C'est par elle que nous évoluons et ne cesserons pas d'évoluer. En ce sens, Dieu n'a pas dit son dernier mot sur la création. *Il œuvre encore et nous avec Lui.* Ça paraît complexe, injuste à certains moments, je le sais. Mais je n'ai qu'une certitude, Vincent : *cela nous conduit au bonheur absolu.* Je me suis fait prêtre pour le dire : *Un jour, tous les hommes seront heureux.*

— Sais-tu que tu es très peu catholique romain en affirmant cela ? constate Vincent, plein d'émotion. L'Église, je te le rappelle, justifie la souffrance comme une nécessaire expiation de nos fautes... un dépuratif de l'âme, en somme.

Hyacinthe pose la main sur l'épaule de son ami et la serre :

— Rappelle-toi le serment des Sculpteurs de destins : faire avec ce qu'on a pour modeler notre destin. J'en ai la glaise, à présent, Vincent. Et toi aussi. Je la modèlerai de mon mieux pour façonner ma destinée de manière...

— De manière ?

Hyacinthe laisse filer un long soupir, comme s'il cherchait au fond de lui-même sa vérité :

— De manière à être utile à l'humanité.

Son visage s'empreint de sérénité comme s'il venait enfin de mettre en harmonie sa prêtrise et sa quête.

Sur la route du retour, les Sculpteurs sont silencieux. Thadée dit soudain :

— Nous avons un vrai socialiste, un vrai charpentier, un vrai toubib, un vrai prêtre, ce n'est pas mal, non ?

Il dit cela comme pour exorciser le sentiment de religiosité que leur a laissé la cérémonie. Denise, encore tout intimidée par la solennité de cette journée, se dit qu'elle demeure, elle, « une vraie ouvrière », et que personne n'y prend garde. Mais elle n'a pas le temps de s'en attrister car Vincent lui chuchote à l'oreille :

— À ce soir, ma Clématite. Je viendrai...

Dès lors, tout est bien.

23

Thadée et Rosine se marient, ce 3 janvier 1914, au creux d'un hiver aux superbes blancheurs diamantées de givre.

L'un et l'autre n'ont pas souhaité de cérémonie religieuse. Ils entrent dans la mairie de Lille où, dans un instant, un adjoint va les unir. Ils ne sont pas seuls. Les Sculpteurs sont là, hormis Hyacinthe qui sait que sa présence serait déplacée. Puis Zélie, toute fière de sa fille infirmière. Tout à l'heure, elle a confié aux Librecht : « Quand on lui a remis son diplôme en juin dernier, j'ai pleuré. » Les parents de Hyacinthe sont présents. Quand ils ont fait savoir qu'ils assisteraient au mariage, Rosine a hésité. Ce sont les parents de Hyacinthe... Mais finalement la jeune fille a pensé qu'ils sont aussi ses anciens patrons, et ont toujours été bons envers elle. Denise, intimidée, se tient près de Rosine. Elle est son témoin. Elle porte un petit tailleur qu'elle a acheté pour fêter le diplôme de Rosine cet été. Il est d'un vert pâle, un peu incongru pour la saison, mais elle n'a pas les moyens de s'offrir une nouvelle tenue. L'hiver ne s'en formalise pas. Il accorde même un petit rayon de soleil à la jeune ouvrière qui, avec ses yeux tendres et cette couleur, semble promettre le printemps.

Le témoin de Thadée est un fondeur d'une cinquantaine d'années, grand, massif, buriné. Le métal incandescent de l'aciérie, son enfer quotidien lui ont boucané la face sous ses cheveux grisonnants. On le sent posé et silencieux comme tous ceux qui côtoient le danger de longue date. C'est lui qui a formé Thadée au métier. Entre le gamin qu'il était alors et lui se sont tissés peu à peu des liens de grande sympathie. L'agilité du garçon, son intrépidité, son désir de bien faire lui ont plu. Puis, au fil des jours, lorsque la conversation était possible, sur la route du retour par exemple, François Tison avait savouré sa philosophie : sa révolte ardente contre l'injustice sociale, cette fraternité avec les opprimés et, en même temps, cette lucidité étonnante et précoce. François était déjà au Parti quand Thadée y est entré. Ce n'est pas lui qui a décidé le garçon à le faire, mais il l'a vu arriver avec satisfaction. Il était à sa place.

L'adjoint entre, le torse barré de tricolore. Lorsqu'il lit aux époux que « *la femme doit obéissance à son mari* », Thadée et Rosine ont le même sourire. Car ils ont la même conception du mariage : fidèles et dévoués l'un à l'autre, oui, sans nulle défaillance. Mais sans jamais rien s'imposer. Très ému, Thadée prend le livret de famille que l'officier municipal lui tend. Puis il embrasse son épouse. Qu'elle est belle, solide aussi, Rosine, au bras de son mari ! Le grand jeune homme la dépasse d'une tête, et sa sveltesse le rend élégant.

Le couple va habiter une petite maison, rue de Valenciennes, à mi-route entre Fives-Lille et l'hôpital Saint-Sauveur où Rosine est affectée. Ils l'ont choisie modeste, car Rosine va commencer le remboursement du prêt que lui a consenti Luce. Mais Thadée l'a bien arrangée, elle leur plaît.

Ils sortent de la salle des mariages. Rosalie s'efforce d'endimancher son langage pour exprimer aux mariés tout le bonheur qu'elle leur souhaite :

— Allez, ma poule, dit-elle à Rosine. Tout plein de

bonnes choses, hein ! La vie, tu l'sais, c'est pas rose et violette. On reçoit des fois des averses sur le dos. Tâche de passer à travers les gouttes. Et toi, dit-elle à Thadée, lui fais point de cocos trop vite. Laisse-la se reposer de ses études. Elle doit avoir eu sa tête en compote, misère !

Thadée sourit et embrasse fraternellement l'ouvrière au grand cœur. Les mariés descendent à présent le perron de la mairie. Denise, qui les regarde, se demande silencieusement si Vincent va lui demander sa main. Vincent, lui, se dit qu'il assistera dans quinze jours à un autre mariage, celui de sa sœur Mariette. Cette union ne plaît qu'à demi à Romain. Sa fille a choisi Raoul Théry, son troisième clerc. C'est un brave garçon, certes, mais plat, gomineux et sans avenir. Il n'aura jamais l'envergure qu'il faut pour passer le notariat. C'est évident. « Pourvu, pense Reine, qu'elle ne soit pas amoureuse de l'amour, mais d'un homme ! »

Mariette, pour l'instant, ne se rend compte de rien. Raoul et elle ne se sont pratiquement pas quittés de tout le bal de la soirée notariale. Portée par la musique romantique, Mariette était aux anges dans les bras du jeune homme. Elle vivait ce dont elle avait toujours rêvé. Depuis, encore grisée par le souvenir de leurs valses, elle ne voit que le beau sourire que Raoul lui fait quand il la croise dans les couloirs de l'étude.

Les Vanbergh préparent activement ce mariage, même si le cœur n'y est pas tout à fait. Églantine et Romain entendent que Mariette ait une cérémonie égale à celle de Reine, car ils ne veulent faire aucune différence entre leurs filles.

Un drame vient toutefois perturber les préparatifs. Un soir, Reine entend toquer à sa porte à 22 heures. Elle s'inquiète d'une visite aussi tardive, d'autant que Victor n'est pas encore rentré. Elle entrouve le judas et voit Luce, un châle hâtivement jeté sur ses épaules.

— Viens vite, dit-elle, oncle Irénée se meurt.

169

Reine chavire. L'annonce de sa sœur la frappe au cœur et la rejette huit ans en arrière. Elle sait l'extraordinaire chemin que doit parcourir l'oncle Irénée à cette heure, si doux, si dur, si étrange tout à la fois... De tout son être, Reine se rebelle, à la pensée de rencontrer à nouveau la mort. Mais elle aime l'oncle Irénée. Il a tout deviné d'elle. Il est, il a toujours été, son confident à demi-mot, et donc son allié. Elle ne peut pas le laisser partir sans un adieu. Elle se fait violence pour rejoindre Luce. Chemin faisant, sa sœur lui explique qu'une voisine du vieil homme vient de les alerter... Elle ne voyait plus l'oncle Irénée depuis trois jours et s'inquiétait... Églantine s'est précipitée chez lui et l'a trouvé couché, brûlant de fièvre, à demi inconscient. Pneumonie. Le pouls est faible ; le cœur décroche. Le médecin est pessimiste.

Les deux sœurs arrivent sur les lieux. Enfoui dans son lit, l'oncle Irénée trône dans un bric-à-brac. Il y a de tout dans sa chambre, des choses qui étonnent, qui émeuvent, qui désolent. Une mappemonde, par laquelle le vieil homme voyageait en secret. Une petite mer de livres : des piles, des tas. Et puis, çà et là, des livres isolés, posés comme de petites îles. L'oncle devait nourrir sa sagesse de toutes ces lectures. Et puis encore une longue-vue par laquelle Irénée avait dû — mais qui le savait ? — interroger le ciel et peut-être lorgner Dieu.

Romain et Églantine doivent se retirer pour laisser place à leurs filles, tellement la pièce est exiguë. Luce regarde l'oncle comme elle aborde toute chose nouvelle : avec calme et attention. La mort, elle ne l'a jamais rencontrée jusqu'ici. Elle ne la connaît qu'intellectuellement. Là, c'est autre chose. Elle voit avec compassion la difficulté qu'a le vieil homme à respirer. Elle éponge son front, mouille ses lèvres, retend les draps... C'est malheureusement tout ce qu'elle peut faire pour le corps. *Où va l'oncle Irénée ?* C'est fascinant, pense-t-elle avec gravité, de voir quelqu'un partir et de se demander où il va, sans rien connaître de la réponse. Mais c'est encore plus étrange quand on se dit qu'un jour, ça va vous arriver. Dieu... ou le néant ? » Luce est interloquée, interdite de ne jamais s'être posé la question, et troublée que les corps doivent subir autant d'outrages et de souffrance avant de se délier de l'âme. Elle ne prolonge pas sa réflexion dans cette chambre, car Reine s'approche maintenant du chevet du mourant. Elle est profondément émue. Elle va le perdre, son cher parrain, son berger... Bientôt, il sera rigide. Et dès lors, elle n'entendra plus jamais sa grosse voix lui dire : « Ma fille... »

Comme s'il refusait de partir, l'oncle Irénée ouvre les yeux. Son regard bleu est enfoncé dans ses orbites, bordé de deux gros cernes. Des larmes à la Rouault. Du fond de cette déréliction, et du fond des oreillers à plumes où sa tête s'enfonce, l'oncle murmure :

— Ma fille...

Reine frémit. Il est encore conscient. Et il l'a reconnue. La voix de l'oncle Irénée est un souffle qui peut cesser à tout moment.

— Le chemin de l'amour...

Il se tait. Reine est bouleversée. Elle voudrait que l'oncle parle encore. Mais elle ne veut pas insister. Le vieil homme, elle le voit bien, rassemble du fond de lui-même ce qui lui reste de forces et de lucidité. Et Reine douloureusement se dit : « Oh, oncle Irénée ! Si vous savez quelque chose du chemin de l'amour, confiez-le-moi, je vous en supplie, avant de vous en aller. Voyez, j'ai perdu ma gaieté, mon entrain, mon insouciance... Ce n'est pas ma nature, ce n'est pas ma jeunesse. Mais je ne sais plus comment il faut vivre... »

La voix de l'oncle s'élève soudain. Elle est anormalement ferme, comme s'il avait réuni tout ce qui lui reste de vitalité :

— Le chemin de l'amour... tu l'as trouvé, ne le perds plus. C'est le plus précieux qui existe au monde.

Il s'est tu. Sa vie est un fil ténu qui se rompt sous les larmes de sa nièce. Elles sont pures et tendres pour lui. L'oncle Irénée n'est plus.

Reine prend ses mains dans les siennes. Sans peur. Et sa reconnaissance est le doux linceul qu'elle offre au vieil homme qui lui a désigné « le chemin de l'amour » et indiqué sa valeur suprême. « Oh, oncle Irénée !... merci de me l'avoir révélé. »

Les Vanbergh rentrent chez eux à présent, dans la nuit froide de janvier. Dehors, Luce est toujours préoccupée par de profonds questionnements. Elle s'en ouvre à Reine :

— Je n'avais jamais réfléchi à la mort jusqu'à présent. Qu'est-elle ? Où nous mène-t-elle ? Est-ce que quelqu'un a déjà répondu à cette question ?

— Je ne sais pas, dit Reine, encore bouleversée par le décès de son oncle. Le Christ peut-être.

— Je vais relire les Évangiles, déclare Luce pensivement.

Romain et Églantine ont organisé les obsèques d'Irénée. La cérémonie terminée, ils se font face dans le bureau de Romain, et se demandent s'il faut maintenir le mariage de Mariette.

— C'est un peu choquant, avance Églantine ; mais, d'un autre côté, Mariette sera si déçue si nous annulons !

— Les faire-part sont déjà envoyés, dit Romain. Le mariage est prévu dans quinze jours, difficile, sinon impossible, de faire marche arrière...

D'un commun accord, ils décident de concilier la convivialité avec la dignité. Ce jour-là, ils s'abstiendront eux-mêmes de danser. Unis pour le bonheur de leur fille, mais en deuil. Pour le reste, que les jeunes dansent et s'amusent... Un vieillard est parti... c'est un tout petit bruit dans le concert de la vie... à peine un murmure.

Le jour de la Chandeleur arrive et éclaire d'un soleil pâle le grand froid qui durcit la terre. La Chandeleur a ce privilège que la clémence du ciel accompagne l'arrivée des crêpes, qui font le bonheur des enfants. Mariette devrait frissonner dans l'organdi de sa robe de mariée. Elle a refusé pourtant l'étole de fourrure dont sa mère voulait entourer ses épaules. Des pieds à la tête, elle veut être une vraie mariée, une belle mariée pour Raoul. Tant pis pour le froid. Le soleil est dans son cœur. Raoul l'attend devant l'autel. Il porte l'habit protocolaire et Reine pense que ça le rend encore plus raide et plus commun. D'où vient qu'il le porte sans classe ? De ses cheveux plus gominés encore qu'à l'accoutumée ? De ses mains crispées sur ses gants comme si ses effets le mettaient mal à l'aise ? Du sourire un peu niais avec lequel il regarde Mariette s'avancer dans la nef ? De tout cela à la fois sans doute. Mais Mariette ne voit rien. Elle marche lentement vers le chœur, au bras de son père, tandis que les orgues retentissent et jouent un air solennel. Elle a du bonheur plein son être, Mariette, car elle a toujours rêvé de cette minute.

Lorsque vient l'échange des anneaux, elle vibre d'émotion et de joie. *C'est exactement ce qu'elle voulait vivre.* Luce, qui l'observe, fronce les sourcils et rejoint Reine dans ses craintes :

« Pourvu qu'elle ne soit pas amoureuse du mariage et de son décorum : la robe blanche, la messe, le bal qu'elle dansera tout à l'heure dans les bras de Raoul, le voyage de noces en Espagne... Après viendra le quotidien et là... Raoul ne pourra plus être que lui-même. Un brave garçon. Suffira-t-il à Mariette ? L'aime-t-elle assez pour se satisfaire d'un homme aussi limité ? Si elle est amoureuse de l'amour sans le savoir, plus que de l'être qu'elle épouse, il y aura forcément un hiatus. Pourquoi lui revient alors en mémoire cette phrase d'un écrivain qui défraie la chronique actuellement ? Colette, croit-elle... "Beaucoup de femmes ne poussent pas à temps le grand cri qui les sauverait." » Luce pense que c'est juste ; bien des femmes se font piéger par leur éducation : le mariage idyllique, l'homme aimé, les enfants, la famille...

Luce bâille maintenant, car elle commence à trouver un peu longuette cette cérémonie qui endort la lucidité par l'émotion grandiloquente qu'elle dégage.

Le bal enfin bat son plein. Vincent est bien décidé à s'amuser. Il approche de la fin de son cursus. Sa spécialisation s'achèvera en juillet. Après huit ans d'études, le jeune médecin s'accorde une soirée de pleine détente. Une longue fille brune, au teint finement doré, vient lui proposer de l'accompagner dans une polka. Elle porte un fourreau rose, d'un rose chaleureux tirant sur le rubis, qui lui va très bien et rehausse le piquant de sa personne. Car, de ses cheveux courts à ses souliers à brides, on la sent moderne, bien décidée à vivre avec son temps. Bientôt, Vincent pétille, stimulé par la polka endiablée. Il passe dans un autre monde qui n'est qu'audace, plaisir, et cela lui convient. Changement de rythme : une valse lente commence. D'un tacite accord, le couple ne se désunit pas et s'enlace. La jeune femme pose sa joue contre celle de Vincent, comme si cela allait de soi. Vincent respire un parfum d'œillets et d'iris. « Elle n'est pas seulement belle, pense-t-il, elle est aussi... capiteuse. » La danse terminée, Romain s'approche de son fils et lui présente enfin la jeune femme : « Marie-Hélène Van Heyssel, dit-il, la fille d'un confrère. »

24

La fin du mois de juin arrive : Vincent vient de terminer sa dernière année de spécialité. Il est pédiatre et rentre de la faculté avec ses lauriers. Mais tout son être est tendu par la nervosité. Il n'éprouve pas la joie immense du jour de sa soutenance de thèse, mais pas de regrets non plus. Il est comme un marathonien qui vient d'entrer dans le stade et de franchir la ligne d'arrivée. Cette longue course, c'est vraiment fini ? Et était-il vraiment utile de la faire ? Huit années de travail intense s'achèvent. Était-il vraiment nécessaire de pousser si loin les études ? « Je suis pédiatre, Papa... »

Voilà ce qu'il dira demain à son père, dans son bureau, d'homme à homme. Il sait que Romain quittera son siège et viendra vers lui, radieux. Il le serrera dans ses bras, lui si peu démonstratif, et lui dira : « C'est bien, mon fils. » Car Romain aime l'excellence, n'aime qu'elle. Il sait apprécier et complimenter à sa juste valeur un lauréat.

Et lui, Vincent, qu'en pense-t-il ? Il ne sait pas le définir. De la fierté ? Oui, car il a fallu travailler dur, encore une fois, pour en arriver là. Du contentement ? Sans nul doute. On est toujours satisfait d'aboutir quand on s'est lancé dans un long cursus et qu'on arrive au but. De la joie ?... Là, Vincent ne sait que répondre. Elle ne semble pas au rendez-vous. Pas d'élan, en tout cas. Il sait que, derrière cette absence d'allégresse, se profile l'avenir et que c'est cela qui bride sa joie. Que va devenir le jeune médecin ? Il se doute que son père va vouloir l'installer dans un beau quartier de Lille ou de Douai. Alors, il deviendra un pédiatre apprécié, et sans doute à la carrière florissante. Belle clientèle, niveau de vie prospère. Mais il a voulu devenir médecin pour soigner les pauvres. Cela sera-t-il encore réalisable à présent que le voilà spécialiste ?

Agacé de ne pouvoir répondre à cette question, Vincent quitte sa chambre. Il a besoin de contacts. Tout naturellement, il se rend chez Denise. Mais au moment où il arrive devant chez elle, il sait qu'elle ne lui apportera pas de réponse, ni ne l'aidera à voir clair en lui. Son immense confiance en lui l'en empêchera. Mais il est devant la porte. Alors, il monte. La nervosité le tient. Il se sent comme enfermé dans une gangue vibrante et trop serrée.

Il embrasse Denise avec une tendresse non feinte. Elle lui est chère, sa Clématite, il le sait. Comme il semble tendu, elle a pour lui des gestes maternels, caresse ses cheveux, masse ses tempes, l'embrasse. L'instinct fait le reste ; mais il n'échappe pas totalement à la nervosité. Pour la première fois depuis qu'ils se connaissent, leur étreinte est brève. Vincent se comporte sèchement, presque brutalement. Devant Denise désemparée, il se rajuste vite et s'en va. Un doux baiser pourtant avant de la quitter. Vincent ne veut pas lui faire davantage de peine. Il est déjà furieux contre lui-même.

De retour dans la rue, il se demande que faire. Aller voir Thadée ? Non. Il fête l'anniversaire de Rosine dans leur frais bonheur de jeunes mariés. Il ne veut pas troubler leur joie par le problème confus qu'il porte en lui. Augustin ? Il est sur un chantier à Amiens...

Ses pas le ramènent chez lui. Et là, sur la chaussée,

il voit qu'une voiture est garée. Carrosserie vert acide, chromes rutilants... Un véhicule à faire se retourner les gens... aussi superbe que provocant. « Le propriétaire sait ce qu'il veut », pense Vincent. Le jeune homme voit de loin une mince silhouette, des cheveux épais, coupés court, bruns avec des reflets auburn ; une robe plissée au ras du genou, un fume-cigarette au bout de longs doigts soignés. « Je ne me rappelle même plus son nom », se dit Vincent. Mais celle qui l'attend, assise sur le capot, le renseigne :

— Marie-Hélène Van Eyssel. Vous venez prendre un verre ?

Vincent n'est pas mécontent : ce n'est pas une personne de son entourage. Cela va le détendre. Elle lui sourit :

— Je vous emmène ? Car votre quartier n'est pas très... attirant.

Il fronce les sourcils, s'apprête à répondre. Elle l'en empêche :

— Je veux dire qu'il n'est pas digne de vous. (Et sans plus attendre, elle enchaîne :) Où allons-nous ?

Ils font le choix d'une brasserie du centre-ville, parlent de tout et de rien. Et cela dénoue Vincent. Elle a des reparties comme son rire : pétillantes et gansées de finesse. Elle n'est pas sotte.

— Vous habitez Lille ? demande Vincent.

— Lille et Douai en même temps. Mes parents m'ont pris un pied-à-terre à Lille pour mes études ; mais je rentre sagement au bercail en fin de semaine.

Elle accompagne le « sagement » d'un clin d'œil coquin.

— Quelles études ? demande Vincent.

— Lettres. Ça m'intéresse. Mais je n'en ferai pas un métier.

— Que ferez-vous ?

— Je rencontrerai un homme passionnant, et je l'épouserai.

— Et s'il ne le veut pas ?

— Tt... tt..., fait-elle.

Et son œil brun se fonce. Il y passe quelque chose de chaud et de trouble qui semble dévoiler sa vraie nature.

« Sensuelle, pense Vincent. Elle doit savoir obtenir ce qu'elle veut par ce charme envoûtant comme un sortilège. »

Lorsqu'elle lui propose : « Je vous ramène ? », il acquiesce.

— Allez-vous annoncer votre succès à vos parents ? demande-t-elle, chemin faisant.

— Oui, demain après-midi. Ensuite, je rentrerai à Lille.

— Ça tombe bien, dit-elle.

Ils se quittent sur un geste léger comme leur conversation.

— Je suis pédiatre, Papa.

Cette fois, c'est pour de bon. Il se trouve dans l'étude de son père et se sent à l'aise. L'avenir l'angoisse moins. On verra bien. Comme prévu, le visage de Romain s'illumine. Mille petites étoiles apparaissent sur ce visage si granitique à l'ordinaire. C'est un sourire qui vient des profondeurs. « Rien que pour cela, pense Vincent, ça valait la peine... J'aurai connu sa réelle personnalité. »

Romain ne parle pas d'avenir. Il étreint l'épaule de son fils. Son fils retrouvé, parvenu au bout d'études supérieures : quel bonheur ! Et ses yeux s'embuent de larmes. Cet homme rationnel ne peut dominer l'émotion, elle l'inonde, le submerge. Et il y cède avec un abandon dont il découvre les délices.

— Papa ? s'inquiète Vincent.

178

— Viens, mon garçon. Nous allons fêter cela avec ta mère. Elle le mérite bien.

Il s'avance vers la maison et Vincent remarque alors combien son pas s'est raidi. Lui si leste, si alerte d'habitude... « D'habitude ? se dit Vincent. Mais je ne l'ai quasiment pas revu depuis ma thèse. Papa aurait-il vieilli ? »

Romain devine sa pensée :

— Oui, mon fils, nous ne rajeunissons pas, ta mère et moi... Un peu d'arthrose, ici et là. Heureusement, ta mère résiste mieux.

Vincent s'alarme soudainement. Il a hâte d'être près d'elle maintenant, de la serrer dans ses bras, de l'observer de l'œil du médecin. Au moment où ils vont franchir la porte de la maison familiale, Romain s'arrête et dit :

— La vieillesse, docteur Vanbergh, commence à nous investir. Mais les médecins n'y peuvent rien, ou très peu. Ce ne sont pas eux qui tiennent les rênes en ce domaine.

L'or pâle d'un champagne pétille l'instant d'après dans les coupes. Églantine et Romain, émus, lèvent leur verre pour honorer leur garçon :

— Je bois à ton succès, mon fils, dit Romain.

Et Églantine ajoute :

— Tu as choisi le plus beau métier du monde, mon chéri. Guérir des petits ! Nous buvons à tous les enfants que tu guériras.

Luce, qui arrive, se joint à eux chaleureusement :

— Regardez, dit-elle, on est presque au complet comme avant.

Chacun regarde la salle à manger où l'éphéméride annonce toujours la date du jour : 18 juillet 1914. Ils sont quatre autour de la table, sous la douce lueur de la suspension. Seules, les places de Mariette et de Reine restent vides. Il manque aussi quelqu'un d'autre. Car Vincent voit entrer dans la pièce une jeune domestique portant des pâtisseries. Luce devance sa question :

— Je viens d'aller voir Sidonie, dit-elle : elle est à la

179

maison de retraite. Elle a fait une petite attaque en février. Depuis, elle a du mal à se mouvoir. Après son départ, Pétronille est venue travailler chez nous.

Vincent sent sa gorge se serrer. Une catastrophe, qu'il n'avait pas du tout prévue, est en train de pénétrer dans sa vie : les êtres qui lui sont chers vieillissent. Ils sont ses racines et celles-ci se déchaussent. Ils vont partir. Son regard se porte sur Églantine :

— Maman... oh, Maman ! Soyez immortelle, je vous en prie... Même pédiatre, je ne saurai vivre sans vous, sans savoir que vous existez. Que je puisse vous voir, vous entendre quand je veux...

Il avait prévu de ne passer qu'une heure à Woincourt, mais il s'attarde. Tant pis, il prendra le train du soir. Luce a raison, c'est presque comme avant. Et ils sont bien ensemble. Ce moment est doux, pacifié et heureux. Églantine fait avancer le repas du soir pour que Vincent puisse le partager avec eux. Ils sont en train de savourer la délicieuse tisane que Sidonie concoctait autrefois et que Luce s'efforce d'imiter, lorsqu'on sonne à la porte. Ils s'entre-regardent. Ils n'attendent personne.

La domestique va ouvrir et introduit une jeune fille. Vincent ne sait s'il pâlit ou rougit en la reconnaissant, mais elle, très à l'aise, s'avance dans la pièce.

— Comme vous m'avez dit que vous rejoigniez Lille ce soir, dit Marie-Hélène à Vincent, j'ai pensé que je pouvais vous prendre en passant.

— C'est très aimable à vous, dit Romain.

En lui-même, Vincent vitupère. Qu'a-t-elle donc besoin de faire allusion à leur rencontre récente ? Que vont en penser ses parents ?

Dans la voiture, il ne dit mot. Mais ce n'est pas la rancune qui le pousse à se taire. C'est une mélancolie. L'amorce de la vieillesse chez ses parents l'a désemparé.

— Vous êtes grave, remarque la conductrice.

Vincent soupire.

— Mes parents vieillissent... Je viens de m'en apercevoir.

— Vous, dit-elle, vous avez besoin d'un remontant. Je vous l'offre.

Elle se range le long d'un trottoir.

— Où sommes-nous ? demande Vincent.

— Chez moi, rue de Valmy. Allons, venez.

Marie-Hélène lui sert un cognac de classe qu'il boit dans un fauteuil profond. C'est agréable, c'est rassurant... L'alcool lui procure un bien-être léger et chaleureux auquel il s'abandonne. On lui propose un autre verre, qu'il accepte.

C'est alors un parfum poivré et impérieux qui flotte autour de lui... Ce sont deux lèvres douces qui prennent les siennes... C'est une main légère et pressée qui dénoue sa cravate. Une volupté forte comme un alcool rare s'empare de lui et le dépasse. Vincent y cède comme on se laisse submerger par la vague. Qui pourrait résister à tant de plaisir ?

25

Le temps ne leur accordera que trois étreintes. Tout en se morigénant, Vincent s'invente, çà et là, des nuits de garde à l'hôpital pour ne pas inquiéter Denise. Lorsqu'il revient de sa troisième nuit chez Marie-Hélène Van Eyssel, il trouve son père devant sa porte. Romain est blême.

— Suis-moi, dit-il, viens vite embrasser ta mère. Je tiens de source sûre que la mobilisation est imminente. Tu vas bientôt partir à la guerre.

Vincent est sidéré. Tout occupé à savourer la détente que lui procure la fin de ses études, tout enivré par le charme capiteux de mademoiselle Van Eyssel, il n'a pas suivi les événements ni lu les journaux. Mais son père est grave et formel :

— La guerre va être déclarée.

Elle éclate officiellement le 3 août, mais, dès le 1er, la France procède à la mobilisation générale. Le matin du 2 août, Rosine accompagne à la gare Thadée qui, naturalisé français, est mobilisable. Deux heures après, c'est au tour de Denise de s'acheminer vers la gare pour dire au revoir à Vincent. Elle est en larmes. Elle ne cesse de dire à celui qu'elle aime de prendre garde à lui. Au moment où le coup de sifflet retentit, annonçant le départ du train, Denise éclate en sanglots. Vincent s'arrache à elle et lui promet, touché par tant d'amour, de revenir. Il ne voit pas qu'à quelques mètres de lui une jeune femme qui arrivait à grands pas s'arrête, interdite. Marie-Hélène Van Eyssel découvre et observe Denise Desruelle. Lorsqu'elle quitte la gare, un trait dur barre son front. On croirait qu'une petite phrase lapidaire est gravée dans cette ride : « Tu ne l'auras pas ! »

Deux jours plus tard, Reine et les parents Durieux conduisent Victor à la gare de Douai. Une petite fille aux cheveux légers, couleur de bière, trottine près d'eux. Elle est grave et sage, cette fillette, comme tous les enfants qui savent au fond d'eux-mêmes qu'ils ne sont pas assez aimés. Joséphine vient d'avoir huit ans. Elle travaille bien à l'école communale de Woincourt, parce qu'elle est intelligente, sait qu'elle doit être une bonne élève, et veut faire plaisir à Papa. Maman, c'est différent... Joséphine aime sa mère et l'admire. Elle est si belle ! Mais tous ses élans vers elle sont bridés depuis longtemps par la timidité. Maman lui accorde rarement des baisers et ne s'intéresse pas souvent aux jeux de l'enfant. Lorsque Joséphine joue avec Bertille, sa petite camarade, au jeu « des dames de l'ancien temps », Reine voit passer les petites filles déguisées, avec des robes longues, des colliers de fleurs, et à la main une baguette censée être magique. Mais elle ne pose aucune question. Pourtant, elle n'est pas méchante. Elle ne se fâche jamais, elle ne donne jamais de punitions. Joséphine se dit parfois que sa mère ne s'aperçoit peut-être pas qu'elle existe. Ça arrive, des choses comme ça... Avec les fées, il faut toujours se méfier. L'une d'elles peut très bien avoir jeté à Maman un mauvais sort, qui a mis un gros mur de verre entre sa mère et elle. Il faudra que Joséphine en parle à Bertille.

Le petit groupe entre dans la gare. Quand Joséphine

comprend que c'est Papa qui va partir, son attitude change. Car c'est son Dieu, son magicien, son protecteur. Il comprend tout, Papa : les peines et les joies de sa petite fille. Et puis, il a toujours des histoires merveilleuses plein les poches. Il les raconte à son enfant quand il rentre de la brasserie et qu'il la prend sur ses genoux. Ce sont des moments enchantés qu'ils passent ainsi, le soir, au coin de la cheminée. C'est lui qui a voulu que les tabliers d'écolière de sa fille soient soutachés de bleu pâle ou de rose, car ces tabliers de satinette noire sont bien tristes. C'est lui aussi qui a rapporté un jour un cerceau à sa fille et lui a appris à s'en servir. Et il en a donné un autre à Bertille. Depuis, que de parties de rire dans la cour de la brasserie ! Les cerceaux et les petites filles caracolent sur un rythme vif et rieur comme de petits elfes. Et il va partir ! C'est grave, ça... C'est... une catastrophe !

— Tu pars longtemps ? demande-t-elle à Victor.

Il la rassure :

— Non, ma chérie. Je reviendrai bientôt.

Joséphine voit beaucoup de gens en larmes sur le quai. Alors, son petit menton se met à trembler. Pourtant, elle se contient. Elle sait qu'on ne pleure pas en public, que ça ne se fait pas. Maman serait certainement contrariée si cela arrivait. Papa l'embrasse fort et monte dans un wagon. Quand le train s'ébranle, Joséphine ne sait plus retenir une grosse larme qui roule sur sa joue. Quelque chose, cependant, vient incroyablement la consoler : pour la première fois, Maman prend sa petite main dans la sienne et la serre très fort. Et elle la garde jusqu'à ce qu'on ait regagné la calèche.

Joséphine est éperdue de gratitude ! Maman a compris son chagrin, Maman la console !

Les premiers uhlans arrivent à Woincourt le 3 septembre. Ils sont quatre, montés sur de beaux alezans.

184

Drapés dans leur ample manteau gris, coiffés de la chapska noire sertie de cuivre, tenant au poing leur lance à la flamme rouge, ils ont fière allure. Ils s'arrêtent à l'entrée de la Grand-Rue et observent le village. Leur regard est attentif, mais aussi dur, altier, presque arrogant. Émile Hochart, qui les aperçoit à travers les vitres de son estaminet, envoie son fils prévenir les autres par les jardins :

— V'là les chleuhs !

Personne ne se montre. Le village est comme mort. Chez les Vanbergh, Romain donne ses consignes :

— Ni bravades idiotes, ni servilité. De la dignité.

Reine a rejoint la maison familiale avec sa fille. Romain ne veut pas la savoir seule, chez elle, en l'absence de Victor. Mariette n'est pas dans ce cas, car Raoul a été réformé.

Les quatre uhlans ne restent pas. Ils sont venus en éclaireurs. La population est sans illusion : ils reviendront.

De fait, deux jours plus tard, Douai est investi. Les Allemands y installent leur Kommandantur. Un peloton, dirigé par le capitaine Otto Schwab, vient occuper Woincourt. Ils logent dans le château Lassus, dont les propriétaires sont absents. En vacances sur la Riviera, ils n'ont pas la possibilité de revenir.

Mais Lille résiste encore. Durant tout ce mois de septembre, si beau avec ses feuilles multicolores, la ville est bombardée continûment. Tout le monde s'acharne à résister aux côtés de l'armée : les hommes trop âgés pour être mobilisés, les adolescents, les femmes... La population entière s'arc-boute pour faire front. Les Allemands qui tentent une percée sur le faubourg des Postes sont repoussés avec de lourdes pertes. Alors, le bombardement devient un enfer. Dans le centre de Lille, il n'y a plus de théâtre, de rues distinctes, de magasins. Rien que des amas, des décombres entourés d'incendies.

Dans le gris de la fumée, celui de la poussière, et le rouge des brasiers, Lille, sous le ciel bleu de ce doux automne, n'est plus qu'un décor incongru mais infernal.

Début octobre, la ville subit toujours les assauts. Lille s'embrase encore et s'écroule un peu plus au fil des jours. Le 4, la cité est exsangue. Deux drapeaux blancs, confectionnés avec des draps, sont tendus alors au faîte de l'église Saint-Maurice et du beffroi de la Nouvelle Bourse. Un silence terrible s'abat sur la ville, fait de peur et de haine. Comme les Allemands ont été décimés lorsqu'ils ont tenté une percée par le faubourg des Postes, ils vengent leur défaite et leurs morts avec une violence qui semble n'avoir pas de limites. Le quartier est supplicié. Tout est pillé, puis incendié. Les femmes violées, les hommes abattus comme des lapins s'ils se hasardent dans les rues ne se comptent plus. Les rues sont jonchées de décombres et de cadavres. L'air saturé par la fumée des bâtiments en feu. Le faubourg des Postes vit l'apocalypse.

Heureusement, Rosine n'y habite plus. Depuis deux mois déjà, Thadée lui a fait quitter la rue de Valenciennes pour un logement plus proche de l'hôpital. Bien informé par le Parti, il s'était préparé à la guerre. Il savait qu'il serait mobilisé, et son souci fut alors de mettre sa femme à l'abri. L'environnement d'un hôpital lui semblait le plus sûr quartier, car il serait sans doute épargné par les belligérants.

En revanche, pour Denise, Rosalie et la famille Duvinage, Rosine s'inquiète. Elle se promet d'aller aux nouvelles dès qu'elle aura un instant, mais les blessés affluent tellement à l'hôpital qu'elle n'a que de trop courts moments de répit.

À Douai, comme dans les campagnes avoisinantes, le joug teuton se met en place. Organisé et tatillon, il ne laisse au hasard aucun détail. Il contrôle tout. Cela commence par un recensement minutieux du bétail et des volailles. Puis, chacun doit déclarer la superficie des terres qu'il possède et dire comment il les utilise : quelle culture ? quel élevage ?

Suit alors une seconde phase de l'assujettissement, où tous sont tenus d'ensemencer leurs terres selon les directives de l'occupant : ainsi plus de betteraves, de carottes, de navets, car l'Allemagne en a suffisamment, mais du blé, du seigle, des pommes de terre. Les trois quarts des récoltes seront expédiés en Allemagne.

Les fermiers sont à présent tenus de déclarer le nombre de litres de lait, d'œufs et de mottes de beurre qu'ils recueillent chaque jour. Les particuliers sont soumis à la même contrainte. Zélie s'étrangle de fureur lorsqu'un soldat frappe à sa porte et réquisitionne quatre litres du lait de Pépette. Et on la conduit à la gendarmerie parce qu'elle a protesté :

— Merde d'Alboche ! dit-elle. Je la cacherai s'il le faut, mais il aura pas ma Pépette.

Heureusement, le soldat ne comprend pas le français, encore moins son patois. Le brigadier de gendarmerie réussit à persuader l'Allemand que Zélie est un peu... « égarée ». Il se frappe sur le front pour mieux se faire comprendre. Zélie est relâchée mais écope d'une amende. Quand elle rentre chez elle, elle est comme un volcan qui lâcherait des fumeroles de tous les côtés.

— Saloperie d'Alboches ! C'est point à mon âge que tu vas m'en conter !... Et on se reverra, va ! On se reverra, tu vas voir.

Seule zone paisible dans la commune : le jardin des Vanbergh. Deux petites filles y profitent toujours du ciel bleu. Cet après-midi, leur imaginaire a invité Hans, le joueur de flûte. Il charme les feuilles de l'automne. Et l'on rêve qu'elles le suivent vers un pays enchanté, pour revenir l'année suivante, guidées par la mélodie de Hans. Les petites filles courent derrière les feuilles en trottinant légèrement. Il y en a des fauves, des brunes,

187

des jaunes, des dorées... C'est une farandole magnifique ! Joséphine et Bertille décident de s'en faire un collier pour devenir les sœurs de Hans. Qui parle de guerre, ici ? Personne. Il n'y a que deux petites frimousses toutes roses et une sarabande de feuilles qui volettent et décorent le ciel azuré.

À deux cents kilomètres de là, en Argonne, Vincent est déjà dans une antenne médicale. Oubliée la pédiatrie, car l'avalanche de blessés qui refluent, depuis la bataille perdue de Charleroi, a plongé le jeune aspirant dans la traumatologie chirurgicale à haute dose. Ils sont quatre dans cette antenne : un capitaine-chirurgien qui initie à sa pratique les trois aspirants qu'il a sous ses ordres. Il faut apprendre vite et bien, sans s'attarder à des fioritures. L'urgence est là.

Parfois, entre deux contingents de blessés, Vincent s'éponge le front et s'assoit. Il lui semble qu'il a vieilli de dix ans en trois mois. Woincourt et ses études médicales lui semblent très loin, dans une sorte de contrée perdue qu'il ne retrouvera pas de sitôt... Même le visage d'Églantine lui paraît irréel. Impossible ici de croire qu'on sera à nouveau heureux un jour. On est trop sale, trop rivé dans un enfer ignominieux, pour croire qu'on en sortira. Alors, à quoi bon rêver au passé ! Et puis, la fatigue plombe tout, même la mémoire.

Le jeune aspirant s'assoit sur un tabouret et appuie sa tête sur l'un des sacs de terre qui forment les murs de l'antenne médicale. Quatre brancardiers se préparent à repartir. Vincent les aime beaucoup, ils abattent des kilomètres et prennent des risques fous pour aller chercher des blessés — souvent sous le feu allemand —, et les ramener au camp. Deux sont des paysans. La glaise, ils connaissent, ils s'en arrangent. Les autres sont ouvriers, habitués aux tâches dures. L'un d'eux, qui est fondeur, fait songer à Thadée.

— Fatigué, mon lieutenant ? demande un brancardier en bouclant son harnais.

Vincent lui sourit dans les broussailles de sa barbe :

— Comme toi, comme nous tous. Comment t'appelles-tu ?

— Broucke, mon lieutenant. J'suis de Bailleul. Et lui, dit-il en désignant le jeune tourneur, c'est Bécuwe. Il est de Roubaix.

Vincent les regarde attentivement :

— Vous me rappelez mes copains, dit-il.

— Vous avez un copain paysan, mon lieutenant ?

— Je l'avais... Je ne l'ai plus.

— Il est... Il est mort ? s'inquiète Broucke.

— Non, dit Vincent, je veux dire qu'il n'est plus paysan... Il s'est fait prêtre.

Broucke a un cri du cœur :

— Nom de Dieu ! Mande pardon, mon lieutenant.

Vincent sourit :

— Et toi, dit-il à Bécuwe, tu me rappelles mon ami Thadée. Il est fondeur.

— Ben, dit Broucke, vous êtes pas de la haute alors, mon lieutenant.

— Si, dit Vincent, mais j'ai choisi mes potes. J'ai choisi ma femme aussi dans ce milieu. Elle est ouvrière en filature. Je l'appelle « ma Clématite des usines ».

Une évidence s'impose alors à lui : les coussins, les fanfreluches, les alcools luxueux, le beau parler, tout ce qui compose le monde de Marie-Hélène n'est que du toc. C'est le royaume de la pacotille et de la superficialité, prêt à s'écrouler au moindre souffle. L'essentiel : l'authenticité, l'amour profond, le cran, la dignité sont chez Denise. Des larmes piquent ses cils et Broucke se fait chaleureux :

— Faut pas vous en faire, mon lieutenant. Elle vous attendra.

— J'allais faire une bêtise... une immense bêtise... J'allais la laisser tomber pour une bourgeoise.

— Elle aurait eu de la peine, dit Broucke. Parce que — faites excuses, mon lieutenant — pour elle vous devez être le bon Dieu !

« Et elle, songe Vincent, c'est la petite princesse de ma vie. Oh ma Clématite ! Je sais à présent quel sera mon premier acte de permissionnaire : t'épouser. »

Il tape sur l'épaule des brancardiers :

— Bonne chance, les gars, à tantôt.

Un nouveau flux de blessés arrive. L'aspirant Vanbergh enfile un tablier blanc (un des derniers qui soient encore propres), laisse son ordonnance nouer sur sa nuque les cordons du masque stérile qu'il appose sur son visage, et commence une longue suite d'opérations.

La nuit tombe à présent. Alors, les brancardiers feront leur dernière marche de la journée pour porter jusqu'aux véhicules les blessés qu'on estime sauvables.

L'antenne est calme. Les ordonnances ont préparé le repas : des pommes de terre et du corned-beef. Puis un café bien chaud. Les quatre médecins mangent sans se parler beaucoup... Ils sont si las ! Et qu'y a-t-il à se dire sinon qu'ils voient l'horreur à une échelle qu'ils n'auraient jamais osé imaginer ? Des ventres béants avec les entrailles pendantes, des visages qui ne sont plus que des bouillies rouges, des membres broyés... « Des chairs profanées, se dit Vincent, des chairs pour lesquelles personne ne s'est demandé : mais comment vont-elles vivre après ça ? Après ces salves de mitrailleuses, après ces jets de lance-flammes, après ces coups de baïonnette ? Des deux côtés, personne ne se soucie de savoir comment

ces malheureux vont vivre après pareilles souffrances.
Qui les respecte encore ? »
Vincent en est là de ses réflexions quand les brancardiers reviennent. Broucke marche en tête. Il est joyeux :
— Deux lettres pour vous, mon lieutenant ! crie-t-il.
Le vaguemestre me les a données.
Sur l'une d'elles, il retrouve le parfum de Marie-Hélène et l'écarte. Sur l'autre enveloppe, il reconnaît l'écriture de son père. Pourtant, elle a été postée de Paris.
Il l'ouvre, lit, et tout son être s'écroule.

Mon enfant,

Je confie cette lettre à un ami qui la postera de Paris, s'il peut toutefois parvenir jusqu'à la capitale. Mon fils, j'ai une nouvelle grave à t'annoncer. Marie-Hélène Van Eyssel attend un enfant de toi. Tu sais bien qu'il te faut rapidement réparer. Demande à ton colonel la permission de te marier. Envoie une procuration au fils Leroux qui est à Paris, 85 rue de Rennes ; il te représentera et le mariage sera prononcé. Marie-Hélène est également à Paris.
Il n'aurait certes pas fallu que cela arrive... Vous auriez dû être sages et attendre. Mais l'enfant est là. Il naîtra au printemps. Je sais que tu feras ton devoir.

Papa.

Allongé sur son étroite couchette, Vincent pleure en silence. Il retient à grand-peine le cri qui le fouaille et le brise intérieurement : « Denise ! Oh Denise ! Ô, ma Clématite ! »

26

Ils sont face à face dans le vestibule du petit appartement parisien de Marie-Hélène. Vincent vient d'arriver, il a finalement obtenu une permission. Il refuse d'entrer dans le logement. Il garde à la main son képi et ses gants.

— Puisqu'il faut aller en mairie, allons-y, dit-il.

Marie-Hélène redoutait cette réaction. Elle s'y était préparée. Elle table sur son charme pour apprivoiser Vincent à l'idée de leur mariage. Elle joint ses mains autour de son cou :

— Mon chéri !

Il se dégage fermement. Elle croit même percevoir dans son regard une once de dégoût :

— Ne m'appelez pas ainsi.

Elle se fait douce :

— Mais nous allons être mari et femme...

— Nous allons vivre maritalement parce que la nécessité me l'impose. D'accord, vous m'exhiberez comme votre époux. D'accord, nous vivrons sous le même toit. Mais n'attendez pas de moi que je vous aime.

— Mais, Vincent, rappelez-vous nos nuits. Elles ont été très belles. Je ne vous ai pas obligé à les vivre.

— Vous êtes une redoutable chasseresse, Marie-Hélène. Vous posez bien vos collets, et surtout, vous savez choisir votre heure pour les relever : la fin de longues études, la joie d'une détente recouvrée, la fierté d'un beau diplôme... vous vous êtes avancée dans cette euphorie avec vos alcools capiteux. C'est ainsi qu'un jeune homme qui a trimé dur, qui respirait enfin parce qu'il était au port et se laissait aller à un brin d'insouciance, s'est fait piéger par une femme experte.

Elle reste interloquée :

— Mais nous allons être mari et femme.

La voix de Vincent est un métal dur.

— J'entends bien. J'assumerai mon devoir conjugal. Mais ne comptez pas sur l'amour. Je l'ai perdu. Et c'est justice, puisque je l'ai trahi. Je ne convertirai pas mon beau rêve en réalité, puisque vos rets m'ont piégé... Et le grand benêt que j'étais s'est laissé prendre. Vous mesurez, j'espère, le saccage que vous avez fait dans ma vie, et comprenez qu'il ne reste rien du jeune homme naïf que vous avez glissé un soir dans votre lit.

Marie-Hélène Van Eyssel est blême. Elle ne croyait pas Vincent capable de se rebeller ainsi et ne l'en aime que davantage, car un désir naît en elle à présent : se faire aimer de lui. Cependant, elle perçoit que, pour l'heure, il serait vain de l'implorer et tout autant de risquer une cajolerie. Elle choisit de régler son ton sur le sien, et c'est donc avec fermeté qu'elle affirme :

— Il y a l'enfant.

L'expression de Vincent prend de la hauteur. Marie-Hélène s'aperçoit que c'est un visage d'homme.

— C'est bien à cause de lui que je suis là.

— Il n'y peut rien.

— Certainement. J'essaierai d'oublier le mal que sa venue me fait. Je veux dire, de ne pas lui en tenir rigueur. Mais il ne sera pas un enfant de l'amour.

Marie-Hélène pâlit. Elle est sincère lorsqu'elle proteste :

— Il y a trop de bonté en vous pour que vous n'aimiez pas ce petit être.

— Je ne sais pas, dit-il en la regardant dans les yeux. Si l'on peut encore être bon quand on voit sa vie liée à celle d'une chipie. La bonté subsiste-t-elle en enfer ? Ou même au purgatoire ? Nous verrons...

— Vous me haïssez ? demande Marie-Hélène à voix basse.

Il se coiffe de son képi :

— Nous avons, l'un et l'autre, ce que nous avons mérité. Mais, comme vous avez pris l'initiative, il est juste que le plus dur soit pour vous : moi, je porte mon désespoir ; vous, vous portez ma rancœur. À jamais. Pressons-nous maintenant. On nous attend en mairie. Ensuite, j'ai rendez-vous avec mon ami Thadée, il n'a plus que dix heures de permission à Paris.

— La vôtre s'achève quand ?

— Demain matin... Non, vous ne m'aurez pas dans votre lit cette nuit. Il nous restera bien assez de nuits dans l'avenir, allez. Ce soir, je vais voir les parents de mon ordonnance, il a été tué avant-hier. Puis j'irai me laver dans un bel hôtel, et dormir dans un lit confortable où je pourrai, je l'espère, laisser s'écouler ma fatigue sans que personne vienne me solliciter.

Il est attablé à présent face à Thadée dans un petit café proche de la gare de l'Est. C'est de cette gare que Thadée repartira tout à l'heure pour le front. Il porte un galon oblique et doré sur sa manche. Il est sergent dans une unité de tirailleurs sénégalais. Il avoue à Vincent sa honte de voir des Noirs, qui ne sont en rien concernés par cette guerre, être contraints de venir risquer leur vie ici.

— Ils ont froid, dit-il à Vincent. Ce n'est pas leur climat. Ils ne sont pas habitués aux pluies glacées. Il en meurt autant de pneumonie que de blessures.

Vincent l'écoute attentivement.

— De quel droit est-on allé les tirer de leurs savanes ou de leurs brousses pour les obliger à venir ici et mourir pour la France ?

— Parce qu'ils appartiennent à nos colonies, sans doute.

— Et la colonisation, c'est quoi ? tonne Thadée. Rien d'autre qu'une grande exploitation des peuples d'Afrique par la force.

— On leur apporte peut-être la civilisation, suggère Vincent.

La riposte de Thadée est immédiate :

— Qui nous dit qu'ils en ont besoin ? Elle est *nôtre,* ne l'oublie pas. C'est nous qui l'avons élaborée pour *nos* besoins. Les leurs ne sont pas les mêmes. Ils ont leurs climats, leurs langues, leurs coutumes, leur vie sociale, qui sont totalement différents. Pourquoi aller leur enfourner ce que nous avons conçu pour l'Occident ?

— Je ne sais pas, dit Vincent. Je ne sais plus...

Thadée remarque son ton découragé.

— Ça ne va pas ?

Vincent a deux plis amers aux commissures des lèvres.

— Je viens de me marier, dit-il.

Thadée sursaute :

— Merde ! Avec qui ?

— Marie-Hélène Van Eyssel.

— Nom de Dieu ! commente le Grand. (Et tout de suite, il s'enquiert :) Pourquoi as-tu fait ça ?

Vincent lui raconte son histoire.

— Je suis cuit, Thadée... Je n'ai plus que du vide en moi. La seule pensée de passer ma vie avec cette fille me dégoûte au-delà de ce que je saurais dire.

— Il y a l'enfant, dit Thadée après un silence. Il exige ce prix.

— Oui, dit Vincent, c'est le mot qui convient.

— Et Denise ?

— Elle va terriblement souffrir. Apprendre mon

mariage, et ne plus me voir, va lui être très pénible, sinon intenable.

— Stop ! dit Thadée.

— Comment ça, stop ?

— Pour ce qui est de te voir ou de ne plus te voir, c'est elle qui décidera.

— Tu es fou !

— Non, dit Thadée. Tu lui imposes un énorme chagrin. Si sa façon d'assumer est de te voir quand même, tu ne pourras pas le lui refuser.

— Mais comment pourrait-elle le supporter, me sachant marié ?

— Je ne sais pas, dit Thadée. J'ai lu dans le train un journal qui traînait. Il y avait une nouvelle d'un écrivain féminin, Colette, je crois... Dans ce texte, une femme disait à un homme : « J'aime mieux être malheureuse avec vous que sans vous. » C'est possible.

— Oui, dit Vincent. Tant de choses sont possibles et inattendues dans le comportement humain ! Mais moi, j'ai l'impression de ne plus être du tout maître de ma vie. Du jour au lendemain, je suis devenu un esclave...

— Denise, elle, ne te réduira jamais en esclavage, tu le sais. Elle prendra ce que tu lui donneras. Rien de plus.

— Tu as raison, dit Vincent. C'est un être de vérité et qui sait aimer vraiment. C'est pour ça que...

— Que ?

— Que je l'aime, dit Vincent à voix basse.

— Tu l'aimes ?

— Oui.

— Nom de Dieu !

— Je me demande, dit Vincent, pourquoi ça ne nous est pas arrivé.

— Quoi ?

— Un enfant.

— Tu ne le sais pas ? Mais tu es médecin..., dit Thadée, troublé.

— Tout médecin que je sois, je l'ignore... Je lui faisais confiance. Tu as eu raison, Thadée, quand tu m'as traité un jour d'égoïste. Je ne voyais qu'une chose : parvenir à être médecin. Le reste ne m'intéressait pas vraiment.

— Il faudra demander à Denise.

— Quoi ?

— Pourquoi vous n'avez pas eu d'enfant. Peut-être s'est-elle fait avorter sans que tu le saches, pour ne pas te causer de soucis.

Vincent blêmit :

— Si c'est ça...

— Si c'est ça, quoi ?

— Je ne me le pardonnerai jamais.

— Rappelle-toi les Sculpteurs de destins : on fait avec ce qu'on a, puis on modèle sa destinée. Tu as encore de belles donnes dans ton jeu, Vincent : tu as la médecine, que tu as tant voulu exercer. Maintenant, tu le peux. Tu auras ton enfant. Même s'il est l'enfant de Marie-Hélène, il est également le tien. Tu l'ouvriras à la vie, lui donneras les bases qu'il faut pour qu'il sache un jour façonner, lui aussi, son propre destin. Tu as les Sculpteurs, tes potes. Ils ne te feront jamais défaut. Tu as une belle famille. Et sans doute, achève-t-il à voix plus basse, auras-tu toujours l'amour de Denise.

Vincent a un sourire triste :

— Il ne manque qu'une chose : le bonheur.

— Je ne sais pas, Vincent, si le bonheur est le socle d'un destin. Je ne sais pas... Il me semble que c'est un plus, qui vient à son heure quand on a bien œuvré pour façonner sa vie... ou inopinément. C'est difficile de parler du bonheur, parce qu'il est souvent imprévu et instable. Il va, il vient...

Vincent hoche la tête.

— Tiens, lui dit Thadée, je pense à l'un de nous qui doit en baver, en ce moment, pour croire à ce qu'il a édifié...

Et sous le regard interrogateur de Vincent, il précise sa pensée :

— Hyacinthe. Devant ce cataclysme, devant cette boucherie qui est l'œuvre de l'homme, comme il doit douter des bases de la théologie chrétienne : l'homme fait à l'image de Dieu. L'homme, enfant de Dieu. À sa place, dans une telle furia où plus rien n'a de sens, où la tuerie est aussi courante qu'imbécile, je douterais même de l'existence d'un Dieu...

— Les Églises amalgament très bien ce cataclysme avec Dieu, dit Vincent. Les Allemands ont « *Gott mitt uns* » gravé sur leurs ceinturons, et nos prêtres font prier pour la victoire qui va immanquablement se produire puisque la France est « *la fille aînée de l'Église* ».

— Nos prêtres, oui, dit Thadée. Mais pas Hyacinthe Librecht.

Il se lève, car un coup de sifflet retentit.

— Mon train entre en gare, dit-il. Adieu, toubib. À plus tard ou à jamais, je ne sais pas. C'est la guerre qui décidera. Mais de toute façon : à toujours. Car tu ne sortiras jamais de mon cœur.

Vincent le suit des yeux, grand troufion chargé de son barda. Sous la lueur d'un réverbère, on voit luire son galon de sergent. Et en cet instant, une prière vient aux lèvres de Vincent : « Mon Dieu, protégez ce garçon. Car il manquerait au monde une parcelle d'humanité de grande qualité s'il venait à disparaître. »

27

Le fils de Vincent naît le 10 avril 1915. Il ne porte pas le prénom de son père, comme sa mère le voudrait. Vincent s'y refuse. Son fils s'appellera Luc, en référence au prénom de sa marraine qui sera Luce. L'enfant portera aussi les prénoms de ses deux grands-pères. C'est donc Luc, Romain, Thècles Vanbergh qui vient au monde en cette matinée.

Le 18 juillet, le Parlement vote une loi accordant aux poilus six jours de permission, à prendre par roulement. Mais quand Vincent espère voir son tour arriver, Joffre déclenche une nouvelle offensive en Champagne. Pendant un mois, et jusqu'au 31 octobre, l'infanterie française déferle contre les tranchées ennemies. La résistance allemande est opiniâtre. Au final, le bilan militaire est maigre : pour quatre kilomètres pris à l'ennemi, l'armée française compte 135 000 morts. Quant aux blessés, ils affluent dans tous les hôpitaux et infirmeries du front. Les médecins militaires sont submergés, leurs permissions annulées, ainsi que celles des infirmiers. Vincent ne peut donc venir voir son fils, qu'il ne connaît toujours pas.

À Woincourt, et surtout à Lille, la vie est toujours aussi rationnée, aussi contingentée, aussi difficile. Le front n'est pas loin. Il va de Dixmude aux Vosges, en passant par l'Yser, la Somme, la Champagne, Verdun. Parfois, de Douai, on entend gronder le canon. Cela vient de Lorette ou de Vimy.

Les Allemands ont autorisé les femmes à remplacer en usine les hommes mobilisés. Mais ces usines ne travaillent que pour eux. Les industries textiles fabriquent des tissus pour leurs uniformes, ou des pansements pour leurs hôpitaux. Les industries métallurgiques sont vouées à la fabrication d'armes. Et Fives-Lille Cail coule des canons.

Rosine a pu profiter d'une journée de congé pour se rendre au faubourg des Postes. La rue où logeaient Rosalie et Denise a été totalement incendiée. Une commerçante l'a renseignée : elles sont sauves l'une et l'autre. Mais elles n'habitent plus le quartier car il n'y a nulle part où se loger. Elles travaillent au tissage Lepoutre et vivent dans une courée à Wazemmes. Ce quartier est l'un des plus pauvres de Lille. Il est situé sur le flanc droit du faubourg des Postes. « Même s'il y avait eu du logement, elles auraient dû partir. Rosalie devait se cacher après ce qui s'était passé », a-t-elle ajouté.

Rosine n'a pas demandé d'explication, elle est allée attendre ses amies à la sortie du tissage. Rosalie l'a repérée tout de suite dans le petit monde qui se forme toujours à la sortie d'une usine :

— Te v'là, ma fille ! Ça va ?... ouais ?... À la bonne heure !

Rosine les a serrées dans ses bras avec émotion :

— Et vous ?

— On en a vu des dures !... a dit Rosalie. Ces boches, c'est des sauvages. Ils ont tout brûlé ici, tout. On aurait dit qu'ils avaient la rage !...

— On m'a raconté que tu as dû te cacher.

Rosalie prend une inspiration :

— Ils violaient toutes les femmes qu'y voyaient. Moi, j'étais sur mes gardes ! Mais fallait bien que je sorte pour chercher à manger pour les gosses. J'avais toujours mes grands ciseaux dans ma poche. Un jour, y en a un qui me reluque dans la rue. Tu te doutes bien pourquoi. Je l'ai laissé approcher. Et au moment où il trifouillait sous mes jupes : Pan ! Je lui ai planté mon ciseau. Des cris qu'y poussait, des cris !... J'ai point attendu que ses copains rappliquent. Je me suis sauvée, et voilà. Mais après, j'ai dû me cacher parce qu'y cherchaient tous après moi. C'est pour ça qu'on est partis à Wazemmes. De toute façon, on pouvait pu vivre là-bas...

— T'as des nouvelles de ton homme ? enchaîne Rosalie.

— Oui, dit Rosine, j'ai eu une carte par la Croix-Rouge. Il est en Argonne. Il a été nommé sergent.

— Et Vincent ? a demandé Denise timidement. Sais-tu quelque chose ?

La gêne de Rosine ne lui a pas échappé quand son amie a répondu :

— Vaguement... Thadée l'a rencontré lors d'une permission. Il va bien. Il est lui aussi en Argonne.

Denise a ravalé la douloureuse question qui lui brûlait les lèvres : « Pourquoi est-ce qu'il ne m'écrit pas ? »

Six mois se sont écoulés depuis cette rencontre. Rosine n'a pas encore pu dégager un moment pour aller revoir ses amies. Ses journées d'hôpital sont longues, et, pour peu qu'il y ait une urgence, elles se terminent à une heure tardive. Le dimanche, quand elle n'est pas de garde, Rosine travaille à la préparation du concours des cadres. Si elle l'obtenait, elle deviendrait infirmière en chef d'un service, ce qui lui plairait bien car elle se sent de mieux en mieux dans ce métier. Elle voit ce qu'il faudrait faire pour mieux organiser le temps et les soins, et elle brûle de pouvoir appliquer ses idées.

Avril arrive. Les Allemands sont nerveux, car la guerre

de tranchées qui s'étire sur ce front interminable nécessite de plus en plus de matériel : armes, munitions, attelages, wagons... Les usines ne tournent pas assez vite sans les hommes. L'ennemi songe à rapatrier des ouvriers et des prisonniers pour les réintégrer, sous tutelle, dans les industries.

Il est maussade, cet avril 1916, comme la situation des armées. Il s'enlise, lui aussi, dans une pluie qui n'en finit pas de bruiner depuis dix jours. Un soir, on frappe à la porte des Vanbergh. Reine vient ouvrir. C'est Philomène, la femme du boucher, décomposée :

— Madame Reine, dit-elle, votre sœur a été arrêtée. Elle est au fort de Lesquin. Ils vont la fusiller.

Reine est suffoquée :

— Ma sœur !... Vous en êtes sûre ?

— Oui, dit Philomène. Mon mari l'a appris en allant livrer la viande au château Lassus. Un sergent lui a dit : « Une *Fraulëin* de Woincourt, maîtresse d'école à Fretin, a été arrêtée. »

Reine frémit : c'est Luce, à n'en pas douter. La porte refermée, elle s'y adosse. Que faire ? Romain a eu deux alertes cardiaques depuis le début de la guerre, et envisage, pour cette raison, de céder son étude. Ils vieillissent Églantine et lui. Il est impossible pour l'instant d'avertir ses parents.

Elle devra donc agir seule et sa décision est vite prise. Elle va se rendre à Douai tout de suite, ira à la Kommandantur, se jettera aux pieds du commandant, et implorera sa clémence pour Luce. Vite, il faut faire vite. Grâce à Dieu, ses parents ont à présent un chauffeur, car Romain s'estime trop âgé pour conduire un véhicule, même une calèche. Reine informe ses parents à la dernière minute.

— Je vais à Douai avec Francis. Je reviens de suite.

— À Douai, à cette heure... mais pourquoi ?

Elle est déjà dehors. Chemin faisant, elle rassemble

fébrilement les arguments dont elle usera pour Luce :
« Elle est jeune, bien jeune ; elle s'est laissée influen-
cer... » Reine ne sait pas au juste ce que Luce a fait, mais
elle se doute qu'il s'agit d'un acte anti-allemand.

Voici la Kommandantur.

— Attends-moi là, dit-elle à Francis, même si ça doit
durer très longtemps.

Elle monte à pas rapides le grand perron de la Kommandantur. Son cœur s'emballe et ses jambes flageolent.
Une sentinelle l'arrête en haut du perron :

— Halte !

— *Kommandant*, dit Reine... *Bitte*, je voudrais voir le
commandant.

— *Nein*, dit rudement le soldat. *Raus* !

Reine se tord les mains. Elle choisit de hausser la voix
dans l'espoir que quelqu'un l'entende :

— *Kommandant*, reprend-elle. *Schnell ! Schnell ! Kommandant*...

Le soldat va être brutal quand une voix retentit :

— *Was ist los* ?

Un officier supérieur descend le grand escalier de la
Kommandantur. Reine lève les yeux. Le plafond vacille
au-dessus de sa tête : « Helmut ! Oh ! C'est Helmut ! »
C'est bien lui... Son port est plus altier que jamais, l'uniforme ne retranche rien à sa classe. Mais c'est aussi quelqu'un d'autre, car dans cette tenue, il a l'air d'un
Allemand.

Reine s'avance vers lui :

— Commandant, dit-elle, je viens implorer votre clémence pour ma sœur, Luce, qui vient d'être arrêtée.

— Vraiment ?

Reine balbutie. Le regard transparent et royal d'Helmut la domine totalement.

— Oui, dit-elle. Je ne sais pas ce qu'elle a pu faire,
mais rien de grave sûrement.

— Vraiment ? répète-t-il.

203

Reine ne comprend pas cette raideur. Elle est Reine, il est lui, et ils sont face à face : ils pourraient se toucher.

— Je vous en prie, dit-elle... Empêchez qu'elle soit fusillée demain matin... Elle est si jeune...

— Peut-être, dit-il, vaut-il mieux courir le grand risque de mourir pour sa patrie que d'être une jeune femme frivole.

La réaction de Reine est instantanée. Le commandant Helmut Meyer, maître absolu de la Kommandantur, se fait gifler.

Il ne s'attendait pas à cette forme de repartie et suit des yeux, stupéfait, Reine qui dévale l'escalier.

Elle court dans la rue... Elle atteint la voiture où l'attend Francis, qui descend pour lui ouvrir la portière.

— Non, dit-elle.

Et elle rebrousse chemin. Une seule pensée l'habite : il y a si longtemps, si longtemps qu'ils attendent de se revoir... Ce moment est venu... Et il faudrait le gâcher ? « Eh bien, qu'il me tue, pense-t-elle en gravissant l'escalier... qu'il me tue... S'il ne m'aime plus, ça m'est égal... »

Mais elle voit la haute stature de l'officier allemand se mouvoir. Il descend quelques marches. Il vient vers elle. Et là commence la magie... Leurs doigts se touchent... La même émotion les fait frémir.

— Venez, dit-il, ne restons pas ici.

Il l'emmène dans son bureau. Il ferme la porte. Et c'est avec un bonheur si intense qu'il en est presque douloureux qu'il reçoit sur son épaule la chevelure de Reine.

— Pourquoi ? demande-t-elle.

Elle voudrait savoir pourquoi il l'a jugée frivole. Mais les mots ne viennent pas. Les deux profils se gravent dans la même médaille. Et pour l'Éternité.

— Viens, répète-t-il, ce lieu ne convient pas.

Elle ne s'étonne pas du tutoiement. Tout se déroule avec justesse.

Ils sont maintenant dans la chambre d'Helmut. Il est derrière elle et pose ses mains sur ses épaules.

— Vois, dit-il.

Et maintenant ses yeux gris lui désignent la pièce. Reine regarde les meubles anciens, en merisier lourd et blond, à la patine vénérable. Alors il l'attire un peu plus près de lui et, bouleversée, elle l'entend murmurer :

> *Des meubles luisants*
> *Polis par les ans,*
> *Décoreraient notre chambre.*
>
> *Les plus rares fleurs*
> *Mêlant leurs odeurs*
> *Aux vagues senteurs de l'ambre,*
>
> *Les riches plafonds,*
> *Les miroirs profonds,*
> *La splendeur orientale,*
>
> *Tout y parlerait*
> *À l'âme en secret*
> *Sa douce langue natale.*

« Mon dieu, pense Reine, Baudelaire... ou Verlaine, je ne sais plus. » Et des larmes lui viennent en écoutant le petit accent se faire le filigrane parfait des beaux vers.

Lorsqu'ils s'étendent tous deux sur le lit, Reine n'a pas besoin d'entendre les dernières strophes du poème :

> *Les soleils couchants*
> *Revêtent les champs,*
> *Les canaux, la ville entière*
>
> *D'hyacinthe et d'or ;*
> *Le monde s'endort*
> *Dans une chaude lumière.*

Elle n'en a pas besoin, car elle échappe à elle-même. Elle entre dans une contrée dont elle ne soupçonnait même pas l'existence, mais qui s'avère mirifique dès le porche franchi. Helmut y pénètre avec elle. « Enfin... Enfin... Enfin... » Ils sont dans la lumière.

28

Pendant un mois, Reine et Helmut retrouveront le chemin les menant à cet Éden où ils ont été admis ce soir-là. Puis, un soir, la voiture qui vient discrètement chercher Reine n'arrive pas. Le lendemain, elle est à la Kommandantur. Un jeune sergent vient à sa rencontre. Il l'attendait visiblement.

— Madame, dit-il, le commandant Meyer a dû partir cette nuit. Il est muté pour un autre commandement. Il m'a laissé ceci pour vous.

Reine croit défaillir de chagrin. Elle a si froid qu'il lui semble que tout en elle s'est soudainement mué en glace. Elle entre dans un estaminet de Douai et se commande un café chaud. C'est dans ce décor banal qu'elle lit le message d'Helmut :

Ma très chérie,

Je pars. On m'affecte à un autre commandement. Voici ce que je veux vous dire : Je vous aime... Je n'aimerai jamais que vous. Vous comblez ma vie. Il vous faudra sans doute m'attendre longtemps, quelle que soit l'issue de cette guerre. Bien des choses feront obstacle entre nous : il y aura l'antago- nisme de nos peuples, votre mariage, votre enfant. Mais tout cela s'usera peu à peu au fil du temps. Écoutez la promesse

que je vous fais : Un jour, nous vivrons ensemble. *Je sais que vous pleurerez en lisant ce message. Que la force de mon amour sèche alors vos larmes avec toute la douceur qu'il faut. Soyez forte. Vous le pouvez, car les dieux nous ont oints d'un chrême qu'ils n'accordent qu'aux amants parfaits. Que chaque phrase que nous formulerons désormais pour penser l'un à l'autre appartienne au poème de toutes les joies.*
Je vous adore,

HELMUT.

P.-S. : Mettez rapidement votre sœur à l'abri. J'ai enfin obtenu qu'elle soit libérée demain matin. Éloignez-la de la zone de Woincourt et cachez-la. Dites-lui surtout de ne plus reprendre l'impression de son petit journal clandestin. Je ne serai plus là pour la protéger.

Avant toute pensée, elle reçoit le déferlement d'un chagrin immense. Chaque évocation de son bonheur est à présent une souffrance : le timbre de la voix d'Helmut, sa peau ferme et chaude, son regard superbe, les gestes que leurs corps se sont appris. Leurs doigts joints tandis qu'ils réfléchissent ensemble, ou qu'ils savourent le silence lorsqu'ils s'en reviennent comblés des Hespérides... Les lèvres d'Helmut se posant doucement sur ses paupières pour l'éveiller. Se dire que tout cela ne sera plus anéantit Reine, saisie d'une douleur quasi paralysante. Cependant, elle porte en elle son amour pour cet homme. Il l'imprègne de sa certitude, de sa chaleur et de sa force. Et puis, il y a Luce. Luce qu'il faut sauver tout de suite. Reine en miettes, mais Reine déterminée, sort alors en trombe de l'estaminet, va vers sa voiture et lance à Francis :
— À Fretin !

L'école est vide. Dans une salle de classe, assise au bureau du maître, il y a Luce, méconnaissable, amaigrie, tuméfiée. Elle se tient droite sur sa chaire, mais son regard est comme absent, ou en tout cas très las.

— Vite, dit Reine, je t'emmène.

Luce s'oppose immédiatement :

— Je ne veux pas que les parents me voient comme ça. Ils s'affoleraient.

— Il ne s'agit pas d'eux, dit Reine. Viens vite.

Luce la suit péniblement. Elle traîne la jambe et Reine s'en aperçoit, bien qu'elle s'efforce de le cacher. Elle ne s'étonne pas. Luce a toujours eu un grand courage. Reine ramasse au passage un petit journal qui traîne sur les tables d'écolier. Elle en lit le titre : *Liberté*. « C'est bien de Luce, ça », pense-t-elle.

— Comment imprimais-tu cela ? demanda-t-elle à sa sœur.

— Sur la ronéo à alcool de l'école. Quelqu'un a dû le voir et me dénoncer.

Les deux jeunes femmes sont à présent dans la voiture qui roule en direction de Lille. « À chacun son mot de passe pour vivre. Je connais à présent le mien. C'est *Amour*. Pour Luce, c'est *Liberté* et *Justice*. Elle a toujours été comme ça », se dit soudain Reine.

Elles arrivent enfin chez Léonie Van Houtte, la meilleure amie de Reine, qui les reçoit dans sa maison cossue. Elle les installe dans son boudoir. Après s'être assurée que les portes sont bien fermées, Reine expose sa requête : il faut cacher Luce dans un endroit qui soit hors des soupçons des Allemands. Léonie peut-elle les aider ?

La maîtresse des lieux fixe Luce intensément. Chez cette jeune femme, autrefois mondaine et affectée, passe l'expression d'une profonde compassion.

— Je connais des patriotes qui la cacheront. Il serait dangereux pour Luce de rester ici.

Reine la regarde avec stupeur. Léonie Van Houtte, patriote ! C'est à ne pas croire. Cette guerre métamorphose tout, et tout le monde. C'est comme si elle enlevait aux gens leur costume d'apparat, et peut-être, parfois, leur révélait leur vrai visage.

Luce s'est endormie sur le canapé où elle était assise. Léonie et Reine peuvent alors lire sur son visage les traces de l'insomnie et des souffrances qu'elle a endurées. Elles ont dû être sévères et pour une bonne part humiliantes, car des cernes apparaissent et un rictus se dessine sur ses lèvres. À n'en pas douter ce sont les stigmates d'un calvaire.

Léonie prend une feuille dans son secrétaire, écrit hâtivement quelques lignes, libelle une adresse et appelle une domestique :

— C'est Camille... la seule en qui j'ai confiance. Nous nous connaissons depuis l'enfance.

Un long moment s'écoule. Il n'est peuplé que de silence et d'inquiétude. Reine et Léonie n'osent pas parler, de peur de réveiller Luce. Par moments les mots : « Helmut est parti ! » déflagrent dans le cœur de Reine. Elle serre les dents alors à se les briser. Léonie ne comprendrait pas qu'elle pleure.

Un attelage s'arrête à présent devant la porte. Des pas dans le couloir. Reine, stupéfaite, voit entrer Rosine en tenue d'infirmière : robe blanche, cape bleue, voile blanc sur lequel une croix rouge est brodée.

— Vous avez bien fait de m'avertir, dit-elle à Léonie. À l'hôpital, elle ne craindra rien.

Luce ne se réveille même pas quand deux brancardiers l'allongent sur une civière et l'emportent. Rosine la considère :

— Oh Luce ! Qu'est-ce qu'ils ont fait de toi ?

— Pourrai-je venir la voir ? demande Reine.

— Non, dit Rosine, on vous suivrait. Il faut expliquer à vos parents que nous allons devoir être très prudents. Je ferai parvenir des nouvelles chaque fois que je le pourrai.

Reine rentre enfin à Woincourt. Le plus dur reste à faire avant de pouvoir enfin gagner sa chambre et laisser libre cours aux sanglots qu'elle réprime depuis ce matin : prévenir ses parents. Elle les retrouve dans la cuisine, seule pièce bien chauffée du rez-de-chaussée. Ils ont lunettes et cheveux gris l'un et l'autre. Reine s'émeut de leur fragilité. Elle craint les effets de la dureté du choc :

— Te voilà, dit Églantine... Où étais-tu passée ? Nous commencions à être inquiets.

— Papa, Maman, dit Reine, j'ai une nouvelle à vous annoncer. Elle aurait pu être grave, mais rassurez-vous, elle ne l'est plus. Voilà : Luce a été arrêtée il y a environ un mois.

Églantine et Romain s'exclament ensemble. Leurs visages prennent une couleur de neige :

— Arrêtée ! Mais pourquoi ?

— Elle faisait de la propagande contre les Allemands, dit Reine.

Romain se lève, droit et frémissant :

— Ma petite fille, dit-il... Oh ! ma petite fille ! Comme tu es imprudente ! (Il ajoute très bas, car les sanglots menacent d'investir sa voix :) Mais comme je suis fier de toi !

— Où est-elle ? demande Églantine, fébrile et plus pragmatique. Et pourquoi ne nous a-t-on pas prévenus plus tôt ? La dernière fois qu'elle est venue, elle nous a dit qu'elle ne pouvait plus rentrer le soir à cause du couvre-feu. C'était donc pour cela, en fait, pour ses activités patriotiques...

— Sans doute. Elle éditait un petit journal sur la ronéo de l'école.

Églantine l'interrompt vivement :

— Où est-elle emprisonnée ?

— Elle est libre à présent, dit Reine, et cachée en lieu sûr.

— Pourquoi l'ont-ils libérée ? demande Romain. Ils n'ont pas l'habitude de faire ça.

Reine reste silencieuse un moment, le temps de choisir les mots pour présenter les choses. Mais Romain la bouscule :

— Tu le sais ? Parle !...

— Vous souvenez-vous, dit Reine, de ce soir où je suis partie précipitamment à Douai ?

Ses parents acquiescent d'un signe.

— ... On venait de m'avertir que Luce avait été arrêtée. Et je me suis rendue à la Kommandantur dans l'espoir de fléchir le commandant, de l'implorer pour Luce... Nous avons eu de la chance : le commandant était Helmut Meyer. C'est à lui que nous devons la libération de Luce.

En relevant la tête, Reine remarque que son père la regarde intensément. Elle ne fléchit pas. D'une voix posée et ferme, elle répète :

— Oui, c'est à lui que Luce doit sa vie et sa liberté.

Romain a repris son visage de chef de famille :

— Je vais aller le remercier, dit-il. Ce devoir m'incombe.

— Inutile, Papa, dit-elle en secouant la tête. Il a été muté dans une autre unité. Il est parti cette nuit.

— Comment le sais-tu ?

Reine esquive la question. Elle en a fait assez pour la famille aujourd'hui. À présent, elle a besoin de se retrouver seule pour penser à Helmut, pour pleurer et réfléchir à l'avenir.

— Peu importe, répond-elle. Je suis exténuée, je monte me coucher.

Voici enfin sa chambre, avec la rose d'Ispahan sur la commode et le mouchoir avec lequel Helmut a tendrement essuyé ses larmes le soir où ils se sont retrouvés. Il n'est plus là pour apaiser les sanglots qui la secouent. Reine se lève, ouvre son armoire. Son regard est accroché par une pile de linges blancs. Ce sont les serviettes dont elle se sert chaque mois quand... Mais alors une évidence s'impose à elle. Ces serviettes... elle ne s'en est pas servie ce mois-ci. « Pourtant, se dit-elle, il y a quinze jours, j'aurais dû... »

Comme le soleil levant dégage le ciel de ses ténèbres, une certitude apparaît devant elle. Ces petites migraines qu'elle a depuis quelques jours, elle les avait quand elle attendait Joséphine...

Interdite, Reine prend conscience du trésor qui est en elle : « Je suis enceinte, murmure-t-elle. Je porte l'enfant d'Helmut. »

Une immense joie l'envahit, et aussi une détermination de même ampleur : « J'aurai cet enfant, se dit-elle. Quoi qu'ils puissent penser, quoi que je risque, j'aurai cet enfant. Dussé-je m'enfuir au bout de la terre, mon amour, je mettrai notre enfant au monde. »

29

Le lendemain, Romain s'est levé de bonne heure. Malgré les terribles événements de la veille, comme chaque jour, il s'est rendu à son étude. Aujourd'hui, pourtant, son esprit est ailleurs.

Assis à son bureau, il songe au courage de Luce, à Vincent et Victor, partis au front... et surtout au petit-fils qu'il ne connaît pas encore et qui vient tout juste de souffler sa première bougie. Il se demande si Vincent, dont il est sans nouvelles, a pu voir son fils.

Soudain un attelage s'arrête devant l'étude, dans un fracas qui le sort de sa rêverie. Un léger brouhaha, quelques mots échangés, puis Églantine se précipite dans le bureau de Romain.

— Victor !

Romain pâlit. Il redoute une mort au combat :

— Quoi, Victor ?

— Il est là, dit Églantine tout émue.

Romain se lève. Tout en se hâtant de son mieux vers la maison, il interroge sa femme :

— Il a obtenu une permission ?

— Non, dit Églantine. Il a bénéficié d'un échange entre blessés allemands et français, à l'initiative de la Croix-Rouge.

— Il est blessé ?

Églantine s'arrête, perplexe :

— À première vue, je n'ai rien remarqué. Mais il l'est certainement, pour être là.

Reine a profité de cet après-midi ensoleillé pour acheter des rubans à la mercerie de Woincourt. Puis elle est allée chercher sa fille à l'école.

Joséphine a d'épaisses nattes blondes qui s'échappent de son béret bleu. Elles vont et viennent sur ses épaules au rythme de son trottinement. Sur le chemin du retour, la petite fille conte à sa mère son après-midi :

— On a fait de l'histoire. On a appris les Romains... C'était avant Jésus. Ça fait très loin, hein ?

— Oui, dit Reine.

— Jésus, demande Joséphine, il n'est plus jamais revenu depuis ?

— Depuis quand ?

— Depuis qu'il est monté au ciel ?

— Non, dit Reine.

— Pourtant, il pourrait le faire s'il voulait.

— Comment ça ?

— Ben... s'il sait monter au ciel, il sait aussi en descendre.

Silence de Reine.

— Nous, poursuit l'enfant, on ne peut pas monter au ciel, même en sautant très haut... On ne peut pas aller le voir... Mais lui, il peut. Pourquoi il ne vient jamais ?

— On ne sait pas.

— Peut-être qu'il ne nous aime plus...

La petite voix chevrote à cette pensée. « Si Jésus ne nous aime plus, c'est épouvantable ! On est perdus... » Reine est de plus en plus embarrassée et pense qu'elle devra absolument se ressaisir pour mieux assumer sa maternité, surtout pour élever l'enfant chéri qu'elle porte : le fils d'Helmut.

215

Mais voilà que la voix de Joséphine se fait grondeuse :
— Ou alors, il a menti.
— Comment ?
— Il n'est pas monté au ciel. Ses copains l'ont dit, mais ce n'était pas vrai. Il est mort pour de bon.

Reine perçoit l'angoisse sous le courroux de sa petite fille. À présent, elle veut la rassurer :
— Mais non... Jésus est vraiment monté au ciel. Il nous aime. La preuve, il continue de faire des miracles.
— Tu en as déjà vu, toi ?
— Non.
— Moi, j'aimerais bien en voir un. Mais, en même temps, je crois que j'aurais peur... Oh ! Regarde : une pie !

La petite fille a oublié d'un seul coup son angoisse. L'insouciance de ses dix ans et une pie à l'œil vif l'en ont délestée promptement.

La maison est en vue. Joséphine entre et ressort aussitôt, en dévalant vers sa mère :
— Maman ! Il y a un miracle ! Un vrai ! Papa est là !
Reine se fige.
— Papa ?
— Oui, il est rentré de la guerre.

Reine, chavirée, ne sait plus que penser. Victor est si loin d'elle, de ses préoccupations, de sa vie... Ça lui semble tout à coup irréel. « Mon Dieu ! pense-t-elle, la gorge serrée. Et il va falloir reprendre la vie commune... »

Un sentiment de désarroi l'envahit. Ses pas sont plombés quand elle parcourt les derniers mètres qui la séparent de la maison. Pour se réconforter, elle se répète la phrase de Helmut : « *Écoutez la promesse que je vous fais : un jour, nous vivrons ensemble.* »

Victor se lève quand elle entre. Il dit : « Bonjour, chérie », et l'embrasse. Mais Reine ne le reconnaît ni physiquement ni moralement.

Il semble grisâtre des pieds à la tête. Son abondante chevelure, aux allures de tignasse irlandaise, a été rasée. Ce qu'il en reste semble avoir perdu sa pétulante rousseur. En fait, tout est indéfinissable en lui : son teint, son uniforme, dont on ne sait s'il est bleu ou gris, et même son regard. Reine se rappelle le bleu ardent de ses yeux, toujours prêts à scintiller de rires ou à s'enluminer de tendresse. À présent, le regard est délavé. On n'y remarque rien de particulier, ni contentement, ni peine. Il est comme inhabité. « Mon Dieu, pourvu qu'il ne soit pas amnésique ou commotionné. »

Mais Victor la détrompe vite. Son timbre est neutre comme l'ensemble de sa personne.

— Je suis content de vous revoir... d'être ici. Je ne l'espérais plus.

Mais Joséphine, qui tourne autour de lui, s'exclame :

— Papa ! Vous avez un trou dans la tête !

Il sourit faiblement. Le sommet de son crâne est tonsuré et il y a une petite cavité à cet endroit.

— Enfoncement de la boîte crânienne, indique sobrement Victor.

— Comment est-ce arrivé ? demande Romain, navré.

De nouveau, Victor a un sourire éteint :

— Je ne le sais pas bien... Ma pièce d'artillerie a été canonnée. Nous avons tous été ensevelis. Quand j'ai repris conscience, j'étais à l'hôpital. Je suis le seul rescapé. Mes deux serveurs ont été tués.

— Cette blessure vous fait souffrir ? demande Églantine avec bonté.

Victor secoue la tête :

— Pas trop. Je ne dois pas me plaindre. Il y a bien pis que moi. J'ai seulement des maux de tête, parfois...

Joséphine embrasse son père. L'uniforme sale et le visage mal rasé ne l'arrêtent pas. Elle grimpe sur ses genoux :

— Chéri-Papa, dit-elle.

217

Cette fois, il sourit vraiment. Il l'entoure de son bras droit. Joséphine l'inspecte attentivement :

— Qu'est-ce que c'est que ça ? demande-t-elle en désignant une petite barrette agrafée sur l'uniforme de son père.

— La croix de guerre.

Romain félicite chaudement son gendre :

— Mes compliments. Nous sommes fiers de vous.

— Oh ! Vous savez, répond Victor, ce n'est rien, rien du tout, comparé à ceux qui ont donné leur vie...

Il se tait un moment, et passe dans son regard une expression d'immense compassion et d'horreur.

— Tant de morts, ajoute-t-il, tant !...

Personne n'ose répondre. Chacun est comme figé. La seule à l'aise dans cette pièce, c'est une petite fille de dix ans qui continue son inspection.

— Vous avez changé votre alliance de doigt, remarque Églantine.

— Pourquoi ? demande Joséphine.

Victor semble gêné.

— Pour ça, dit-il presque timidement.

Il montre alors ce que personne n'avait remarqué jusqu'ici : la main gauche est amputée de l'annulaire et du petit doigt.

Le silence est total. Joséphine le rompt la première :

— Je vous aime bien quand même, dit-elle en embrassant son père tendrement.

Et Romain ajoute :

— L'essentiel est que vous ayez survécu et que vous voilà de retour. Nous allons fêter ça. (Il se tourne vers sa femme :) Dites à Pétronille d'apporter une bouteille de champagne.

— Plus tard, si vous le voulez bien, objecte Victor très doucement. Je voudrais surtout pouvoir me laver... Être présentable.

Églantine donne les ordres nécessaires pour qu'un

bain brûlant soit préparé et que la pièce soit très bien chauffée. Elle demande également qu'on aille chercher « les effets de Monsieur » dans sa maison.

Tandis que Victor gagne la salle de bains, Romain prend des décisions :

— Vous allez rester chez nous, dit-il à Reine. Votre maison est inhabitée depuis deux ans. Il y fait glacial.

Reine acquiesce. Elle préfère que leur vie commune s'insère dans la famille ; elle redoute le tête-à-tête.

Quand Victor revient parmi eux, chacun remarque combien il a maigri. Dans le complet gris qu'il a enfilé sur une chemise finement rayée et une cravate bordeaux, ce n'est plus le même. Il parle peu et semble absent, comme si une part essentielle de lui-même était restée ailleurs.

La nuit vient. Chacun regagne sa chambre. Dès que Reine ouvre la porte, elle a un haut-le-corps : son père a fait enlever son lit de jeune fille et l'a fait remplacer par un grand lit à deux places. Il ne pouvait pas en être autrement. Reine le sait et serre les dents.

Victor s'allonge près d'elle.

— Ma chérie, dit-il.

Il n'achève pas sa phrase. Il soupire, puis se retourne d'un coup et l'étreint. C'est court, presque brutal, c'est pesant. Il en a conscience et balbutie :

— Il y a si longtemps...

Puis il s'endort soudain. Reine se lève, se lave longuement comme si elle avait été souillée. Assise dans la bergère de sa chambre, elle médite :

« Voilà... Voilà toute la différence. L'acte qu'on dit d'amour n'est rien sans l'amour. Il faudra que je le dise à Joséphine : ne jamais faire ça sans amour. »

Trois semaines se sont écoulées. Un soir, tandis que la famille boit une tisane chaude, après que Joséphine s'est couchée, Reine pose doucement sa tasse et déclare :

— Je suis enceinte.

Victor pâlit, et Romain pose sur sa fille un regard aigu. Églantine est désemparée :

— Enceinte... Mais en temps de guerre, ce n'est pas très indiqué.

Romain fronce les sourcils.

— Chérie, dit Victor, votre mère a raison, l'époque ne s'y prête pas. Et puis, vous avez failli perdre la vie à la naissance de Joséphine. Je ne veux pas que vous vous exposiez à nouveau.

— Il faut voir Dehornois, dit Romain, et régler la question. Il partagera sûrement notre avis.

Reine se lève :

— L'avis est définitivement pris, dit-elle. Cet enfant vivra.

Et elle quitte la pièce en déposant sèchement sa tasse sur un guéridon.

Le lendemain, elle s'apprête à sortir quand Pétronille s'approche d'elle :

— Madame, votre père vous demande de le rejoindre dans son bureau.

« Papa, pense Reine en gagnant l'étude, vous allez perdre votre temps. Vous ne savez pas que j'ai découvert... » Elle cherche le mot juste, et spontanément ce sont les paroles de l'oncle Irénée qui lui viennent en mémoire : « ... *le bien le plus précieux au monde*. Et de cela, personne ne me dépouillera. »

Mais, contrairement à ce qu'elle attendait, Romain n'est pas courroucé. Il est grave.

— Ma petite fille, dit-il, je souhaite t'entretenir d'une chose sérieuse. Je ne veux pas contrecarrer tes projets, crois-le bien. Je désire seulement que nous réfléchissions ensemble à l'avenir, dans le climat de confiance mutuelle que nous avons toujours eu.

Reine se détend un peu.

— Cet enfant n'est pas de Victor, n'est-ce pas ?

Elle en reste abasourdie. Tellement prise au dépourvu qu'elle manque d'aplomb pour nier. De toute façon, elle n'en a pas envie. Quelqu'un doit partager ce secret avec elle, de façon à connaître la véritable identité de l'enfant. Et qui, mieux que son père, peut tenir ce rôle ? C'est d'abord un être d'une totale probité. C'est ensuite un homme avisé, doué pour retrouver le fil d'Ariane quand l'écheveau de la vie vient à s'emmêler. C'est enfin quelqu'un dont la tendresse ne s'est jamais démentie.

— Non, répond-elle.

Romain la regarde profondément :

— Tu te savais enceinte avant le retour de Victor ?

— Oui, dit Reine.

— Et cet enfant... a pour père Helmut Meyer ?...

— Comment le savez-vous ? dit Reine, qui se retrouve d'un coup sur le qui-vive. Qui vous l'a dit ?

— Personne, répond Romain. J'ai observé, c'est tout.

— Papa, dit Reine, j'aime cet homme de tout mon être et c'est réciproque. J'adore à l'avance l'enfant que j'aurai de lui.

Romain se lève, pose les mains sur les épaules de sa fille :

— Je te comprends, dit-il. Helmut Meyer est un être d'exception. Tu ne pourras jamais l'oublier. Reste l'enfant.

— Il vivra, dit Reine, le feu aux joues.

— Oui, dit Romain. Mais reste à définir dans quelles conditions.

— Comment cela ?

— Reine, tu ne peux pas le déclarer comme l'enfant de monsieur Meyer. Ta vie et la sienne deviendraient rapidement intenables. Je crois que la fin de la guerre approche et que nous allons finalement la gagner. Alors, les femmes qui auront eu des liaisons avec des militaires allemands connaîtront pour longtemps de terribles difficultés.

— Je m'exilerai, dit Reine.

221

— Où iras-tu ?

— Très loin... Aux États-Unis par exemple...

— Et qu'y feras-tu, toute seule avec ce bébé ? Tu ne parles même pas la langue de ce pays. Et comment subsisteras-tu ? Bien sûr, je pourrais t'envoyer de l'argent, mais ce serait insuffisant pour vivre avec un bébé. Et puis, ajoute-t-il, après la façon dont s'est passée la naissance de Joséphine, tu ne peux pas courir le risque d'accoucher seule dans un pays étranger.

— J'écrirai à Helmut. Je lui dirai qu'il a un enfant. Il viendra à mes côtés.

— S'il le peut, dit Romain doucement. Pour le moment, nous ne savons rien du sort d'Helmut Meyer et du destin qu'il va connaître. Lui-même ne peut rien augurer.

Reine sait ce que pense son père à cet instant : Helmut peut avoir été tué, ou gravement blessé, ou être prisonnier.

— Que faire ? demande-t-elle alors.

— Rien, dit doucement Romain. Laisser venir ce bébé comme s'il était l'enfant de Victor.

— Mais Helmut sera volé de son petit ! Et l'enfant ne saura jamais qui est son vrai père !

— Oui, dit Romain, c'est dur à accepter, je le conçois. Mais ce à quoi il faut penser *prioritairement,* pour l'instant, c'est à l'enfant. En procédant ainsi, nous lui donnons le confort d'une vie normale. Celle de ta petite fille, celle de tous les enfants du village. Personne ne se moquera de lui ni ne le montrera du doigt. Il aura une enfance heureuse.

— Un jour, je vivrai avec Helmut Meyer. Nous aurons, nous aussi, notre part de bonheur, quel qu'en soit le prix.

— Oui, répond Romain en accueillant sur son épaule le visage en larmes de sa fille... Oui, un jour, tu vivras cela, mon enfant.

Et Reine, stupéfaite, l'entend dire tout bas les propos mêmes d'Helmut :

— *Je te le promets.*

— Comment le pouvez-vous ? murmure Reine.

— Parce que rien, non, rien, ne peut vaincre l'amour.

Il ajoute, après un court instant durant lequel il cherche les mots exacts pour préciser sa pensée :

— Il existe un amour *authentique*. Il naît de la compatibilité parfaite entre deux êtres, de l'heureux destin qui les a fait se rencontrer, et de ce qu'ils deviennent l'un pour l'autre le soleil qui éclaire leurs deux existences.

Reine pleure doucement sur l'épaule de son père. Elle pense au mal qu'elle a eu, ce matin, pour imposer à son mari le prénom de l'enfant, si c'est un garçon : Igor. Elle seule en sait la cause. Le commandant Meyer s'appelle Helmut, Igor, Ludwig. « Cela fera russe », avait dit Victor.

Mais elle avait tenu bon. Aujourd'hui, elle sait qu'Igor aura pour patronyme « Durieux ». Le commun s'accolera au prénom héraldique.

— Courage, lui dit tout bas Romain. Tu as dans le cœur un balancier de cristal dont la flèche est d'or. Un jour, il s'arrêtera pour toi sur l'heure juste. Il désignera le début du bonheur, et celui-ci sera sans fin.

30

Le fils de Reine naît le jour de l'an 1917. Contrairement à ce qui se passa pour Joséphine, l'accouchement se déroula sans problème, comme si l'enfant de l'amour trouvait naturellement sa voie pour venir. S'il ne pourra nier à l'avenir être le fils de Reine, tant par ses cheveux blonds que par son visage rond qui rappelle les traits de sa mère, il ne pourra davantage dénier la paternité d'Helmut. Car les yeux sont là pour l'attester : un regard très clair, presque transparent, tantôt gris, tantôt bleu, selon la lumière.

Ce 3 janvier dans l'après-midi, Reine est dans sa chambre, le bébé auprès d'elle. Les jardins enneigés, le rideau de mousseline qui entoure le berceau, le silence ambiant forment un huis-clos blanc propice au recueillement. Les pensées de la jeune femme ne connaissent alors ni entrave ni dérangement. Elles coulent de source et, chargées d'amour, trouvent leur juste place.

Igor ouvre les yeux. Reine le regarde. Un bonheur immense l'inonde. Désormais, quoi qu'il arrive, le regard sublime d'Helmut existera en cet enfant. Par l'amour qui la lie à son père, par le destin qui a bien voulu les réunir, par les instants bénis qu'ils ont vécus, ce miracle est éclos. Le fils porte témoignage du père.

Reine se penche sur le berceau. Ses yeux se noient

dans le regard d'Igor. Et les mots qui lui viennent aux lèvres comme une onde limpide sont pour Helmut.

Ô mon très chéri...

Tes yeux ont la transparence des grands froids.
Tu es la transparence, celle de la rectitude
et de la haute pensée.
Je te verrai dans l'azur, là où le ciel sera pur.
Je te verrai dans le tronc des arbres forts.
Je te verrai dans la blancheur des
vagues qui ne renoncent jamais.

Reine se tait. Elle ne sait pas si elle est parvenue à accomplir le souhait d'Helmut : « *Que chaque phrase que nous formulerons désormais pour penser l'un à l'autre appartienne au poème de toutes les joies.* »

Elle se sent comblée par cet amour qu'elle peut enfin exprimer. Au son de la voix maternelle, si douce et si sûre, Igor s'est endormi. Il est 17 heures. La nuit ne va pas tarder à tomber. La neige est toujours compacte dans les jardins, avec son reflet d'un blanc mat. Le silence se fait...

À trois cents kilomètres de là, tout est également immobile. Une contre-attaque allemande vient de se terminer. C'est l'heure de la boue, de la nuit et des plaintes. Combien sont-ils à gémir et à appeler ? Entre les tranchées françaises et les tranchées allemandes, c'est un no man's land apocalyptique où gisent des blessés et des morts.

Une première équipe de brancardiers se présente, le dos courbé, trébuchant sur les branchages, les débris de ferraille, les ronces de barbelés épars çà et là. Elle se penche sur un blessé français. Il parle encore, et c'est au bras qu'il est touché. Il est donc sauf. Ils déploient leur civière près de lui afin de l'allonger, quand une voix toute proche s'élève :

— À boire !

Les brancardiers vont jusqu'à l'homme qui a parlé. Il répète :

— À boire, s'il vous plaît !

« C'est une drôle de voix », pense l'un des deux soldats. Il se penche vers le blessé et se redresse aussitôt :

— Merde ! C'est un boche !

Mais la voix se fait suppliante :

— S'il vous plaît...

Le brancardier se penche à nouveau, et tout de suite, les épaulettes dorées et leurs quatre boutons armoriés l'intriguent : c'est un gradé. L'homme le regarde profondément, sans vindicte aucune. C'est un regard humain. Il touche le soldat :

— Où êtes-vous blessé, mon commandant ? demande-t-il.

— À la jambe... Je ne peux pas marcher jusqu'à nos lignes.

L'officier parle bien français. Le soldat dispose près de lui une gourde, un paquet de pansements, et lui glisse une cigarette entre les lèvres.

— Une autre équipe va venir, mon commandant. Je vais leur dire où vous êtes. Ils vous prendront sûrement.

— *Danke.*

Les brancardiers rebroussent chemin après avoir chargé leur blessé. Ils retrouvent l'esplanade infernale. C'est une véritable mer de fange où se trouve un méli-mélo insensé : des arbres déchiquetés, des armes disloquées, de gros éclats d'obus. Et des morts, gardiens silencieux de ce terrain d'effroi.

Vincent termine une opération, lorsque Bécuwe arrive. Il est blanc d'émotion, comme le sol crayeux qu'il arpente chaque jour. Il s'approche de Vincent et n'a qu'une phrase :

— Broucke est mort, mon lieutenant.

Il a parlé d'une voix feutrée, par pudeur et respect pour son camarade. Vincent le regarde. Les mots sont vains. Ils ont tellement vécu de circonstances comme celle-là qu'ils se sont déjà tout dit. Ils savent combien Broucke va leur manquer. Le médecin pense à sa femme et à la petite fille aux cheveux bruns bouclés qu'ils ont vue sur une photo. Ils ont le cœur plein d'une désolation qu'il est inutile d'exprimer. Vincent demande seulement :

— Comment est-ce arrivé ?

— On ramenait un blessé, un gars touché au bras. Un gros obus est tombé. On ne l'a pas entendu venir. Broucke a été tué sur le coup, le blessé aussi. J'ai pris leurs papiers. Les voilà, mon lieutenant. Il y avait un officier allemand près du blessé qu'on transportait. Un commandant, je crois. Je l'ai dit à une équipe qui partait vers les lignes. Ils verront ce qu'ils peuvent faire. Moi, j'ai aidé deux gars à rentrer. Celui-ci, désigne-t-il en montrant un blessé déjà allongé sur une table d'examen. L'autre est assis sur la banquette, derrière vous, mon lieutenant.

Sans se retourner, tout occupé à désinfecter ses instruments, Vincent demande par-dessus son épaule :

— Vous tenez le coup ?... Ça peut attendre cinq minutes ?

— Ça va, ça va, lui est-il répondu.

Et Vincent tressaille : il n'y a qu'un homme qui puisse dire : « Ça va », même si ça ne va pas, avec cette tranquillité pleine de bonhomie.

Il se retourne. Un grand géant blond, l'uniforme plein de boue, le regarde. Sur sa poitrine, il y a un petit crucifix. Et aussi une grande tache de sang.

— Hyacinthe !

— Salut, toubib.

Les lieux ne se prêtent pas aux effusions, ni même à

l'accolade. L'un et l'autre le savent. Mais les regards se chargent d'exprimer l'amitié, le bonheur de se revoir.

Vincent attrape un tabouret et s'assoit devant Hyacinthe :

— Qu'est-ce que tu fais dans le coin ?

— Mon régiment est engagé ici depuis deux jours. Après notre offensive, je suis parti sur le champ de bataille avec les brancardiers. Il y avait un petit Marseillais, adossé à un arbre. Il était grièvement touché. Sa mort l'épouvantait. Je suis resté près de lui jusqu'à ce qu'il meure. Entretemps, la contre-attaque allemande s'est déclenchée. Un soldat a voulu me percer avec sa baïonnette. Mais il a vu mon crucifix juste à temps et a retenu son geste. Ma blessure ne doit pas être très profonde.

— Montre ça, dit Vincent.

Hyacinthe retire sa vareuse et s'allonge sur une table.

— Tu as eu du pot, dit Vincent, la baïonnette a juste ripé sur tes côtes. Mais je vais te recoudre, mon vieux, et te faire la dernière injection de sérum antityphoïdique qui me reste, car il y a une épidémie en ce moment.

Hyacinthe pose la main sur son bras :

— Non, garde-la pour un blessé père de famille. Je suis costaud, tu sais. J'ai été élevé en plein air. Je résisterai.

— Écoute, curé... Quand on se bagarre avec la mort depuis trois ans, comme je le fais, on a le droit, au moins une fois, de choisir. C'est... c'est comme une oasis dans l'horreur... Tu saisis ?

Hyacinthe incline la tête.

— Crois-moi. Je ne l'ai pas volé.

Vincent s'absorbe alors dans les soins que l'état de Hyacinthe nécessite. Il recoud la longue entaille qui balafre la poitrine, puis administre à son ami l'injection.

Lorsque le dernier blessé est pansé, et en attendant l'ambulance, Vincent va s'asseoir près du brancard où Hyacinthe est allongé.

— Alors, dit-il... Comment va ta foi, mon pauvre vieux, dans cette apocalypse ?

Hyacinthe sourit doucement :

— Elle est.

— Non, ne me dis pas que tu crois encore en Dieu après ça ?... Tu rentres du champ de bataille, Hyacinthe. Tu sais bien ce que nous y verrions si nous y retournions ensemble. Des tibias, des fémurs, des bras dont on ne sait plus à qui ils appartiennent. La plupart des morts ne sont même pas reconstituables. Est-ce ce fémur qui a marché vers l'autel un jour pour y conduire une femme ? Est-ce ce crâne, et les yeux qui l'ont habité, qui ont souri à un bébé ?... *On ne le sait plus... On ne le saura jamais plus.* La personne humaine n'a pas seulement été occise, elle a été *éparpillée.* Et tu crois encore à l'existence d'un Dieu, père des hommes, après ça ?

— Ce n'est pas la faute de Dieu, dit doucement Hyacinthe. Ce n'est pas Sa volonté.

— La faute de qui, alors ?

— La faute des hommes... au tout petit nombre qui a voulu la guerre, par orgueil stupide, par bravade ou par intérêt. Et comme ils avaient le pouvoir, ils ont entraîné la grande masse dans l'enfer qu'ils ont provoqué, sans y mettre les pieds eux-mêmes.

— Tu penses au Kaiser, au Kronprinz ?

— À nos généraux aussi, et aux leurs. Pour quatre cents mètres de terrain, pris et repris, ils exposent des milliers d'hommes à la mort. Ils pensent à leur panache, leurs étoiles, sans voir l'horreur qu'ils provoquent autour d'eux, ou sans vouloir en mesurer l'insupportable réalité.

— Et Dieu, dans tout ça ? demande Vincent.

Hyacinthe garde le silence un instant, puis dit :

— Dieu laisse faire les hommes... C'est leur inaliénable liberté. Mais Dieu reconstitue, à la sortie de la vie, tous les ossements éparpillés. Je veux dire : la personne dans son identité. Et il l'insère dans un bonheur total. C'est la caractéristique réelle de la mort : elle est joyeuse et féconde au-delà de nos regards incrédules, car elle mène chaque homme au port, à la plénitude.

— Tu crois vraiment que tous ces trouffions sont *absolument* heureux à présent, malgré toutes les calamités qui les ont frappés et celles qui profanent leurs dépouilles ?

— Oui, dit fermement Hyacinthe. Oui.

Et Vincent lui répond par une phrase de Jaurès : « Il le faut, pour l'Humanité qui a tant souffert et qui l'a bien mérité. »

Le prêtre et le jeune médecin humaniste sont d'accord : l'un sur le fait que la vie aboutit à la joie, l'autre sur la nécessité que cela soit.

Les brancardiers arrivent. C'est l'heure des ambulances. Hyacinthe serre la main de Vincent :

— Adieu, toubib... Quelqu'un m'a dit que tu étais marié.

— À contre-cœur, répond brièvement Vincent. Et je ne connais même pas encore mon enfant.

31

Les mois ont passé. Vincent découvre et regarde l'enfant, agenouillé sur un tapis moelleux, qui fait une construction avec des cubes. Son expression est très concentrée.

— Voilà Papa. Viens lui dire bonjour, dit Marie-Hélène.

L'enfant s'interrompt et vient saluer Vincent :

— Bonzour... (Et aussitôt :) Ze m'en vais parce que ze zoue.

Mais, soudain, il observe le képi de Vincent posé sur un canapé. Il s'en empare et s'en coiffe. « Il a le culot de sa mère », pense Vincent, agacé.

Le petit garçon se campe alors devant lui :

— Z'suis beau ?

Il rit. Et Vincent tressaille : ce sourire qui naît du fond des yeux et illumine le visage, c'est Églantine... Comme il ressemble à sa grand-mère à cet instant ! « Petit bonhomme, se dit Vincent, avec ce sourire-là, tu me tiendras toujours. »

L'enfant n'est pas farouche. Il s'approche de son père :

— Z'ai trois ans et demi.

— Je sais.

— T'es qui, toi ?

231

— Ton Papa.

— Ah !

Marie-Hélène intervient :

— Lucchio, dit-elle, je t'ai expliqué que tu as un Papa, et qu'un jour il reviendrait de la guerre. Eh bien, le voilà.

Ce diminutif à l'italienne, aussi snob qu'inutile, agace Vincent.

— Écoute !... Les cloches !... crie l'enfant.

« C'est Notre-Dame, pense Vincent. Et à présent, la Madeleine. »

À ce moment, à Woincourt, Romain pose la tasse de thé qu'il est en train de boire.

— Tiens, dit-il à Églantine, les cloches ?... Il y aurait un office à cette heure-ci ? On dirait même qu'on entend celles de Fretin. Mais avec ce brouillard, on entend mal...

À Lille, Rosine, devenue infirmière en chef depuis deux ans, s'entretient avec Luce :

— Tu es guérie, dit Rosine, totalement guérie des sévices que tu as subis. Ta jambe est rééduquée, tes dents brisées sont couronnées. Tu as retrouvé toutes tes forces. Et cependant, il me semble qu'il y a une blessure profonde en toi, que tu ne nous dis pas. Par moments, on dirait que tu la contemples... et tu ne sais pas à quel point ton visage exprime alors l'effroi et la désolation.

Luce répond sobrement :

— On ne peut pas porter tout le malheur d'un être. Il y a toujours un coin secret qui reste inaccessible.

— Mais, dit Rosine, c'est grave s'il reste secret. Car il générera toujours de la douleur qu'on ne pourra guérir.

Luce est dispensée de répondre par une volée de cloches qui retentit. Les cloches de Saint-Sauveur carillonnent à tout rompre. Bientôt, celles de Saint-Vincent, de Saint-Maurice, du Sacré-Cœur lui répondent. C'est assourdissant.

— Que se passe-t-il ? demande Rosine.

Le boulevard Saint-Sauveur se remplit très vite. Une foule en liesse se répand, devient de plus en plus dense au fil des minutes. Les gens s'empoignent, s'embrassent, chantent *la Marseillaise* et hurlent sans fin la merveilleuse nouvelle :

— La guerre est finie !

Rosine et Luce s'étreignent.

— Mon Dieu ! dit Rosine. Ce cauchemar est enfin terminé ! Les hommes vont rentrer de la guerre. Même s'il faudra du temps pour remettre le pays en route, cet affreux conflit est fini.

À Woincourt, Romain et Églantine pleurent en silence, dans les bras l'un de l'autre.

— C'est fini..., dit Romain en caressant les cheveux de sa femme. Vincent va rentrer. Notre Luce va réapparaître. Oh ! Merci, mon Dieu !...

Et puis, l'émotion passée, Romain se ressaisit. Sous le regard stupéfait de sa femme, le notaire de Woincourt chante. Il clame à pleine voix l'hymne national tandis qu'il descend l'escalier de sa cave puis en remonte, une bouteille de champagne à la main :

— Chérie, dit-il, à la paix ! Et à notre petit-fils que nous allons enfin connaître !...

Le petit-fils, à ce moment, se met les doigts dans les oreilles car toutes les cloches de Paris retentissent à présent. Elles sont en fête. La foule les incite à carillonner encore plus. Et les Champs-Élysées ne sont plus qu'une immense et fervente *Marseillaise.* Vincent hoche la tête. Il pense à tous ceux dont les corps pourrissent dans la boue, là-bas, de l'Yser à Verdun. Il se dit que tous les poilus doivent être soulagés, mais il doute qu'un seul d'entre eux parvienne à se réjouir. Ils en ont trop vu pour être encore aptes à la joie.

Les semaines passent, et, lentement, la vie civile reprend son cours. Luce est la première à réintégrer son village. Lorsqu'elle paraît dans la maison familiale, l'émotion est intense pour tous. Ses parents la dévisagent anxieusement. Elle est toujours Luce, longue, ses cheveux coiffés en bandeaux plats sur ses tempes. Mais la bienveillante sérénité qui autrefois ne quittait pas son visage est remplacée par une sorte de sérieux. Luce est une femme, désormais sur ses gardes. « Pourquoi ? se demande Romain. Elle ne craint plus rien à présent. » Mais Luce est fermée sur son secret. Elle est devenue une énigme insaisissable.

Lorsqu'on lui remettra, en février 1919, la Croix de guerre, elle sera digne, mais sans joie, ni ostentation.

À Romain, qui la serre dans ses bras à l'en briser et lui dit : « Je suis fier de toi, ma fille », elle répondra simplement : « J'en suis heureuse pour vous, Papa. »

Quelques jours plus tard, un dimanche matin, un petit garçon pousse la porte de la maison familiale :

— Bonzour !

Églantine le regarde, ébahie. Mais, grâce à son sourire et ses cheveux très blonds, elle identifie très vite l'apparition :

— Mon petit-fils !

— Ze suis pas ton fils. Z'ai mon papa et ma maman... Regarde.

Ses parents entrent à la suite de l'enfant. Marie-Hélène, élégante, affable, mondaine, prononce les paroles d'usage :

— Quel plaisir de vous revoir enfin !... Comment allez-vous ? Nous avons souvent pensé à vous.

Vincent apparaît derrière elle. Il porte toujours l'uniforme militaire car il n'est pas encore démobilisé.

En apercevant Églantine, il pâlit. Comme dans sa jeunesse, un mot suffit à tout exprimer :

— Maman ! dit-il.

Il la serre dans ses bras, et dépose un baiser dans le pli du cou, là où il retrouve son parfum et l'effluve de sa tendresse.

Romain est radieux. Joséphine, Igor et le petit Luc sont rassemblés. La maison s'emplit de petits-enfants. Quelle joie !

— Vous restez déjeuner avec nous, dit Églantine.

Marie-Hélène décline aimablement.

— Nous sommes attendus à Douai, chez mes parents... Vincent doit aller à Lille. Mais il reviendra demain.

— Tu me garderas une heure de ta journée, dit Romain en tapant sur l'épaule de son fils. Nous avons à parler.

Vincent pense que son père devra attendre jusqu'au soir. Il tient sûrement à lui parler de son installation. Mais lui s'en préoccupe aussi ; c'est une chose dont il veut se charger personnellement. Il réglera cela dans l'après-midi, de sorte que ce sera fait quand il retrouvera Romain. Ce dernier n'y pourra plus rien changer. Et puis, Vincent a envie de se rendre à Lille, d'y retrouver peut-être ses amis : Thadée, s'il est rentré, Augustin, Rosine... Sans doute lui parleront-ils de Denise...

Tout en roulant vers Lille le lendemain, il a la gorge saisie de honte en pensant à la lettre qu'il a dû envoyer à sa Clématite il y a longtemps :

Ma toute petite chérie,

Ma bien-aimée. Je t'appelle ainsi parce que je t'aime, crois-le. Et pourtant, je n'ai plus le droit de te donner ces noms-

là. Ma Denise, avant d'être mobilisé, j'ai fait une énorme bêtise. J'ai couché trois nuits avec la fille d'un ami de mon père. Ça a suffi pour faire un enfant : je vais être papa. Il a fallu que je fasse mon devoir et que j'épouse cette femme.

J'ai mal et honte du chagrin que je te cause. Tu as bien le droit de me mettre à la porte de ta vie et de ne plus vouloir me revoir. Je respecterai cette décision et ton chagrin. Mais sache que tu resteras pour moi la femme aimée, celle que j'aurais voulu épouser... ma petite Clématite à la rare valeur.

Jusqu'à sa mort, il se remémorera chaque terme de cette lettre car ils sont gravés dans le meilleur de lui-même.

Voici l'hôpital Saint-Sauveur. Dans son uniforme de médecin-lieutenant, Vincent y pénètre sans peine. Il s'enquiert du service où travaille Rosine. C'est en traumatologie. « Elle doit être au contact des grands blessés », se dit Vincent.

Il entre. Une infirmière est occupée à ranger des instruments sur un plateau. Elle lui tourne le dos. Il demande Rosine Cikowski. Le plateau dégringole et les instruments roulent à terre. Rosine s'est retournée trop brusquement en reconnaissant la voix de son ami.

— Vincent !

Ils s'embrassent joyeusement.

— C'est fini, dit Rosine. Tu es démobilisé ?

— Pas encore. Mais bientôt. Où est Thadée ? demande-t-il anxieusement.

— À la maison, dit gaiement Rosine. C'est fini pour lui. Il est libre depuis avant-hier.

— On y va ? demande Vincent.

Rosine appelle une infirmière pour qu'elle la remplace. Deux minutes plus tard, ils sont chez elle. Thadée serre Vincent dans ses bras :

— Alors, mon lieutenant, tu t'en sors intact ?

— Tout comme toi.

— De la veine ! dit Thadée, une sacrée veine ! Quand on a vu tant de copains morts ou amochés, on sait que la guerre, c'est vraiment une loterie ! J'ai tiré un bon numéro, et toi aussi, toubib !

— Que vas-tu faire ? demande Vincent.

— Reprendre mon travail, dès lundi, et surtout m'investir dans le syndicat.

Devant les sourcils froncés de Vincent, il explique :

— Après cette tuerie ignoble que nous ont value des péteux incapables, nos généraux, nos politiques, nos journalistes grandiloquents et des financiers qui voulaient gagner gros, il va falloir se retrousser les manches pour mettre fin, une fois pour toutes, au diktat de l'incurie et de la richesse. Nous allons vers une libération de la classe ouvrière, Vincent. Elle va se faire immanquablement. Je veux y participer.

Il entoure tendrement Rosine de son bras :

— Ma femme est d'accord. (Puis il enchaîne :) Et toi, toubib, quelles nouvelles pour l'avenir ?

— Mon père va sûrement m'installer dans un beau quartier, dit Vincent. Il veut m'en parler tout à l'heure. Mais auparavant, je vais aller voir un petit local qui est à louer rue Colbert.

— Tu t'y installeras ? demande Thadée.

— Non, dit Vincent. Mais j'en ferai un dispensaire et je donnerai des consultations gratuites chaque jeudi. Comme c'est près de la rue de Wazemmes, les pauvres viendront. Je signe le bail tantôt. Mon père ne pourra plus rien y changer.

Thadée pose une main sur son épaule :

— Bravo, toubib, tu réalises ton rêve. Tu as fait avec ce que tu avais, et tu as bien façonné ton destin.

Le visage de Vincent s'assombrit :

— Pas totalement, dit-il. Je suis marié à une garce.

Plus bas, il parvient à murmurer :

— Et Denise ?

Thadée et Rosine se regardent. C'est Rosine qui prend l'initiative.

— Je ne te parlerai pas de son chagrin... Il est immense, tu t'en doutes. Mais elle le vit à sa façon.

— C'est-à-dire ?

— Tu es toujours son amour. Pour elle, tu as eu un moment de faiblesse entre les mains d'une personne de ton rang. Et tu t'es laissé abuser...

— C'est exactement ça, dit Vincent.

— Elle a dit : « Ça devait arriver. »

— Oui, ça devait arriver pour que je comprenne que le ramage et le plumage ne font pas l'oiseau. C'est son vol qui compte... Ma punition est de le découvrir maintenant.

Puis, après un silence :

— Où est-elle ?

— Elle n'habite plus rue Saint-André. Tout y a été brûlé par l'occupant. Elle a vécu un moment dans une courée de Wazemmes avec Rosalie... Mais maintenant, nous l'avons installée rue de Cambrai, à deux pas d'ici.

— Vous l'avez installée ? demande Vincent.

— Oui, dit Thadée, nous avons décidé de faire pour elle ce que Luce a fait pour Rosine : un prêt.

— Un prêt pour ?...

— Pour qu'elle suive des cours de coupe et s'installe couturière. Elle est presque au but.

— Je veux y participer, dit Vincent.

— Ce n'est plus nécessaire, dit Thadée.

Vincent les regarde profondément :

— Jurez-moi... Promettez-moi que si elle a besoin d'une dernière aide, j'en serai. Vous ne lui direz pas que c'est moi, pour ne pas la gêner, mais j'en serai. J'y tiens.

Tous deux promettent.

— Faites-moi le serment de m'appeler si un jour elle tombe malade, ajoute Vincent.

— Ça, dit Thadée, c'est juré.

Vincent garde le silence un instant, puis murmure :
— Vous avez son adresse ?
Thadée tend le bras et saisit un petit carton blanc sur la commode :
— Nous l'avons préparé pour toi. Mais attention : nous te le confions. À toi d'en faire bon usage.
Vincent serre le petit carton dans son portefeuille et soupire. Il va partir quand Thadée pose une dernière question :
— Ton enfant ?
Vincent prend le temps de répondre, comme si c'était la première fois qu'il cherchait à définir son fils :
— Il est beau... vif... drôle... affectueux. Mais j'ai bien peur qu'il ne tienne de sa mère, et qu'il n'ait du talent pour enfariner les autres.

Le soir, devant son père, calé dans un fauteuil, Vincent écoute les propositions de Romain :
— Le cabinet d'un pédiatre renommé est à céder. Ce médecin âgé se retire. Le cabinet est situé rue Nationale. C'est l'artère centrale de Lille. On ne peut rêver mieux. Naturellement, il faut refaire les peintures et les tapisseries, mais ce n'est pas un problème. Marie-Hélène peut prendre les choses en main.
Vincent décline cette dernière proposition :
— Je ferai mes choix moi-même.
Romain le regarde avec bonté, et Vincent à son tour observe son père. Il remarque le cou qui se fripe alentour du col, les yeux qui se cernent et s'enfoncent dans leurs orbites, le visage qui s'émacie. Son cœur se serre :
— Papa, dit-il affectueusement.
Romain sourit à son fils. Il lui tend un chéquier :
— Je t'ai ouvert un compte au Crédit Lyonnais pour ton installation. Fais comme tu l'entendras... Et voici un

projet pour ton ordonnancier. J'ai fait au mieux. Rectifie ce qui ne va pas.

Vincent regarde ce projet d'ordonnances. Il décapuchonne son stylo, fait une correction et tend la feuille à son père.

— Voilà, dit-il, comme ça, c'est conforme.

Romain regarde avec surprise la modification apportée par son fils.

— Tu ne travailleras pas le jeudi ?

— Si, dit Vincent, mais gratuitement, pour les pauvres. Je vais créer un petit dispensaire dans Wazemmes.

Romain se lève. Il pose la main sur l'épaule de son fils : « On ne te changera pas ; mais j'accepte. » Et Vincent de penser : « Oh ! Papa, comme je voudrais vous dire : "Je vous rembourserai peu à peu cet argent que vous mettez à ma disposition. Ce n'est qu'un prêt. Car je veux construire ma vie moi-même." Mais vous en seriez malheureux. Pouvoir vous dire : "J'ai installé mon fils" est une grande joie pour vous. Alors c'est d'accord. »

Un petit surjet se ferme désormais sur la blessure que se sont faite mutuellement Vincent et Romain. Par l'amour, qui donne accès à la compréhension, le père et le fils se sont rejoints.

32

Sitôt l'armistice proclamé, Reine a commencé à guetter le courrier. Elle espérait une carte d'Helmut, même banale, qui lui ferait savoir qu'il était en vie et ce qu'il advenait de lui. Les jours qui s'ajoutaient aux jours commuèrent peu à peu son attente en angoisse.

Il y a un mois, on a célébré avec l'an nouveau le deuxième anniversaire d'Igor. Le bel enfant, grave par son regard transparent, mais doué d'une magnifique aptitude à vivre — tant ses dons et sa joie d'exister sont intenses —, est à la fois le bonheur et la désolation de sa mère. Le bonheur, car il est son fils et celui d'Helmut. À ses côtés, il est le miroir où apparaît le père. Mais aussi désolation, car Igor grandit, s'essaie à ses premiers mots d'enfant, et dit « Papa » lorsque Victor paraît. Celui-ci lui sourit gentiment. Mais son comportement à son égard est étrange. Il est bon, lui parle avec douceur, encourage ses progrès. Mais cela n'est en rien comparable à la liesse qui l'a porté à la naissance de Joséphine, et qui perdure. Sa fille semble recueillir chaque jour le meilleur de son cœur. À présent que la guerre est finie, elle va entrer au pensionnat Sainte-Gudule à Lille. Victor est d'accord mais en souffre à l'avance : « Ma petite, comme tu vas me manquer ! »

L'absence de courrier a fait basculer Reine dans la

fébrilité. Aujourd'hui, elle a pris la voiture et s'est rendue à Lille chez Léonie Van Houtte. Reine a l'espoir qu'elle connaisse un moyen d'avoir des nouvelles d'un officier allemand.

Une profonde amitié les lie depuis le pensionnat.

— Léonie, dit Reine, je voulais d'abord te remercier d'avoir sauvé ma sœur pendant la guerre.

— Luce est une fille de grande valeur, répond Léonie. Il fallait à tout prix la tirer d'affaire. Je suis sûre qu'elle va faire partie, à présent, des gens qui construiront le renouveau de notre pays.

— Elle aurait dû être fusillée au fort de Lesquin. Quelqu'un lui a évité le peloton d'exécution.

— Qui ?

— Un homme à qui ma famille voudrait exprimer sa grande reconnaissance... un officier allemand.

— Qui donc ?

— L'ex-commandant de la place de Douai.

— Helmut Meyer, l'interrompt Léonie. Oui, le commandant Meyer. Il est vrai que sous son commandement, nous avons été moins bridés, et qu'il y a eu moins de fusillés. Je crois que c'était un homme droit et pondéré. Mais naturellement, il faisait son devoir et respectait ses obligations militaires.

Reine prend une inspiration :

— Ma famille voudrait absolument le remercier, à présent que la guerre est finie. Sais-tu comment nous pourrions avoir de ses nouvelles ?

Léonie lève les bras au ciel :

— Ma chère... autant rechercher une aiguille dans une botte de foin ! Tout est disloqué à présent, désorganisé, tant du côté français que du côté allemand. Chacun aménage la paix comme il peut dans son propre pays. À part la Croix-Rouge, je ne vois pas à qui tu pourrais t'adresser.

— Je vais leur écrire, dit Reine.

— N'en attends pas trop, conseille Léonie. La Croix-Rouge n'a pas accès à tous les hôpitaux, ni à tous les camps de prisonniers.

— Mais elle fait des recherches si on le lui demande ?

— Oui, dit Léonie. Cependant ta demande, si noble soit-elle, passera quand même au second plan. Ce sont les demandes des familles qui priment.

Reine est tout assombrie.

— J'essaierai quand même, dit-elle.

Léonic la reconduit à sa voiture, quand soudain lui vient une idée :

— Écoute, nous avons eu un jardinier allemand avant-guerre. Un Bavarois avec qui nous nous entendions très bien. Hans Bauer. Je vais lui écrire. Je ne sais pas si la poste est rétablie entre la France et l'Allemagne, mais je vais essayer.

Lorsqu'elle rentre chez elle, Reine trouve Romain fort occupé avec ses petits-enfants. Il a cédé son étude voilà un mois, et il partage son temps entre la lecture, de courtes promenades qu'il fait en s'aidant de sa canne, et ses petits-enfants. Lucchio l'a surnommé « Ampé », contraction d'un mot qu'il ne parvient pas encore à dire : Grand-père. Alors pour Igor, pour Luc, et même pour Joséphine qui le taquine affectueusement avec ce mot, Romain est devenu Ampé. Et Ampé est assis dans un canapé, occupé à raconter une histoire passionnante : des oiseaux méchants, et malins comme des diablotins, veulent voler la lune.

— Oh ! Oh ! fait Lucchio, mais z'ai besoin de la lune... Ze ne peux pas dire bonsoir au ciel si elle n'est pas là.

Même pour Églantine cet enfant est une passion.

À Lille, Vincent a ouvert les portes de son dispensaire. C'est la première consultation. Malgré la plaque sur la porte, spécifiant que les soins sont gratuits, les premiers patients sont rares. Les gens ne parviennent pas vraiment à croire qu'ils ne débourseront rien. Les premiers venus manifestent un grand étonnement en constatant que la consultation est réellement sans frais et que le médecin donne, en plus, les médicaments nécessaires. Vincent appelle cela « la part du pauvre ». Il a acheté lui-même les remèdes dans une pharmacie.

Lorsqu'il a quitté son domicile tout à l'heure, Marie-Hélène lui a dit avec ironie : « Vous voilà devenu disciple de saint Vincent de Paul. » La moquerie ne l'a pas atteint. Vincent se sent à l'aise dans le destin qu'il s'est façonné : devenir un médecin pour tous. La troisième patiente est une femme d'une quarantaine d'années qui porte un nourrisson dans ses bras. Aux vêtements de l'enfant, Vincent devine que le niveau de vie de la famille est bas. Les langes sont élimés, la brassière délavée par les lessives. La femme s'assoit devant Vincent et lui sourit timidement :

— Docteur, vous ne me reconnaissez pas, mais on s'est déjà vus.

— Où donc ?

— Dans la rue... Quand Denise s'est foulé le pied et qu'il a fallu la transporter chez le rebouteux. Mon mari a aidé le marchand d'os... Et après, c'est vous et votre ami qui avez remonté Denise dans sa chambre.

Vincent frissonne à ce souvenir. Sa première visite à Denise ! Il dit à sa patiente :

— Mais bien sûr ! Vous êtes la logeuse de Rosine, mais je ne me rappelle plus votre nom.

— Duvinage... Geneviève Duvinage. (Elle ajoute timidement en montrant l'enfant :) C'est ma petite dernière... Désiré et moi, on n'en voulait plus. On en a déjà quatre. Mais c'est venu quand même. On l'a appelée Julie. Seulement, elle ne pousse pas bien.

Vincent examine l'enfant, qui souffre d'anémie. Il

prescrit de l'huile de foie de morue et des boîtes de lait appropriées. Il donne le tout à la maman en lui faisant ses recommandations.

Après avoir rhabillé le bébé, Geneviève Duvinage demande timidement en repassant dans la salle d'attente :

— Vous avez des nouvelles de Rosine, docteur ?

À ce moment, on frappe à la porte du cabinet et une tête paraît dans l'antichambre :

— Salut, toubib ! On peut entrer ?

Vincent sourit :

— Voilà justement le mari de Rosine... Vous allez être renseignée.

Thadée reconnaît Geneviève. Il lui parle de Rosine, de leur foyer, note l'adresse des Duvinage pour qu'ils aillent leur rendre visite un jour.

— Je passais juste pour voir si ton dispensaire se mettait en place, dit-il à Vincent, une fois Geneviève Duvinage partie.

— Ça va... Ça va, dit Vincent. Au début les gens étaient sceptiques. Mais l'information va se répandre : la consultation est vraiment gratuite. Alors, le dispensaire ne désemplira plus, tu verras. Et toi, camarade, quelles nouvelles ?

Thadée a le feu aux joues.

— Je vais prendre des responsabilités syndicales accrues dans la Fédération des métaux.

— En plus du travail ? demande Vincent.

— Bien sûr... Le syndicat n'est pas encore assez riche pour se payer beaucoup de permanents. Mais nous approchons de temps décisifs. D'abord, la loi Renaudel est en préparation. Elle nous donnera la journée de huit heures. Voilà treize ans que nous la réclamons ! Mais il faudra être vigilants ensuite sur les modalités d'application. La loi précisera que cette diminution du temps de travail se fera sans réduction de salaire. Il faudra voir !

Les patrons vont finasser pour échapper à cela. Et puis, il est fortement question de la création prochaine d'un syndicat chrétien : la CFTC. Ça, ce n'est pas bon, Vincent, car tu sais combien l'Église a partie liée avec le patronat. Du reste, les statuts de ce syndicat prévoient que sa doctrine sera soumise à un Conseil théologique. Alors, il va falloir lutter, éclairer les ouvriers pour qu'ils ne se laissent pas avoir. Enfin, il va y avoir le Congrès de Tours l'année prochaine. Au cœur du débat : faut-il adhérer ou non à la Troisième Internationale ouvrière créée à Moscou en mars ? Moi, je dis : oui. Car le succès de la lutte des classes ne se fera que dans l'union. Mais autour de Blum, beaucoup diront non.

— Alors ? demande Vincent.

— Alors, dit Thadée, il y aura probablement scission et la création d'un Parti communiste de la SFIO. Là, ce sera une force de frappe formidable pour la lutte des classes. Tu vois que l'avenir va être passionnant et décisif. Il va demander beaucoup de militantisme.

— Alors, bon courage, camarade ! dit chaleureusement Vincent en tapant sur l'épaule de son ami.

Ils prennent congé, et Vincent introduit dans son cabinet une nouvelle patiente accompagnée de son enfant.

À ce moment, à Woincourt, le petit Luc fait irruption dans la cuisine où se trouvent Reine et Églantine :

— Ampé a fini son histoire ? lui demande Églantine.

— Oui, dit l'enfant... Maintenant, il fait dodo. Mais il ferme pas ses yeux. Ze sais pas pourquoi. C'est drôle.

Églantine et Reine ne font qu'un bond dans la salle à manger. Romain est assis sur le canapé, la tête renversée en arrière. N'entendant plus la voix de Ampé, le petit Igor est parvenu à descendre de ses genoux et à gagner le tapis, où il joue à présent, avec quelques cubes. Églantine saisit entre ses mains le visage de son mari :

246

— Chéri ! Chéri ! Répondez-moi...

Romain reste muet. Ses yeux grands ouverts ne cillent pas. Églantine cherche le pouls à son poignet. Il bat encore.

— Vite, dit-elle à Reine, téléphone au médecin de Woincourt. Quel dommage que Vincent travaille à Lille ! Mais c'est trop urgent. On ne peut pas attendre.

Victor, qui vient d'entendre, se précipite vers la porte :

— J'y vais moi-même ! crie-t-il. Si le médecin n'est pas chez lui, j'irai le chercher où qu'il soit.

Reine et Églantine allongent Romain sur le canapé, placent un coussin sous sa tête, dégrafent le col de sa chemise. Églantine, très inquiète, veille sur son mari.

Victor ne tarde pas à revenir avec le médecin. Après avoir examiné Romain, le docteur demande une cuvette, pose un garrot sur le bras de Romain et donne un coup de lancette sur la veine saillante. Un sang épais coule. Il demande à Victor d'aller vite chercher des sangsues chez le pharmacien. Dès qu'elles arrivent, il place les petites bêtes visqueuses, goulues, mais salutaires, sur la poitrine, le cou et les tempes de son patient. Puis il lui administre une piqûre.

— Il faut attendre, maintenant, dit-il à Églantine. C'est un accident cérébral. Sa tension est à 24.

— Pouvons-nous, balbutie Églantine, pouvons-nous garder espoir ?

Le médecin hoche la tête.

— Il faut que la tension baisse, et aussi que l'hémorragie n'ait pas causé de lésions cérébrales... Du moins, pas trop.

Comme pour encourager ceux qui l'entourent, Romain ferme les yeux.

— Ah ! dit Églantine, il a bougé.

— Les prochaines 24 heures vont être décisives, dit le praticien.

En un quart d'heure, la salle de séjour est devenue la

chambre d'un grand malade. Les lumières sont tamisées. On y parle à voix basse.

Joséphine se serre contre son père :

— Je ne veux pas que grand-père meure.

Victor lui prend la main. « Ces deux-là font équipe, pense Reine, et le feront toujours, quoi qu'il arrive. » Elle passe dans le vestibule pour téléphoner à Vincent. Justement, il s'apprête à fermer son dispensaire. Il entend avec stupeur la voix de Reine :

— Viens vite... Papa va peut-être mourir.

Les arbres défilent sur le bord de la route qui va de Lille à Woincourt. Vincent les voit à peine. Il roule le plus vite qu'il peut. Son visage crispé révèle son inquiétude et sa désolation. « Voilà, se dit-il. On met très longtemps avant de découvrir son père. Il faut souvent être devenu un homme soi-même pour y parvenir. Et lorsque c'est fait, la mort nous le prend. »

Il revoit la vie de Romain. Le chef de famille souverain lui criant un soir : « Qui finance tes études ? Moi, que je sache. Alors, l'officier-payeur a peut-être son mot à dire... » Remarque cinglante et humiliante que Romain n'hésita pas à proférer, sûr qu'il était que son fils se fourvoierait en médecine. Au mariage de Reine, le merveilleux couple que forment Églantine et Romain. La confiance totale de sa mère en son mari. Chez son père, les marques émouvantes d'un grand amour. Un regard infiniment tendre posé sur sa femme, l'harmonie nimbant leurs corps comme elle nimbe leurs deux êtres. Et maintenant, il y a « *Ampé* ». Vincent se demande : « Quel chemin a donc parcouru Papa pour passer du chef de famille si strict, au tendre grand-père ? Pour passer de maître Vanbergh à Ampé ? Il en a fallu des évolutions, des remises en cause, pour en arriver là !... Vous, si rigide parfois, comment avez-vous vécu cela ? Vous nous aimiez, vous nous aimiez, et aussi nos enfants... » Des

248

larmes silencieuses, se défendant des sanglots, mouillent à présent le visage de Vincent.

Voilà Woincourt. Vincent se précipite dans la maison. Il s'agenouille près de son père, prend son pouls, grimace car il est très irrégulier, soulève une paupière, et confirme le diagnostic du médecin :

— C'est une congestion cérébrale... Il faut attendre.

Reine s'approche de lui :

— Vincent, il faut éloigner les enfants.

Il se relève, acquiesce, téléphone à ses beaux-parents pour leur demander de venir chercher le petit Luc. C'est Marie-Hélène qui prend la communication :

— Je suis près de vous, Vincent. Je sais combien vous aimez votre père. Je forme des vœux ardents pour sa guérison.

Marie-Hélène, qui s'exprime en général sur le mode de la mondanité, qui est capable d'énoncer des perfidies, trouve ici le ton juste pour parler à son mari dans la peine. Vincent est à la fois surpris et touché. C'est déconcertant. « Ça ne durera probablement pas. »

Reine téléphone à la mercière de Woincourt pour lui demander si sa fille peut venir s'occuper d'Igor pendant quelques jours. Et l'on décide que Joséphine ira pour quelque temps chez sa grand-mère Durieux. Cette perspective n'enchante pas la petite fille qui n'aime pas trop « cette grand-mère-là ». Mais l'enfant est docile, et Victor lui promet d'aller la voir tous les jours pour lui donner des nouvelles d'Ampé.

Il est 19 heures. L'omnibus Lille-Douai entre en gare de Woincourt. Luce en descend comme chaque soir. Cinq minutes plus tard, elle est chez elle. Elle contemple son père avec une profonde tendresse. Mais on ne remarque pas sur son visage de désolation. À Reine qui s'en étonne et qui lui dit dans un couloir : « Tu as l'air de bien tenir le coup », Luce répond calmement : « La mort est parfois meilleure que la vie. »

Reine ne demande pas d'explication, et n'a pas la tête à le faire, d'ailleurs. Mariette arrive, Raoul gardant leurs quatre enfants. Il faut s'organiser pour la nuit. On décide qu'on veillera tous jusqu'à minuit. Puis Vincent et sa mère prendront le relais et préviendront les filles si la situation venait à se dégrader.

La nuit s'avance. Vincent et sa mère sont seuls à présent. L'anxiété se glisse dans la pénombre de la pièce.

Vincent prend ponctuellement le pouls de son père. Il ne dit pas à sa mère qu'il est irrégulier et bien faible. Églantine le regarde, de l'inquiétude plein les yeux. Vincent répond toujours par le même mot : « Stationnaire. »

Il est 5 heures à présent. C'est l'hiver et il fait toujours aussi noir.

Romain s'agite un peu.

— Oh ! dit Églantine à voix basse. Il bouge. Il remue un peu.

Romain ouvre les yeux. Vincent, qui saisit son pouls et le sent de plus en plus faible, n'ose pas dire à sa mère la phrase qu'il lui faudrait prononcer : « Maman, Papa va mourir d'un moment à l'autre. »

Romain semble regarder autour de lui. On ne sait pas s'il reconnaît ceux qui le veillent. Il dit :

— Ampé.

Et comme si ce mot incarnait cette tendresse qu'il a enfin trouvée après l'avoir refusée toute sa vie, il s'abandonne à elle. Vincent clôt à jamais les yeux verts. Romain Vanbergh est mort.

Églantine inonde de larmes le visage de son époux, sur lequel elle se penche. Le bonheur d'Églantine Vanbergh vient de cesser.

Quatre jours après, on enterre Romain. Les notables de la commune et des environs, particulièrement les notaires, tiennent les cordons du poêle du corbillard.

Vincent conduit le deuil, tenant Lucchio par la main :

— Pourquoi on fait ça ? demande l'enfant.

— Pour montrer qu'on aime beaucoup Ampé.

— Alors, ze vais le faire.

Un silence, et puis :

— Mais pourquoi il est pas là, Ampé ?

— Parce qu'il est au ciel... Mais il nous regarde, et il est très content que tu marches pour lui.

Le petit regarde les nuages.

— C'est loin ?

Vincent ne répond pas. L'église est en vue. Le corbillard s'arrête. Les porteurs chargent le cercueil sur leurs épaules. Vincent gravit les marches du sanctuaire. Le prêtre qui les attend en surplis à l'entrée de l'église est Hyacinthe. Le regard qu'il adresse à Vincent est explicite : « C'est bien le moins que j'officie pour ton père. »

L'homélie de Hyacinthe est belle et simple. Il parle d'un homme probe, qui a toujours œuvré pour le bien des autres. « Comme chacun, dit-il, il a pu se tromper. Mais ce qui compte, c'est qu'il n'a jamais failli à l'amour. » Il cite le prophète Osée : « *Il a donné tout son amour.* »

L'offrande commence. Les gens défilent, bénissant le corps, et jetant un regard discret mais compatissant à la famille. À plusieurs reprises, Vincent serre les dents pour ne pas pleurer, car il voit passer Thadée, Rosine, Augustin. Mais soudain, il enfouit son visage dans ses mains et éclate en sanglots. Car celle qui s'avance à présent, c'est Denise. Elle est discrète, la petite Clématite, comme à son habitude, mais en même temps, sûre de la justesse de sa présence en ce lieu. Elle veut apporter à Vincent son réconfort. Il la fixe intensément à présent de ses yeux rougis. Elle n'ose qu'un regard vers lui, mais il dit tout : « Courage ! Je suis avec toi. » Les orgues tonnent. La porte de l'église s'ouvre toute grande. C'est fini. Romain Vanbergh va être mis en terre.

Reine sanglote, malgré la main de sa fille qui serre

très fort la sienne. Elle voit la silhouette mince, les cheveux blancs coupés en brosse, les beaux yeux verts. « Oh Papa ! pense-t-elle. Mon dernier soutien est parti avec vous. Plus personne ne saura désormais qu'Igor Durieux est Igor Meyer. Et vous ne serez plus là, pendant les moments durs, pour éclairer ma route. C'est toute la vie qu'on a besoin de ses parents, pas seulement quand on est jeune. Mais la vie, un jour, nous les reprend. »

Et la famille regagne la maison.

Une lettre attend Reine au domicile de ses parents. La domestique précise :

— C'est un coursier qui l'a apportée tout à l'heure.

Reine l'ouvre. Cette missive est de Léonie :

> *Ma chère Reine,*
>
> *Par la directrice de la Croix-Rouge qui est une amie, j'ai pu avoir un peu d'informations sur l'officier que tu recherches. Il a été blessé en Argonne. Tout porte à croire qu'il a été ensuite évacué dans un hôpital. Mais on ignore lequel.*
>
> *C'est tout ce que l'on sait. Mais ces nouvelles te permettront peut-être d'engager d'autres recherches.*
>
> *Bien à toi,*
>
> *Léonie*

Reine replie la lettre... « Il est vivant ! Il est probablement vivant !... Oh ! Merci, mon Dieu ! Il faut absolument qu'il le soit, à présent que j'ai perdu mon père... »

33

Un an a passé. Thadée s'implique activement dans le syndicat. Il faut dire que la tension sociale est vive. La Fédération des cheminots envisage une grève générale pour obtenir une augmentation des salaires. Elle la déclenchera le 1er mai. Ce sera, sans nul doute, une grève dure car beaucoup de syndicalistes, impressionnés par l'exemple de Moscou, pressent le secrétaire général de la CGT, Léon Jouhaux, d'abandonner sa politique modérée pour tenter l'épreuve de force.

Le gouvernement, de son côté, s'apprête à des ripostes très fermes. On parle de révocations de cheminots et de la poursuite de militants cégétistes devant les tribunaux pour atteinte à la sûreté de l'État. La tension sociale est donc à son comble. Elle dope les amis de Thadée qui tiennent à se montrer, en tant que métallurgistes, solidaires des cheminots. Les réunions se multiplient pour la préparation de ce 1er mai. C'est en sortant de l'une d'elles, en mars, que Thadée rencontre Luce venue faire des courses à Lille.

— Oh ! Luce... Quel plaisir de te revoir ! Justement, j'allais t'écrire. Viens donc prendre un café avec moi, que je t'explique ce que j'ai à te dire.

Assise devant Thadée, dans un petit café de la rue de

la Gare, Luce écoute son ami. Il paraît très en forme, presque excité :

— Voilà... J'ai fondé le CRP. C'est un club de réflexion et de propositions. Nous sommes une trentaine, toutes professions confondues. Il y a là des ouvriers, mais aussi des enseignants, un médecin, des étudiants... C'est passionnant ! Nous nous réunissons deux fois par moi, le samedi à 17 heures. Nous examinons la société sous ses différents aspects, et nous formulons des propositions pour qu'elle fonctionne mieux : moins d'injustices, mais aussi plus de progrès.

Luce le taquine :

— Tu veux augmenter le rendement ?

— Mais non, Luce ! On ne veut pas le rendement pour le rendement. On veut *améliorer*. Nous sommes sûrs qu'on peut réduire la pénibilité du travail et les horaires tout en produisant mieux... D'ailleurs, dit-il en reprenant haleine, le travail n'est pas notre unique sujet de réflexion. Tiens, la semaine prochaine, c'est l'instruction. Ça devrait t'intéresser. Il me semble d'ailleurs que tu aurais tout à fait ta place dans notre club... Ta présence y serait précieuse. Je t'invite... Viens au moins à une réunion.

— C'est que... je ne peux m'absenter de Woincourt toute une nuit. Ma mère est seule, tu sais, mon père est mort l'an dernier. Avant de te dire « oui », il faut que je m'informe des horaires des trains pour Woincourt. S'il y a un train en soirée, c'est d'accord, je viendrai.

— Alors, tu viendras..., triomphe-t-il. Car Rosine et moi avons déjà pensé à cela. Nous sommes allés à la gare nous renseigner. Il y a un train à 20 heures 30.

— C'est comme si j'étais déjà inscrite à ton club !

Thadée est radieux :

— Tu y feras merveille, tu verras... Ah ! Luce, nous sommes de jeunes adultes, la sève et la force de la France après cette guerre. C'est nous qui devons faire bouger les choses pour restaurer notre pays sur des bases plus saines... et plus motivantes pour les gens. Et puis, j'ai une autre merveille à t'annoncer.

Et devant le regard interrogateur de Luce, il dit, mi-confus, mi-radieux :

— Rosine et moi allons avoir un enfant.

Luce lui serre chaleureusement la main :

— Félicitations, Thadée. Je suis très heureuse de cette bonne nouvelle.

Thadée semble un peu intimidé tout à coup, comme s'il hésitait à formuler ce qui va suivre.

— Nous pensions, Rosine et moi, que tu serais la meilleure marraine possible pour notre enfant. Nous voulions te l'annoncer à deux, mais puisque l'occasion se présente, je te fais notre demande.

— Deux fois marraine en cinq ans ! dit-elle.

— C'est parce que, répond Thadée, nous savons, comme Vincent, que s'il nous arrivait malheur, tu veillerais sur notre enfant. Et tu le ferais bien.

— Bon, dit Luce. Moi, je ne vois pas si loin. J'accepte tout simplement en raison de notre amitié et pour partager votre joie.

— Merci, Luce... Rosine va être heureuse.

Non loin de là, Vincent travaille dans son cabinet de pédiatrie. Les fenêtres de son bureau sont ouvertes car la journée est belle. Il entend monter du jardin les propos de voix enfantines. Une petite fille proteste :

— Rends-moi ma balle... C'est à moi... Tu l'as volée dans mon panier.

Et un garçonnet de répondre :

— Z'te l'ai pas volée, puisque z'te la rendrai tout à l'heure.

— Oui, mais je veux jouer avec elle maintenant.

— Mais moi aussi, ze zoue... T'as qu'à me regarder...
Ze zoue bien !

La petite fille pleure.

— Z'te fais un gros baiser, et ze zoue encore un quart
d'heure. D'accord ? Après, ze te rends ta balle.

Vincent fronce les sourcils. Dans cette approche des
autres, cajoleuse mais fondamentalement égoïste, il
reconnaît son fils et l'empreinte de sa mère. Il se promet
d'avoir une conversation ce soir avec Lucchio. Mais
quand il regarde son carnet de rendez-vous, il soupire.
Sa clientèle s'accroît de plus en plus. Le dernier rendez-
vous est à 19 heures. Lucchio ne sera-t-il pas couché lorsque son père regagnera leur foyer ? Le peu de temps
qu'il a à consacrer à son fils agace Vincent, car il se sent,
lorsqu'il y réfléchit, au cœur d'une ambiguïté. D'un
côté, il est satisfait de n'avoir pas trop de temps à lui
donner, car cet enfant demeure la cause de la brisure
de sa vie, mais d'un autre côté, il se sent le devoir d'édu-
quer son garçon, surtout pour contrebalancer l'in-
fluence de Marie-Hélène. Lucchio — le culot, le filou —
lui déplaît ; mais Lucchio — la tendresse, disant « Mon
Papa », et se lovant sans réserve dans ses bras — l'atten-
drit. Le petit garçon aux multiples facettes déroute
Vincent.

Deux semaines s'écoulent et, le 27 mars, en fin
d'après-midi, Luce assiste pour la première fois à une
réunion du CRP, dans l'arrière-salle d'un café lillois. Ça
fuse de tous les côtés. Le plus actif est un homme d'environ trente ans. Il est professeur de lettres au lycée Franklin. Le thème de la réunion étant l'instruction, il est
normal qu'il soit en première ligne. Luce apprécie tout
de suite la façon dont il structure ses interventions. Il
met d'abord en évidence les carences actuelles de la
société en matière d'instruction, puis montre en paral-

lèle les mesures politiques qu'il faudrait prendre pour y remédier. Ses prises de parole sont claires, sans être passionnées, et cependant convaincantes. Le groupe l'écoute avec un vif intérêt. Luce le rejoint sur le fond lorsqu'il dit que les enfants de paysans et d'ouvriers ne trouvent pas dans leur milieu familial le substrat qu'il leur faudrait pour développer l'instruction dispensée à l'école. Les enfants de paysans sont requis pour les tâches agricoles dès qu'ils rentrent de classe, et les enfants d'ouvriers subissent une promiscuité qui ne leur permet pas de se concentrer quand vient l'heure des leçons et des devoirs. Ils vivent dans la pièce unique où se déroulent tous les actes du quotidien. Enfin les uns et les autres sont, pour la plupart, d'un milieu familial inculte parce que lui non plus n'a pas eu accès à l'instruction.

— Ce qu'il faudrait, dit le jeune professeur, c'est instituer l'école obligatoire au moins jusqu'à 15 ans. Treize ans, ce n'est pas assez pour se constituer un savoir probant. Il faudrait aussi créer des bourses pour les enfants de milieu démuni, et cela dès l'école primaire. Et puis, aménager des salles pour l'étude, le soir, dont l'accès serait gratuit, où les enfants pourraient, à égalité, faire leurs devoirs et apprendre leurs leçons. Ce prolongement de l'horaire scolaire serait financé par les municipalités.

Il termine en énonçant avec ferveur sa foi dans la mission des instituteurs de la République :

— Ce sont ces enseignements, dit-il, qui peuvent éveiller chez les enfants le goût du savoir qui fera d'eux, plus tard, des citoyens à part entière. (Il ajoute, et sa voix tremble un peu :) C'est la mission des instituteurs de la République, et ils l'accomplissent.

Lorsqu'il rend cet hommage, on sent que sa conviction lui inspire de l'émotion.

Quand la réunion se termine, Luce se retrouve près

de lui dans la rue. Il veut poursuivre la conversation, mais Luce l'interrompt :

— Mon train est à 20 heures 30... Je ne peux pas m'attarder.

Il n'hésite qu'un instant, puis formule sa demande avec aisance :

— Puis-je vous accompagner jusqu'à la gare ?

Luce acquiesce, un peu étonnée. Chemin faisant, il se présente :

— Jean Borotrel. Agrégé de lettres classiques... professeur au lycée Franklin.

Luce, qui marche à ses côtés, note que son profil est très fin, comme ses traits. Une blondeur floue tombe sur son front. Le regard vert est celui d'un visionnaire. Il est vif. C'est un cérébral pur. Mais ses yeux expriment aussi la générosité.

« Un curieux garçon, pense Luce, le soir, en se couchant. Intelligent, très cultivé... »

Luce n'achève pas sa phrase. Elle sent qu'il faudrait y ajouter une petite restriction. Mais elle n'a pas de quoi nourrir cette réserve. C'est juste une impression, vaguement négative, mais la jeune femme ne sait vraiment pas sur quoi elle est fondée. Puis elle reprend sa lecture d'un roman de Paul Margueritte qu'elle a commencé la veille.

C'est aujourd'hui le 1er mai. Il fait beau mais frais quand les délégations syndicales arrivent au boulevard des Écoles, le point de départ de leur manifestation. Une foule compacte ne tarde pas à envahir les lieux. On s'organise : une immense banderole, couvrant toute la largeur de la chaussée, ouvrira le cortège. Vingt ouvriers la porteront. Thadée sera des leurs. Puis viendront les représentants syndicaux, ainsi que les maires et députés qui soutiennent ce mouvement de revendications sociales. Suivront les délégations syndicales et la foule ouvrière. Le cortège va s'ébranler d'un moment à l'autre sous un ciel bleu et humide.

C'est le départ. Thadée est fier d'être à la tête de cette foule populaire et pleine d'allant. Il est muni d'un porte-voix et lance un slogan que la foule martèle : « Métallos, cheminots, tous en grève bientôt ! Millerand : des sous ! Ou bien on arrête tout ! » Il a le feu aux joues, et de l'air plein les poumons pour lancer les slogans. Il est fier d'entendre tous ces gens les reprendre derrière lui. De temps en temps, il les encourage : « Camarades ! Tous ensemble ! On aura la justice sociale ! » Un grondement, fort comme un orage, lui répond et l'approuve.

Le cortège arrive devant la préfecture où les gardes mobiles sont massés. Alors Thadée passe sous la bande-role et fait face à la foule :

— Camarades ! lance-t-il. On ne lâche plus rien ! C'est le combat social qui commence aujourd'hui. Nous aurons des salaires convenables, une vraie journée de huit heures, des cadences acceptables, pour travailler dans la joie et avoir une vie meilleure ! Camarades, c'est notre dû ! On luttera jusqu'à ce qu'on l'ait obtenu !

Un tonnerre d'applaudissements le salue. François Tison, le mentor de Thadée à l'usine, se tient à deux pas de lui. Il est inquiet. Il a repéré sur le trottoir, regardant passer le cortège, deux de leurs collègues de travail proches de l'encadrement. Ils ont observé Thadée avec attention. François est heureux que son ami cède la parole à présent à d'autres leaders et rentre dans le rang. Même s'il chante *l'Internationale* à pleine voix mainte-nant pour terminer la manifestation, il n'est plus en vedette.

Mais le lendemain, en partant au travail très tôt, Fran-çois passe devant un kiosque à journaux qui s'ouvre. *L'Écho du Nord* est en piles sur l'étal et il pâlit en décou-vrant la première page. En manchette, ce titre : « *Cama-rades, on ne lâche plus rien !* » et, au-dessous, en pleine

259

page, le visage de Thadée. Ah ! Qu'il est beau sur ce cliché, son camarade ! Thadée sous son slogan, c'est la Victoire de Samothrace, c'est Bonaparte au pont d'Arcole ! Mais François Tison frissonne. Comment vont-ils prendre ça, au travail ? Le patronat et l'encadrement vont désormais suivre attentivement les faits et gestes de Thadée. Heureusement, la grève va se déclencher. Cela mettra un peu d'oubli sur cette journée du 1er mai.

À 10 heures 30, effectivement, la grève est décidée. Les usines métallurgiques s'arrêtent, et le soir plus un train ne roule en France. Les manufactures dépendant de l'industrie lourde vont devoir s'arrêter également car elles ne pourront plus s'approvisionner en fonte et en acier. La France va être paralysée.

La grève est dure, comme on le pressentait de part et d'autre. C'est au tour des cités de cheminots de connaître la disette, comme le monde des filatures l'a connue en 1908 et 1910. Inlassablement, Thadée et les siens parcourent les rues, quêtant pour obtenir des dons de solidarité pour les grévistes. Le monde ouvrier se cotise, mais ce qu'il donne est peu car il est lui-même en difficulté à cause de l'augmentation des prix. Le reste de la population n'offre pas grand-chose car la grève est impopulaire.

Au début de la troisième semaine, André Le Troquer, ministre des Travaux publics, réquisitionne l'armée et les élèves des grandes écoles pour conduire les trains. Des cheminots se couchent sur les rails des gares pour empêcher le départ des convois. Ils sont délogés sans ménagement par les gardes mobiles. Exaspéré, le gouvernement révoque 20 000 cheminots, et fait inculper 400 militants syndicaux pour atteinte à la sûreté de l'État. Si peu de temps après la guerre, cette mesure est ressentie par l'opinion comme une sanction condamnant une faute grave commise contre la patrie. Le mouvement syndical en est déconsidéré.

Le 21 mai, la rage au cœur, les ouvriers reprennent le travail. Ils n'ont rien obtenu. Thadée est amer : tant d'efforts pour rien !

En embrassant son mari ce matin, Rosine a lu le découragement dans ses yeux. Alors, elle a pris doucement sa main et l'a posée sur son ventre.

— Là, a-t-elle chuchoté, il y a toujours l'espérance. Notre enfant naîtra bientôt.

Elle lui a rappelé la devise des Sculpteurs de destins : « Faire avec ce qu'on a pour façonner sa destinée. » Thadée a hoché la tête.

Quand il arrive à l'usine, les hauts-fourneaux sont allumés. L'équipe de nuit a procédé à leur remise en marche. Personne ne parle. C'est en silence, comme ses camarades, que Thadée coiffe son casque et rabat sur son visage la visière de plexiglas qui le protège des flammèches et de la chaleur intense du laminoir.

Deux heures s'écoulent, remplies par le tintamarre de l'usine. Soudain, un grand cri. Un cri d'une force inouïe. François Tison, qui se retourne, cherche Thadée des yeux. Il n'est plus là. Thadée est devenu une lave incandescente dans ce creuset flamboyant où il est tombé. Ce dragon de feu, l'épicentre de son labeur, l'a absorbé.

Un coup de sifflet. L'activité s'arrête. Le contremaître arrive mollement :

— Comment est-ce arrivé ?

Les visages sont fermés. Personne ne répond.

— Il a glissé ? demande le contremaître.

— C'était le plus prudent et le plus adroit de nous tous, répond sombrement François Tison.

Le contremaître semble embarrassé.

— Ben oui... Mais ça arrive... malheureusement. Je vais prévenir la direction... et on va aviser sa femme.

François Tison s'interpose :

— J'y vais.

Lorsqu'il se présente au domicile de Rosine, accompagné de deux camarades, il se sent incapable de finasser. Ces hommes rudes, habitués à côtoyer le danger chaque jour, ne connaissent que des paroles de vérité.

— Rosine, dit-il, il y a eu un grand malheur... Thadée est mort.

— Il a glissé, dit un ouvrier.

— Non, murmure sombrement François Tison, on l'a poussé.

Il n'y a pas d'obsèques de Thadée Cikowski puisque son corps a disparu. Au syndicat, on fait une petite cérémonie. Sur une table, une photo du défunt, à côté un bouquet, et François Tison qui prend la parole :

— Thadée, dit-il, tu as lutté avec nous pour plus de justice, pour une vie meilleure... Tu y croyais, mon ami. Oh ! Je n'ai jamais vu personne y croire comme toi.

La voix de François Tison s'enroue. Les larmes de Luce et Denise accompagnent celles de Rosine. Les poings des Sculpteurs se serrent comme ceux des camarades du syndicat. Vincent, tenu par ses rendez-vous, est le seul absent.

— Mon camarade, reprend François, nous continuons. Cette lutte qui t'était chère, nous la poursuivons. Nous le faisons pour les mêmes motifs que toi, mais aussi, crois-le, pour que ta mort ne soit pas inutile. C'est toi qui as mis le grain en terre, Thadée. Compte sur nous pour le faire lever.

Et quelques mois plus tard, en l'église Saint-Sauveur, on baptise la petite fille de Rosine. C'est Hyacinthe qui officie. Il a tenu à venir de la paroisse minière où il est vicaire. Tous les Sculpteurs l'entourent. Au moment où il verse l'eau bénite sur la tête de l'enfant : « Je te baptise, Victoire, au nom du Père, du Fils, et du Saint-Esprit... » Rosine éclate en sanglots.

Un instant après, sur le perron où il s'attarde un peu avec Vincent, Hyacinthe déclare :

— Je ne sais pas, Vincent, la raison de tant de drames sociaux qui frappent les hommes. La question n'est pas : pourquoi ces malheurs ? Car la raison est connue : des hommes, égoïstes et durs, sont capables d'en exploiter d'autres pour assouvir leurs convoitises, notamment le profit. Non, la question fondamentale est : pourquoi les hommes ont-ils été créés ainsi ?... Bien sûr, on argue du libre arbitre, de cette liberté de choisir entre le Bien et le Mal. Elle est indéniable. Dieu n'a pas voulu que les hommes soient des pions rivés à Sa perfection. C'est certain. Mais cela ne me satisfait qu'à moitié... car l'ego a infiniment plus de poids que l'amour du prochain. Entre l'un et l'autre, le combat est très inégal. Perdu d'avance, souvent...

Il s'interrompt, fouille dans une poche de sa soutane, et sort un feuillet :

— ... Un copain m'a passé cet écrit. C'est d'un jeune jésuite français... On lui a refusé l'imprimatur. Pourtant, ça me paraît juste : « *Nous voudrions pouvoir espérer que la douleur et la méchanceté sont des conditions transitoires de la vie, et que la science et la civilisation les élimineront un jour... Soyons plus vrais et ayons le courage de regarder l'existence en face. Plus l'humanité se raffine et se complique, plus les chances de désordre se multiplient, et leur gravité s'accentue. Car on n'élève pas de montagnes sans creuser des abîmes, et toute énergie est puissance pour le bien comme pour le mal. Tout ce qui* devient *souffre ou pèche. La vérité sur notre attitude en ce monde, c'est que* nous y sommes en croix[1]. »

Hyacinthe replie le papier et regarde Vincent :

— C'est parce que je ne connais pas la raison de ce fondement que je m'en vais.

Vincent s'exclame :

---

1. *De la souffrance*, Teilhard de Chardin.

— Tu quittes l'Église !

— Non, dit Hyacinthe, je ne me parjure pas. Mais je sens au profond de moi-même que je n'accorde plus un réel crédit à bien des choses dont est fait le sacerdoce en paroisse : les neuvaines, les indulgences, les processions, et même certains dogmes...

— Alors ?

— Alors j'ai demandé ma mutation chez les Pères Blancs d'Afrique.

— Tu vas aller imposer ta foi, s'indigne Vincent, à des Noirs qui ont leurs propres croyances !

Hyacinthe secoue la tête :

— J'ai demandé à être affecté à une léproserie... Je ne crois plus qu'à une chose, Vincent : Dieu existe, et sans doute Il nous aime. Ce « sans doute » vaut la peine qu'on témoigne de Lui. Je veux dire, qu'on aime les hommes en Son nom, sans rien leur imposer, et sans leur faire de mal... Voilà, c'est tout ce qui me reste.

Vincent est blême :

— Le médecin que je suis regarde ta belle santé, et il hait ton Église de te permettre d'aller t'exposer là-bas. Le corps, tu sais, le corps en bon état, c'est un cadeau de la vie. Ça doit se respecter.

Hyacinthe a un sourire infiniment sincère et las :

— J'ai fait don de moi-même, Vincent.

Il rentre dans l'église et Vincent, déchiré, ne sait plus où poser son regard : sur ce portail qui se referme sur son ami, ou sur Denise qui s'éloigne là-bas avec Rosine et qui, se retournant sans cesse, le dévore des yeux.

34

Ce 12 juin 1922, Reine regarde son petit Igor jouer au cerceau dans le jardin. Il incarne son père et sa mère tout à la fois. De Reine, il tient un visage rond et frais, et d'épais cheveux blonds. De son père, il a l'attitude hiératique et le port. Et puis un regard aussi vif et intelligent.

Reine réfugie en Igor tout son amour. Voilà près de quatre ans que la guerre est finie, et elle est toujours sans nouvelles d'Helmut, malgré toutes les recherches qu'elle a faites. La certitude qu'il est mort s'est imposée peu à peu. C'est une douleur infinie, qui repose au tréfonds d'elle-même, faite de souvenirs éblouissants et de la désolation de ne plus pouvoir les vivre. Lorsque Reine s'y attarde, lorsqu'elle se remémore son court mais merveilleux passé avec Helmut, toutes ses forces la quittent. Elle sait qu'elle ne trouvera jamais plus l'équivalent de ce bonheur. La vie lui semble alors sans intérêt, et les jours pesants. Mais il y a Igor, le témoin qui atteste de la réalité du passé.

Cet intérêt profond pour un enfant a éveillé en elle le sentiment de maternité qui lui fit tant défaut à la naissance de Joséphine. Reine s'intéresse alors davantage à sa fille sans avoir à se forcer. Joséphine a maintenant 16 ans. La chevelure qu'elle tient de son père, où le blond le disputait à la rousseur lorsqu'elle était enfant, s'est unifiée en un auburn lumineux. Les yeux sont toujours d'un bleu clair et brillant, comme s'ils sortaient d'une faïencerie. Et puisque la jeune fille semble avoir hérité de sa grand-mère Églantine un corps de fée, on peut dire qu'elle a toutes les chances de devenir une bien jolie jeune femme. En juillet, elle passera le brevet supérieur. Après... Reine ne sait pas ce qu'elle décidera. Mais, pour autant, elle ne pense pas que Joséphine s'en soit ouverte à son père et pas à elle. Car sa fille est droite. Elle est limpide et posée. « Elle ressemble un peu à Luce de ce point de vue, se dit Reine, mais avec plus de fraîcheur. » Et il est vrai que Joséphine fait souvent preuve d'une spontanéité chaleureuse lorsqu'elle converse avec les autres. « C'est quelqu'un de bien, ma fille. Et elle y a du mérite puisqu'elle a reçu si peu d'amour maternel. »

À l'autre bout du village, dans la petite maison qu'elle s'est fait construire et qu'elle partage avec Églantine, Luce corrige des cahiers d'écoliers. En fait, elle s'interrompt souvent et médite autour de cette question : « Que décider ? » Car voilà un an qu'elle fréquente Jean Borotrel et, depuis un mois, il la presse de l'épouser. Une fois de plus, Luce se concentre pour réfléchir, et se dit qu'elle va avoir trente-trois ans, qu'il est plus que temps de fonder un foyer. Mais trois obstacles freinent son élan : Églantine, son partenaire et le mariage.

Églantine est venue vivre avec elle dès la construction de la maison. Luce avait insisté :

— Maman chérie, lui avait-elle dit, votre maison est trop grande pour vous seule à présent et son entretien est lourd à assumer. Je sais que vous y avez vos souvenirs mais ceux-ci sont aussi doux que déchirants. Combien de fois ne vous ai-je pas vue écroulée de sanglots devant le bureau de Papa ? Emportez vos souvenirs chez moi. Ils ne viendront qu'avec leur douceur, vous verrez.

Églantine avait alors 70 ans. Elle était menue, fragile,

handicapée par l'arthrose même si elle gardait son regard de lumière et un visage que le temps ne fripait pas. Pas encore. Elle avait objecté :
— Et si tu te maries ?
— On avisera, avait reparti Luce gaiement.
Jean et elle ont déjà évoqué cette éventualité. Jean était tout à fait d'accord pour qu'on construise, en prolongement de la maison, une sorte de petit appartement pour Églantine : une chambre, un petit boudoir pour recevoir, une minuscule cuisine affectée seulement au petit déjeuner, car Églantine prendrait ses repas avec le jeune couple. Elle aurait son chez-soi, tout en restant sous la protection de ses enfants et au sein de leur affection. Et tout serait bien.

Mais Luce hésite encore à franchir le pas. Elle n'a pas oublié cette réserve qu'elle a éprouvée dès leur première rencontre et qu'elle n'a jamais su déterminer. Pour la énième fois, elle recense les qualités de Jean : c'est un esprit brillant, cultivé, leurs conversations sont toujours enrichissantes. C'est un esthète, à qui l'éducation et le sens inné du beau ont donné un tempérament raffiné. Luce ne compte plus les prévenances qu'il a eues pour elle. C'est un excellent enseignant et un militant social : il veut réellement une société plus juste, et une instruction décente pour les enfants du peuple. Il s'est engagé dans ce combat. Alors, pourquoi cette petite retenue ? La jeune femme enfouit la tête dans ses mains, il faut qu'elle creuse sa réflexion pour parvenir enfin à en saisir la raison. « C'est parce que, pense-t-elle, il y a en lui quelque chose que je ne connais pas. *Je sais que je ne le connais pas totalement.* Voilà. » Cet aspect inconnu de Jean Borotrel n'est certainement pas le fait de la dissimulation, Luce le pressent. L'occasion ne s'est simplement pas présentée pour que Jean se dévoile tout à fait. Peut-on épouser quelqu'un qu'on ne connaît pas parfaitement ? Luce subodore que bien des mariages doivent se faire de cette façon, les deux conjoints se découvrant au fil du temps. Mais il n'en reste pas moins que cette part d'incertitude laisse en elle une petite appréhension.

« Et puis le mariage, c'est vivre ensemble tous les jours », se dit-elle. À cette pensée Luce se rembrunit. Veut-elle vraiment cela ? Elle sait qu'elle aura toujours besoin de petits moments de solitude et qu'elle devra sans doute en faire le deuil si elle se marie. Mais elle doit bien admettre que certaines concessions sont nécessaires à l'équilibre d'un couple. Vivre ensemble, c'est aussi partager le même espace. Sur ce point, Luce n'est pas inquiète : ses goûts concordent avec ceux de Jean. Ils sauront aménager ensemble un intérieur à leur image.

Mais le mariage implique encore l'union charnelle. C'est vrai qu'elle trouve agréable la compagnie de Jean, mais elle ne se sent pas véritablement d'élan pour lui. Luce pense que certaines femmes font ces choses sans véritable enthousiasme, s'en arrangent, et que tout peut évoluer avec le temps. Mais, elle, s'en sent-elle capable ?... Toute sa lucidité et son honnêteté l'acculent alors à prendre une décision. Précisément, Jean vient lui rendre visite cet après-midi. Ce sera peut-être le bon moment...

Il est 13 heures à présent, et l'on va se mettre à table chez les Durieux. Églantine est invitée. Debout derrière sa chaise, elle attend avec Reine et Joséphine que Victor rentre de la brasserie.

Il pose le courrier sur un guéridon, les embrasse, s'assoit et déplie sa serviette.

— Il y a une curieuse lettre, dit-il. Je n'ai pas eu le temps de la lire. Elle vient d'Ispahan.

À ce mot, Reine devient écarlate. Un espoir fou l'envahit. Ispahan... Ispahan... Elle se souvient d'une rose, un soir de bal : « *Pour que vous n'oubliiez jamais Ispahan* »...

« Mon Dieu ! Si ce courrier était d'Helmut ! » Mais c'est insensé de l'espérer... Que ferait-il là-bas ?

Le repas est un supplice pour Reine. Lorsqu'on passe au salon pour boire le café, Reine épie Victor tandis qu'il dépouille les missives. Il s'arrête pour sucrer son café. Reine pense à se lever pour lui arracher le courrier des mains. Elle se retient de justesse, car Victor décachette enfin des enveloppes...

— Ah ! Voilà la lettre d'Ispahan, dit-il. (Il la regarde avec amusement.) Elle a longuement voyagé, observe-t-il. Un mois ! Il est vrai que c'est très loin. Qui peut bien nous écrire de là-bas ? (Il ouvre l'enveloppe, en tire une carte, lit et sourit :)

— C'est beau, mais je n'y comprends rien. D'autant que ce n'est pas signé.

— Montrez, dit Reine, en s'efforçant de cacher son trouble.

Elle lit : « *Ispahan... Ispahan la Magnifique... Joyau aux portes des ors du désert... L'architecture des Sélénides a capté la beauté en une dentelle de pierre, et les coloris les plus intenses ont osé s'y côtoyer pour composer une harmonie flamboyante. Tout est superbe. Les mille et une secondes des jours magiques commencent ici.*

Les jardins ont toujours les roses les plus belles qui enveloppent la ville d'une blanche écharpe de parfums... Leur Reine est hélas absente ! Pourtant, elle reviendra. Les pétales de roses ne cessent de le dire le soir en mêlant l'espérance à leur suavité. »

Une joie fabuleuse submerge Reine.

— Tu dois être bien émue par ce que tu lis, dit Églantine, car te voilà toute rose.

Reine pense avec émotion aux propos d'Helmut : « *Que chaque phrase que nous formulerons en pensant l'un à l'autre appartienne au poème de toutes les joies.* » Elle parvient à articuler :

— Oui, ce texte est superbe. Je voudrais le garder.

Joséphine qui lit par-dessus son épaule l'approuve :

— C'est magnifique.

Reine se lève. Elle demande à sa mère, avec qui elle doit faire des courses, de bien vouloir patienter un instant. Elle sera à elle tout de suite. Elle gagne sa chambre et s'agenouille devant la commode qui supporte le petit globe sous lequel repose une rose :

— Ô mon cher amour !... Cette carte est bien de vous car vous savez que « je n'oublierai jamais les roses d'Ispahan »... Ce texte est sublime, d'une parfaite discrétion aussi, puisque vous l'avez adressé à monsieur et madame Durieux, et vous ne l'avez pas signé... Mais ce texte m'est limpidement adressé : vous l'avez écrit de votre main et je reconnais votre écriture... Vous évoquez une « Reine », momentanément absente, mais qui reviendra un jour en son jardin... Ô mon bien-aimé ! Vous me dites votre amour et vous m'indiquez la voie à suivre : vous attendre. Attendre que se lève le jour où la rose pourra revenir en son jardin. Helmut chéri, une seule chose compte pour moi à cette minute : *vous êtes vivant !* Vous existez, mon merveilleux amour, et nous nous retrouverons, je le sais. Oui, j'aurai toute la patience.

Il est temps de rejoindre Églantine et de l'emmener à Lille. Reine ne parle guère dans la voiture, mais la gravité qui l'empreint n'échappe pas à sa mère. Celle-ci pense silencieusement : « Helmut Meyer. »

Mais elle ne saurait en blâmer sa fille. Car, même séparée de son bien-aimé, Reine accède à ce que ses parents ont vécu : un authentique amour, qui ne peut ni s'altérer ni cesser, Églantine le sait. Personne n'a le droit d'y attenter car il s'agit bien, comme l'a dit l'oncle Irénée, « du meilleur de la vie ».

Reine et Églantine ont terminé leurs courses à présent. Il est 15 heures. Elles entrent dans un salon de thé pour y prendre un rafraîchissement. La pièce est aménagée dans des tons pastel. Les fauteuils y sont capitonnés. Il y fait doux. Reine a son bonheur au cœur, et Églantine la joie intime de deviner sa fille heureuse. L'heure est exquise.

À Woincourt, le destin prépare à Luce une épreuve bien différente. Jean Borotrel est là depuis une heure. Ils ont pris le thé, bavardé. À présent qu'ils parlent de leur avenir, Jean enserre Luce de ses bras. Il caresse ses cheveux, pose des baisers sur ses paupières, cherche ses lèvres. À son étonnement, Luce laisse faire. Enhardi, Jean se fait plus pressant... Il glisse la main sous le chemisier en linon de son amie. Il cherche un sein, le trouve, l'étreint... Luce l'écarte soudain et les mots qu'il entend le stupéfient :

— Pas ici... Allons dans ma chambre.

Il la suit, incrédule, mais résolu à présent. Dans la tête de Luce, il n'y a qu'une phrase à laquelle elle s'accroche :

— C'est le seul moyen pour que je sache...

Ils sont dans la chambre. Elle se déshabille et promptement se glisse dans le lit. Jean Borotrel ne s'accorde pas une seconde de réflexion, il la suit. Il la caresse, un léger frisson parcourt la jeune femme. Il glisse sur elle alors et lui murmure :

— Et maintenant, ma bien-aimée, je vais vous chevaucher pour notre plus grand bonheur.

Il se prend une claque magistrale en retour, qui lui enlève, in petto, toute ardeur. Luce est debout, blême, roide. Et lance à Jean Borotrel :

— Partez... Partez tout de suite. Et si vous avez des envies de pouliner, il y a des haras pour cela.

Il regarde Luce, incapable de discerner le secret de sa douleur. Quand la porte se referme derrière lui, Luce se rhabille rapidement. Elle jette une veste sur ses épaules et se précipite dehors. Elle sait, elle sait maintenant... Elle court plus qu'elle ne marche. Elle est presque à la sortie du village et aperçoit la maison de retraite. Luce s'y engouffre.

Elle gagne la salle commune et, sans prendre garde aux vieillards qui s'y trouvent, elle s'écroule devant un fauteuil roulant, étreint de ses deux bras la vieille dame qui s'y tient, enfouit sa tête au creux de son châle et laisse enfin jaillir les larmes qui la secouent :

— Sido ! Oh ! Sido... Je ne me marierai jamais... Je n'aurai jamais d'enfants.

Sidonie, effarée, caresse doucement la tête de la jeune femme et tente de la raisonner :

— Mais si, M'zelle... Vous êtes belle, vous êtes instruite... Vous rencontrerez un jour un homme qui vous plaira.

Et Luce lui répond à travers ses sanglots :

— Je l'ai rencontré, Sido... Et je n'ai pas pu... pas pu l'aimer.

Ses sanglots deviennent violents. Sidonie la berce comme quand elle était petite, comme lorsqu'elle était déjà « sa poussinette préférée ». Alors, Luce fait ce terrible aveu :

— Les Allemands, Sido. À Lesquin. Quand j'ai été arrêtée, ils m'ont violée à six... Je ne peux pas guérir de cela. JE NE PEUX PAS.

Il semble qu'une immense étendue d'ouate blanche ait soudainement envahi la salle. Tout le monde se tait. On n'entend que l'expression d'une douleur :

— Je n'aurai jamais d'enfants... Jamais !

Et la douce antienne de Sido qui ne sait que répéter devant un tel malheur :

— Pleurez pas, M'zelle... Pleurez pas...

35

À présent que Luce a compris les origines de son traumatisme, elle tient à en informer ses meilleures amies. Par honnêteté, d'abord, puis pour que personne n'aille penser qu'elle ne se marie pas parce qu'elle ne se trouve pas de galant ou parce que le mariage lui déplaît.

Rosine, qui l'a attentivement écoutée, compatit. Mais ce qu'elle exprime à son amie, c'est surtout un grand respect.

— Luce, dit-elle, tu n'es aucunement responsable de ce qui t'arrive. Peu de femmes se remettent d'un viol. Ceux qui ont commis ces actes sont des brutes infâmes. Ils ne méritent pas le nom d'hommes. Contre ton gré, ils ont rendu ton destin tragique. Et toi, tu as essayé de l'assumer tel qu'il était. Tu n'y es pas arrivée... Il ne faut pas t'en vouloir. Peu y seraient parvenues. Et puis, ton partenaire n'a pas été très adroit. Le voilà, le côté caché que tu pressentais en lui et que tu n'es pas arrivée à identifier. Un esthète, oui, mais aussi un épicurien, un jouisseur. Sous la poussée du désir, ses belles manières ont volé en éclats. C'est vrai qu'il ne savait pas, qu'il ne pouvait pas savoir... qu'il aurait peut-être fallu l'avertir.

— JE NE LE POUVAIS PAS ! clame Luce. Je n'ai jamais pu en parler. C'était comme une dalle de honte qui recouvrait ce souvenir. Une plaie s'est ouverte, Rosine. Elle saigne encore.

Rosine lui sert du café chaud :

— Bois, dit-elle doucement. C'est la première minute de ta guérison. Car tu vas guérir, Luce... Tu vas au moins guérir de ta honte. Il y a au fond de toi une jeune femme digne et saine. Luce, cette femme-là, tu vas la remettre debout.

Denise arrive à ce moment. Elle voit les larmes de Luce et son visage défait. Elle s'inquiète :

— Dis-lui, demande Luce à Rosine. Elle est notre amie... il faut qu'elle sache. Moi, je n'ai pas le courage de répéter.

Sobrement, à voix basse, Rosine raconte. Alors, la petite couturière vient s'agenouiller devant Luce.

— Luce, dit-elle, moi aussi j'ai été violée. J'avais 14 ans... à l'usine... le contre-maître a voulu. Si j'avais dit non, je perdais ma place. Et à la maison, on avait besoin de ma paie. Mais moi, je suis tombée enceinte. J'ai dû me faire avorter. Ça a été mal fait... forcément. C'est pour cela que je n'ai pas pu avoir d'enfants avec Vincent. Maintenant, tout est changé. Rosine m'a fait soigner... Même si c'est pour rien.

— Comment ça, pour rien ? demande Luce.

La petite couturière a un visage douloureusement résolu :

— Je n'aimerai jamais personne d'autre que Vincent.

— Tu as pu quand même laisser un homme t'approcher malgré le viol, soupire Luce.

Denise s'illumine dans la ferveur :

— Mais c'était Vincent !

Quelques instants s'écoulent, puis Rosine les entoure fraternellement de ses bras.

— Écoutez, dit-elle, nous sommes trois ici avec nos grandes blessures. Toi, Luce, avec ton célibat forcé, toi, Denise, seule mais pour une autre raison, et toutes les deux avec l'ignoble souvenir d'un viol ; et moi, avec la mort de mon mari.

— Tu te remarieras peut-être, l'interrompt Luce.

Rosine secoue la tête ·

— Écoute, je suis parvenue à remplacer Hyacinthe par Thadée. Je veux dire : la place qui était près de moi pour Hyacinthe, Thadée l'a occupée. J'y ai consenti parce qu'il était un garçon exceptionnel, empli d'idéal, de droiture et de vraie tendresse. Mais puisque nous nous disons tout, je peux vous dire que Thadée n'a jamais vraiment remplacé Hyacinthe. J'ai répondu à sa tendresse, oh ! oui... il le méritait bien. Mais je n'ai pas pu lui donner mon amour. Celui-là, Hyacinthe Librecht l'a enfermé dans son tabernacle avec ses hosties. Je suis sûre qu'il ne l'a pas oublié. Et moi, je l'aime toujours.

Les trois amies sont, tout à la fois, émues et étonnées par les confidences qu'elles viennent de se faire. Passe un moment un peu mélancolique. Rosine se ressaisit la première :

— Écoutez, dit-elle, même blessées, on peut vivre bien. N'est-il pas dit dans l'Évangile : « *Lève-toi et marche* » ? Nous allons marcher, mes amies ! D'abord, il y a ma petite Victoire qui a bien besoin de nous trois, à présent qu'elle n'a plus de Papa. Nous allons l'aider à faire sa route. Et puis, il y a des tas d'enfants, de malades, de gens qui ont ou auront aussi besoin de nous. À l'idéal d'une vie plus juste, plus humaine, nous avons toutes les trois adhéré. Ce n'est pas parce que Thadée n'est plus, que Hyacinthe est en léproserie, et que tu resteras probablement célibataire, que nous allons renoncer à notre idéal. Toute notre vie, nous marcherons vers ce but avec un mot d'ordre aux lèvres...

Luce et Denise la regardent avec surprise :

— ... Faire tout pour que notre vie soit *gaie*, mes amies ! Nous avons eu suffisamment d'épreuves. À nous l'agrément maintenant, un peu de plaisir de vivre...

Nous allons essayer de nous faire ensemble une existence qui en vaille la peine.

Denise sourit, Luce se décrispe.

À ce moment, on frappe à la porte. Denise frissonne, car avant même que Rosine dise : « Entrez », la clenche a été actionnée et le visiteur entre comme à son habitude : Vincent !

Il s'empourpre en découvrant Denise, mais l'importance de ce qu'il vient dire l'emporte sur son trouble :

— La petite Duvinage est en danger... C'est une pneumonie grave. Elle a quatre ans.

Les trois amies se regardent, navrées.

— Je suis venu vous voir parce que j'ai besoin de vous. D'abord, elle ne peut pas rester chez elle. Tu connais le logement, Rosine ; il est vétuste. Il ne s'est pas amélioré depuis quinze ans. Il y fait constamment humide. J'ai bien pensé à hospitaliser Julie, mais je ne suis pas sûr qu'on puisse lui donner tous les soins qu'elle requiert. Une pneumonie dure neuf jours. Il va falloir se battre pendant ce temps, nuit et jour. Cataplasmes, ventouses, frictions, bains tièdes ou froids dès que la fièvre monte... Cela nécessitera qu'on la surveille à chaque minute. La maman de Julie est poitrinaire ; je l'ai envoyée en sana l'an passé. Le père travaille et la petite Maria est déjà en filature. C'est tout à fait insuffisant. Bien sûr, je pourrais payer une garde. Mais j'ai pensé que vous...

— Ça serait mieux, dit Rosine. Tu as raison.

— Pour le commencement d'une vie gaie, dit Luce, on pouvait faire mieux. Mais ça ne fait rien ; on s'en arrangera.

Très vite, on se concentre pour discerner ce qu'il est concrètement possible de faire.

— Elle dormira ici, propose Rosine, dans cette pièce qui est bien chauffée. J'arrangerai le sofa en petit lit. J'ai une baignoire à l'étage... On pourra lui donner des bains s'il le faut.

Luce est en vacances ; elle accepte d'assurer les gardes du jour, à condition de pouvoir reprendre chaque soir le train de 20 heures pour Woincourt. C'est Rosine et Denise qui se partageront les nuits de veille. Fort heureusement, Rosine a le téléphone, l'hôpital l'en ayant dotée en tant qu'infirmière-chef. On décide que la petite arrivera ce soir même. Vincent l'amènera après s'être entretenu avec le père.

Sitôt Vincent parti, Rosine et Denise vont chercher à l'étage draps et édredon afin de transformer le sofa en petit lit. Luce sort acheter trois pyjamas d'enfant et des cache-cœur : des sortes de petits châles tricotés, rectangulaires dans le dos, et formés de deux grands pans sur le devant. On les croise sur la poitrine, et on les ramène dans le dos où on les épingle. De la sorte, la poitrine est bien au chaud.

À 19 heures, la voiture de Vincent arrive. Il entre chez Rosine, tenant dans ses bras une enfant enveloppée dans une couverture. Il l'assoit doucement sur une chaise. Sur la pâleur de ses joues s'apposent deux cercles vermillonnés qui ne disent rien de bon à Rosine : ce sont les pommettes de la fièvre. Le pyjama délavé est mouillé par la transpiration. Vite, on la déshabille devant le feu, on la frictionne vigoureusement à l'eau de Cologne, et on la couche dans le petit lit improvisé que des bouillottes ont rendu bien chaud.

Vincent donne ses instructions : sinapismes de farine de moutarde à 20 heures, puis inhalation à l'eucalyptus, et enfin une cuillère de sirop à la codéine. À minuit, prendre la température ; si elle passe 39°, donner un bain tiède ou faire un enveloppement dans un drap humide afin de faire baisser la fièvre. Puis frictionner l'enfant avant de la recoucher. Même scénario à 4 heures du matin. Si la température excède 40°, appeler Vincent.

Les trois premiers jours se passent bien. La température se stabilise autour de 38°5. Mais Vincent reste soucieux, car l'auscultation révèle encore un encombrement important des bronches. Et puis, Vincent a en tête le chiffre inexorable : neuf jours. Il faut passer ce cap pour qu'on puisse espérer vaincre la pneumonie.

Au 6e jour, la température de la petite fille remonte brusquement. Rosine appelle Vincent dans la nuit. Le thermomètre indique 40°. Bain tiède, aspirine diluée dans de l'eau sucrée. La fièvre baisse un peu mais le cœur faiblit. Vincent fait une piqûre de solucamphre.

La petite fille est maigre : les piqûres lui font mal. Rosine l'embrasse, la cajole, lui donne un bonbon au miel à sucer. La petite se rendort.

Le 7e jour est difficile. Luce essaie de raconter des histoires drôles pour faire accepter la pose d'un sinapisme brûlant, puis les ventouses dans le dos. Le petit torse, sous lequel saillent les os, est tout rouge.

— Ça pique ! parvient à dire la petite fille dans une quinte de toux.

Luce l'embrasse, lui promet des sucettes aux cerises lorsqu'elle sera guérie.

— J'en aurai deux ? Une pour moi et une pour ma poupée ?

— Tu en auras tout plein, dit Luce, comme les fées.

La 8e nuit commence sur une température qui avoisine 40°. Vincent préfère rester. C'est Denise qui veille, ce soir. Ils sont côte à côte au chevet de l'enfant. Celle-ci dort, et ses deux vigiles ne bougent pas, de peur de l'éveiller. Dès lors, les pensées emplissent leur esprit. Vincent regarde Denise à la dérobée. Le beau visage nacré, orné de ses bandeaux noirs, est tourné vers l'enfant. « Elle est celle avec qui j'aurais pu m'accomplir authentiquement et être heureux, pense Vincent. Elle est... inestimable ! » « Il est mon amour, se dit Denise. La vie nous a séparés, mais il sera toujours mon amour. Je serai à ses côtés chaque fois que je le pourrai, qu'il

278

aura besoin de moi. Je ne veux pas compliquer sa vie. Je veux seulement y être un rayon de soleil. »

À 4 heures du matin, la température monte à nouveau. La petite Julie s'agite et se plaint. Après lui avoir prodigué ses soins, Vincent, très las, dénoue sa cravate et dit à Denise :

— Maintenant, nous avons fait le maximum. On ne peut pas aller plus loin. C'est à son organisme de réagir... Ou il surmontera, ou il lâchera prise. La journée d'aujourd'hui sera critique.

Denise lui tend un café chaud qu'elle a fait tandis qu'il donnait ses derniers soins à la fillette.

— Rentre chez toi, lui dit Vincent. Essaie de dormir, ce matin. Tu dois être épuisée. Moi, je vais attendre l'arrivée de Luce.

Denise décline d'un doux mouvement de la tête :

— Je vais attendre Luce avec toi. Ce n'est pas la peine que je me couche : j'ai trois essayages ce matin.

Vincent la regarde. Quelque chose passe dans ses yeux, qui émeut profondément Denise. Quelque chose d'infini, où respect, reconnaissance et tendresse se rejoignent.

— Tu es courageuse, dit-il.

Luce arrive à 8 heures, et Denise regagne son logis. Elle se sent courbatue d'être restée assise durant toute la nuit et de s'être si souvent penchée sur l'enfant. L'insomnie plombe ses gestes. Mais elle s'acquitte de ses tâches professionnelles : des essayages de robes et de manteaux, puis de la couture faite à la main ou à la machine. Sans nouvelles de la petite fille, la journée lui semble longue.

À 20 heures, elle s'apprête à dîner lorsqu'elle entend un pas dans l'escalier. Cette façon de monter, rapide et légère à la fois, la fait tressaillir. « C'est Vincent ! » On frappe à la porte. « Mon Dieu, pense-t-elle, Julie est morte ! » Elle ouvre. Vincent est rayonnant. Il la soulève de terre, la fait tournoyer dans ses bras tandis qu'il crie :

— 37°5 ! Elle est sauvée... Elle a bien réagi !

La joie de Denise est telle qu'elle s'abandonne au tournoiement de Vincent. Quand le tournoiement s'arrête, elle reste dans ses bras. C'est ainsi que la joie dissout toute la réserve qu'ils s'imposent depuis huit ans. C'est ainsi que leurs regards radieux révèlent le même aveu : « Elle est sauvée !... et... je t'aime ! »

Quand il la dépose sur son lit, Denise a juste le temps de dire :

— Vincent, attention ! Je peux avoir des enfants, maintenant...

— Je m'en fous !... Un enfant de toi, ce serait le plus beau cadeau que la vie puisse me faire !

Puis il la couvre de baisers.

36

Denise a mis au monde, le 22 mars 1923, une petite Camille. Cette naissance a transporté Vincent. Toutes ses difficultés — la présence pénible de Marie-Hélène chez lui, l'anxiété constante où le maintient Lucchio, son travail médical, passionnant mais fatigant — se sont envolées, lorsqu'il s'est penché sur le berceau bleu de sa fille. D'emblée, il a proposé à Denise de reconnaître la petite et de lui donner son nom. Mais Denise a refusé. Cette enfant est désormais le lien sacré et inaltérable qui la relie à Vincent. Pour que nul n'aille l'abîmer, il vaut mieux qu'il reste secret. Vincent a accepté cette décision, mais il vient voir sa fille le plus souvent qu'il le peut, et sa vigilance est sans défaut pour discerner ce dont l'enfant et sa mère ont besoin, et pour y pourvoir. Sans le savoir, Camille Desruelle est devenue la sœur d'Igor Durieux, car l'un et l'autre sont des enfants de l'amour.

Cette année 1923 Joséphine a déclaré à ses parents qu'elle voulait entrer dans un établissement qui prépare au baccalauréat « Car, leur a-t-elle expliqué, Papa, Maman, la loi qui autorisera les filles à passer le même baccalauréat que les garçons ne saurait tarder. »

De fait, la loi est votée en 1924, sous l'impulsion du ministre de l'Instruction publique, Bérard. Garçons et filles passent désormais le même examen qui requerra six ans d'études. Et, après cinq années studieuses, Joséphine entre aujourd'hui dans l'année décisive de l'examen. Les cours et les vacances ont rythmé sa vie, tandis que, parallèlement, les saisons ont jalonné celle des hommes comme il se doit. Il y a eu ainsi des moissons vermeilles auxquelles Hyacinthe Librecht a pu penser dans sa léproserie. Il y a eu les farandoles multicolores des feuilles d'automne, les silences neigeux de l'hiver et puis la nature rebondissant, de primevères en jacinthes, pour créer l'élan du printemps.

En ce mois d'octobre 1929, les feuilles tombent avec les valeurs boursières. Le petit peuple ouvrier n'en souffre pas car il n'a pas d'argent en Bourse. Mais il ignore la dure crise du chômage qui va s'ensuivre et dont il va pâtir sévèrement. Pour le moment, il œuvre dans les usines, et il envoie ses enfants à l'école. C'est ainsi que Victoire Cikowski, âgée de neuf ans, tient par la main Camille Desruelle, de trois ans sa cadette. Le sarrau noir est toujours de mise pour les écoliers. Victoire porte au-dessus un châle croisé que lui a tricoté sa maman. Il est bleu clair et convient à ravir à l'épaisse natte blonde que la petite fille porte dans le dos. Avec ses grands yeux, couleur de mer, et sa chevelure ensoleillée, Victoire semble une promesse de beaux jours. Camille a les yeux verts de son papa et porte au-dessus de son sarrau un caraco d'un rouge gai que lui a confectionné Denise.

Chemin faisant, les deux petites filles conversent :

— T'as un papa, toi ? demande Camille à Victoire.

— Oui, mais il est mort. On le verra jamais plus.

— Y a beaucoup de gens qui sont morts ?

— Oh ! oui... Je crois que ça arrive à tout le monde un jour.

— Nous aussi ?

— Oui... Mais ça sera dans longtemps, quand on sera très vieux. Et toi, tu as un papa ?

— Oui, dit Camille, mais il ne vit pas avec nous. Il vient de temps en temps.

Victoire réfléchit :

— Normalement, dit-elle, un papa, ça vit avec la maman et les enfants.

— Ben oui, répond Camille, mais le mien, il est pas comme ça.

Victoire se donne encore un temps de réflexion et conclut :

— Ben, les autres, ils ont de la chance d'avoir leur papa à la maison.

À cinq cents mètres de là, dans la cour du lycée Franklin, une centaine de garçonnets attendent que la cloche sonne pour aller se ranger et pénétrer en classe. Sanglé dans son uniforme bleu marine, à boutons dorés et col de velours, Igor Durieux attend calmement le signal. Bien qu'il n'ait que douze ans, il est admis en 4e en raison de l'excellence de ses résultats. Ce changement de scolarité ne le perturbe pas. Igor est un enfant tranquille, attentif à tout ce qu'il découvre pour essayer de comprendre et de s'adapter s'il le faut. Cela ne l'empêche pas d'être ardent au jeu et de s'y adonner fougueusement au milieu de ses camarades.

Un grand garçon lui donne une tape chaleureuse sur l'épaule. Il porte de travers sa casquette de lycéen pardessus une chevelure bouclée. Sa cravate est de guingois, sa veste déboutonnée. « Il va se faire attraper », pense Igor. Mais il sourit au garçon qui l'accoste ainsi et qui lui dit :

— Salut, cousin !

Car Igor adore Lucchio. Les facéties et l'enjouement chaleureux du garçon lui plaisent beaucoup. Et puis Lucchio a tous les jours des idées invraisemblables : rapporter plein d'escargots de Woincourt et organiser une course de mollusques avec de vrais paris. Ou bien, tendre une corde entre deux arbres, essayer d'y marcher en funambule, et si l'on tombe, on a des bleus, et vive la vie ! Lucchio a ainsi des idées inédites plein les poches. Igor l'admire beaucoup, bien que les résultats scolaires de son cousin ne soient pas bons. Igor a expliqué à Reine :

— Ce n'est sûrement pas parce qu'il est sot. Au contraire. Il est très futé, Lucchio. Mais il ne travaille pas.

Les études ennuient Lucchio. Il est capable d'élaborer des rédactions brillantes, mais elles sont entachées de fautes car la grammaire et l'orthographe l'assomment. De même, il peut parler de façon passionnante et très documentée de régions du monde qui le captivent, les déserts par exemple ; mais les cours de géographie qui traitent d'autres sujets ne l'intéressent pas. Le résultat est un bulletin où de bonnes notes brillent çà et là, comme de petites étoiles, sur un ensemble assez médiocre. C'est pour cela que Lucchio n'est qu'en 5e alors qu'il a 14 ans.

Cette situation agace son père qui ne sait comment y remédier :

« Je devrais en parler à Luce », pense Vincent, cet après-midi d'octobre où il gare sa voiture dans le quartier Saint-Sauveur.

Il est 17 heures. Le ciel est d'un bleu doux, grisaillé déjà à l'horizon par le crépuscule qui commence. « Un ciel de pervenche fanée », pense Vincent. Il remonte à grands pas la rue Saint-André, lorsqu'il se fait héler :

— Eh, Vincent ! Te me reconnais ?

C'est Rosalie, qui sort des filatures Lepoutre.

— Comment qu'tu vas ? Depuis l'temps qu'on s'est point vus !... On m'a dit que t'étais docteur... C'est vrai ?

— Oui, dit Vincent en l'embrassant.

— À la bonne heure ! dit Rosalie. T'as bien œuvré, petit. Ta mère, elle doit être contente.

Vincent acquiesce en souriant.

— Moi, j'suis toujours à la filature, dit Rosalie. J'ai marié mon garçon en 1920. Juste après la guerre. Un an plus tard, il avait déjà un enfant : Roger. Il est beau tout plein ! Il a 9 ans, mais y travaille bien à l'école. Il est toujours premier ! Je sais pas comment qu'on a fait pour en avoir un comme ça. On n'est que des ouvriers, tu sais. Ma fille, elle fréquente, ajoute Rosalie. Le mariage c'est pour janvier. Nous, encore deux ans, et fini ! La retraite ! On n'aura pas beaucoup d'argent pour vivre, Marcel et moi, mais du fait qu'on n'aura plus de gosses à la maison, on s'en sortira. Et, on se reposera, surtout, on se reposera !

Vincent lui prend affectueusement le bras :

— Tu es une courageuse, Rosalie. Tu t'en sors bien, tu l'as mérité.

— Ah ! dit Rosalie, c'est vrai que la filature, c'était dur ! Des années là-dedans, quand on y pense ! Y a de quoi devenir maboule... C'est que du boucan, du dare-dare tous les jours. Et pis, se faire quand même engueuler au bout du compte !

— Ça va changer un jour, Rosalie.

— Tu crois ?... Moi, je le crois point. L'ouvrier, tu sais, il est fait pour trimer... Et les grands, pour s'enrichir et être les chefs.

Un silence, et puis Rosalie demande :

— Tu sais que Denise elle a une petite fille ?

— Oui, dit Vincent, dont les yeux brillent.

— T'étais point son amoureux dans le temps ?

— Si, dit Vincent.

— Mais tu l'as point mariée... Forcément, t'es de la haute, toi, malgré que t'es un bon fieu.

— Je l'ai bien regretté, Rosalie.

Elle le regarde attentivement :

— Tu fais point bon ménage ?

— Non.

Et Rosalie demande :

— Et t'as revu Denise ?

— Oui.

— Ouh ! là ! là ! dit la grande Rosalie.

Vincent ne la contredit pas.

— Beaucoup de bonheur, mon fieu, dit doucement l'ouvrière. Prends bien soin de ta petite. (Elle saisit son bras :) Si tu peux avoir un peu de bonheur, ici ou là, prends-le, mon gars... Te gêne point. Et fais bien gaffe qu'on te le chope pas.

Vincent l'embrasse et prend congé.

— À bientôt, Rosalie. Denise et moi, on sera toujours tes amis.

Il gagne l'hôpital Saint-Sauveur où il a un petit malade à voir. Comme il sort du service de pédiatrie, le chef de clinique du service de médecine générale le croise dans un couloir. Vincent le connaît bien, c'est Philippe Desurmont. Ils ont fait leurs études ensemble.

— Tiens, Vanbergh, je suis content de te voir... J'allais me mettre à ta recherche. J'ai un patient dans mon service. Il dit souvent ton nom.

— Il me réclame ?

— Difficile à dire... Il prononce des phrases délirantes parce qu'il a beaucoup de fièvre.

— Son nom ? demande Vincent.

— Je ne me le rappelle plus... il est tout nouveau. Mais va voir. C'est salle Pasteur, lit 75.

Vincent gagne la salle, voit le malade, ne le réveille pas car il dort, mais devient blême. À grands pas, il gagne le bureau du Dr Desurmont.

— Qu'est-ce qu'il a ?

— Bilharziose au dernier stade. Il est foutu.

Devant l'émotion de Vincent, Philippe Desurmont demande :

286

— C'est un parent ?

— Presque.

— Tu viens le voir quand tu veux, mon vieux.

Vincent sort du bureau, court vers le carré des infirmières pour trouver Rosine.

— Elle prend son service dans cinq minutes, monsieur.

Vincent gagne le hall de l'hôpital. Rosine apparaît enfin. Il lui saisit le bras :

— Tu l'as vu ?

— Qui ?

— Le patient qui est dans ton service.

— Non, je viens d'avoir deux jours de récupération. Je ne suis pas venue à l'hôpital ces jours-ci.

— Viens.

Voilà le lit 75. Rosine est extrêmement pâle :

— Oh ! Mon Dieu !

Côte à côte, les deux amis regardent le corps amaigri qui est là, le visage émacié sur lequel un teint jaunâtre apparaît comme un sacrilège.

— Hyacinthe !

Sent-il la présence de ses amis ? Toujours est-il qu'il s'éveille.

— Vincent... Rosine... Je suis heureux que vous soyez là.

Il se redresse un peu sur ses oreillers. Le corps décharné apparaît. Vincent serre les poings :

« Oh ! Mon Dieu ! Qu'est-ce qu'ils ont fait de lui ! Et ils ont attendu qu'il soit cuit pour le ramener en France », pense-t-il.

Il s'assoit sur le lit.

— Comment ça va, Hyacinthe ?

Le malade a un sourire timide :

— Mal, puisque je vais mourir.

— Ne raconte pas d'histoires, dit Vincent. Je suis là à présent. Je vais te remettre sur pied.

Hyacinthe l'arrête. Malgré le jaune qui teinte ses globes oculaires, le regard a gardé la même lumière :

— Non, Vincent. Je ne souhaite pas qu'on triche. Mon mal est à un stade incurable, je le sais.

Il y a un silence. Vincent se racle la gorge :

— Bon, on va te laisser reposer... Je reviendrai demain.

— Reste encore un moment, si tu peux... Et toi aussi, Rosine. Ça me fait du bien de vous voir. Je me sens comme un enfant qui retrouverait son lit bien chaud. C'est bon.

Vincent serre les poings et pense : « Il n'a pas dû en avoir beaucoup, de lits bien chauds... avec la rage de la croix qu'a son Église ! »

— Je voudrais vous parler, dit Hyacinthe. Je voudrais...

Il semble hésiter. Vincent se penche alors vers lui, et les yeux dans les yeux :

— Tout ce que tu voudras, Hyacinthe, nous le ferons. Parce que tu es notre ami... très cher... Et que tu l'as bien mérité.

— Le mérite, je ne sais pas... Mais votre amitié, je sais que je peux compter dessus.

Vincent pose ses deux mains sur ses épaules et dit fermement :

— Tu peux y compter, c'est vrai. Totalement. Mais le mérite est là aussi. Je... je t'interdis de le nier. (Il ajoute les dents serrées :) Et si un satané curé venait à en douter au nom du péché originel ou de la sempiternelle imperfection humaine, je lui botterais le cul.

Hyacinthe ne relève pas.

— Je serais heureux que vous alliez voir mes parents quand je ne serai plus là. Ils vont avoir beaucoup de peine... Je les ai déçus...

— Comment cela ? demande Vincent.

— Ils étaient si fiers que je devienne prêtre..., dit-il.

Et je n'ai pas été fichu d'être curé de paroisse ou mis-
sionnaire... Seulement un pauvre type en léproserie...

Rosine intervient vivement :

— Tu as fait mieux... beaucoup mieux ! Oh ! Hyacinthe ! Tu es descendu aux tréfonds, là où la détresse est
totale et la pestilence aussi...

— Vincent, murmure Hyacinthe, j'ai un peu peur...

Vincent se penche, parle avec douceur :

— On l'a tous, mon vieux, la peur du départ... N'aie
pas honte... Tu es humain. Tu sais bien que c'est Dieu
qui choisit le moment du départ vers un devenir
inconnu. Notre peur est notre dignité face à Dieu. À lui
d'en être fier ou non. La honte n'est pas de notre côté.
En tout cas, je ne vais pas permettre que tu souffres. S'il
faut vraiment que tu partes, tu le feras dans la douceur,
mon bonhomme, je te le jure.

— Je ne sais pas où je vais, murmure-t-il.

Vincent croit avoir mal entendu. Il répète :

— Tu ne sais pas ?

Une expression très lasse passe sur le visage de Hyacinthe :

— Ce sera le néant ou l'amour, je ne sais pas...

« Voilà bien le drame et la grandeur de cet homme,
pense Vincent. Trop intelligent et trop honnête pour
accréditer des dogmes qui ont été faits par des hommes
et qu'une hiérarchie rigide a fini par fossiliser... mais le
scepticisme côtoyait l'espérance. Et cet être de qualité a
choisi de marcher pour elle jusqu'à en crever, tout en
portant la croix du doute. »

Il se penche vers son ami :

— Hyacinthe, ce sera l'amour, dit-il. Un amour fabu-
leux. Un soleil pour toujours, je te le promets.

Ces paroles semblent apaiser Hyacinthe, qui finit par
s'endormir.

Vincent et Rosine se retirent.

— Surveille-le, dit Vincent à Rosine. Et si son état empire, appelle-moi. De jour comme de nuit.

Rosine fait signe que oui. Elle est trop défaite pour parler. Elle se rend rapidement chez elle, emmène Victoire chez Denise, et regagne bien vite l'hôpital où elle prendra la garde de nuit.

Vincent rentre chez lui. Il trouve Lucchio vautré sur un sofa. Le garçon s'attend à une mercuriale paternelle, mais elle ne vient pas. Étonné, il regarde son père. Le visage est tendu, et en même temps empreint d'une extrême tristesse. Lucchio est ému :

— Ça ne va pas, Papa ?

Vincent se tourne vers lui. Il lui parle, mais comme s'il s'adressait à d'autres, tous les autres, les hommes :

— Il y a vingt-cinq ans, dit-il d'une voix sourde, plusieurs amis ont fondé Le *Cercle des Sculpteurs de destins*. Leur conviction était qu'on peut toujours façonner sa destinée à partir de ce qu'on a. Cela signifiait que ces garçons-là comptaient sur leurs capacités, bien sûr, mais aussi sur leur volonté et leur courage pour s'arranger des revers ou des blessures que la vie ne manquerait pas de leur infliger. Tous avaient un idéal. Plusieurs fois, ils ont dû modifier leur trajectoire, mais ils n'ont pas cessé de marcher vers leur but. L'un d'eux a atteint le sien, il l'a payé de sa vie. On peut dire qu'il s'est accompli dans la mort. Un second n'est pas loin d'en faire autant. Il mourra cette nuit ou demain.

Il ajoute à voix basse :

— Ce sont mes amis. Je te souhaite, mon garçon, autant d'authenticité, de saine bonne humeur — car ils étaient gais ! — et de courage que ces hommes en ont eu.

Lucchio est troublé et embarrassé. Il ne sait que répondre. Il vient poser la main sur l'épaule de son père et dit :

— Je vous aime, Papa.

Il est sincère. Vincent lui ébouriffe les cheveux et se retire dans sa chambre. Marie-Hélène est allée à un concert. Cela convient à Vincent. La tête sur l'oreiller, il réfléchit. Mais ça ne fait que conforter sa perception des choses. « Hyacinthe a été toute sa vie tiraillé entre le doute et l'espérance. Peut-on parler de conviction, d'ailleurs, dans ce cas-là ? Plus juste serait de dire que sa foi était habitée par deux entités. Il a choisi l'espérance, malgré le doute. Peut-on trouver plus belle fidélité que celle qui consiste à ne pas renoncer malgré l'incertitude ? C'est au-delà du courage, lucide et candide à la fois. Ce n'est pas héroïque. C'est sublime. » Il se demande avec dégoût si beaucoup de croyants acceptent de suivre cet itinéraire. « Que font-ils du doute, les croyants qui réfléchissent ? Enfouissent-ils cela au fond d'eux-mêmes en se disant qu'ils y repenseront un autre jour ? Ou s'en remettent-ils aux dires et aux commandements rigides d'une hiérarchie qui dispose d'un statut social trop valorisant pour se remettre en cause ? Dans ce contexte, l'itinéraire de Hyacinthe est grand. C'est un bel hommage à l'intelligence, et en même temps, un don inouï fait à la foi. »

Il est 4 heures du matin. Le téléphone sonne. Rosine est au bout du fil :

— Vincent, viens vite... Je crois qu'il va mourir.

— Prépare une seringue de morphine, indique Vincent.

— Je ne peux pas. Il faut que ce soit un médecin qui signe le bon de sortie de l'ampoule.

— Je signerai, dit Vincent, et je m'arrangerai avec Desurmont.

Quand il arrive à l'hôpital, un coup d'œil à la fiche accrochée au lit de Hyacinthe lui indique la température : 41°.

Hyacinthe est encore conscient :

— Mon vieux, lui dit Vincent, tu as un sacré accès de

fièvre. C'est fréquent dans ces maladies tropicales. Je vais te faire une piqûre qui va calmer tout ça.

Il prépare une seringue. Au moment où il s'approche de Hyacinthe, il reçoit le regard de son ami. La peur et la paix s'y côtoient.

Alors Vincent saisit le bras de Rosine :

— Dis-lui ton amour, murmure-t-il. Il faut qu'il soit dans l'amour pour partir.

Rosine s'approche du lit. Elle serre dans les siennes les mains de Hyacinthe. Elle tremble, mais son visage est beau de vérité.

— Lorsque je dis « Thadée », je pense : « Mon chéri. » Lorsque je dis « Hyacinthe », je pense : « Mon amour. » (Elle ajoute à voix basse :) Ça a toujours été ainsi.

Le visage de Hyacinthe se détend, se pacifie. Vincent injecte la morphine. Hyacinthe parle encore, avec une voix qui s'émerveille malgré la faiblesse : « d'une belle moisson... d'une paille dorée et d'un grain qui sera bon... »

Les dernières paroles seront donc celles du paysan qu'il a été. Elles sont venues prendre la place suprême du dernier mot au-delà de vingt ans de sacerdoce. Vincent réprime un sanglot : « C'est bien qu'il s'endorme dans son enfance... dans sa belle jeunesse. Il l'a mérité. »

Un quart d'heure plus tard, Hyacinthe expire sur l'épaule de son ami. Vincent lui ferme les yeux, repose la tête sur l'oreiller.

— Dieu, si Tu existes, je T'ordonne de l'accueillir. Dieu, je veux pour lui le plus plénier des bonheurs, car il T'a aimé sans être sûr de Toi. Dieu, je t'ordonne de Te manifester à lui... Prends-le contre Toi... et voue-lui le plus grand des amours, car ce petit paysan T'a aimé comme peu d'hommes savent le faire.

Rosine éclate en sanglots lorsque Vincent achève :

— Dieu, je T'en supplie, existe !

37

Les époux Librecht vont chaque jour sur la tombe de leur fils. Ils trouvent toujours un quart d'heure entre leurs tâches agricoles pour gagner le petit cimetière de Woincourt, environné de champs. Souvent, un adolescent au teint brun, aux cheveux ras, aux muscles durs, les accompagne. C'est Cyrille Librecht, le filleul de Hyacinthe et le fils de son frère aîné. Le garçon aimait beaucoup son parrain.

Aux obsèques de Hyacinthe, la famille a écouté l'homélie d'un archiprêtre. Le thème en était : « *La résurrection des morts au jour du Jugement* ». Les Librecht ont écouté en silence, mais Cyrille fronçait parfois les sourcils.

Puis un homme a succédé au prêtre. Il était mince, vêtu d'un complet gris. Il ne posait pas sur le cercueil un regard d'ecclésiastique. Mais il le regardait avec tant d'amour !... Le garçon brun l'a considéré attentivement. L'écoute est devenue, d'un seul coup, intense. Le silence aurait pu se toucher du doigt tant il était dense. L'homme a pris la parole :

« Mon ami Hyacinthe... » Et il a fait revivre le paysan avec son pantalon à côtes de velours, sa chemise sans col, et sa belle santé dorée. Il a évoqué les moissons, les foins légers et leur treillis vert, les labours gras de l'automne et la douce glaise qui recevrait le grain afin qu'il ne meure, puis tous les arbres en fleurs célébrant les prouesses du printemps. Et l'ami Hyacinthe allait et venait parmi ces décors saisonniers, à l'aise, adroit et gai. Et toutes les filles du village souhaitaient l'épouser.

Il a osé dire cela, et il a toisé un prêtre qui le regardait à ce moment.

Monsieur et madame Librecht pleuraient, car c'était bien leur garçon qu'il faisait revivre.

Quand il en est venu à la fin de son homélie, l'homme a quand même parlé de Dieu. Il a simplement dit que Dieu, s'Il existait, avait de grands devoirs d'amour envers Hyacinthe. C'est tout juste s'il n'a pas affirmé que c'était Dieu qui avait eu de la chance d'être aimé du jeune paysan.

Il est allé embrasser monsieur et madame Librecht qui l'ont remercié en pleurant.

Une vieille dame très frêle, très blanche, mais avec un regard de lumière, s'est levée pour embrasser Vincent :

— Tu as dit ce qu'il fallait dire. C'est bien, mon fils.

À la sortie, un jeune prêtre a parlé à Vincent. Celui-ci a hoché la tête, puis a rejoint Rosine :

— Ce prêtre vient de me dire que la mort est le bonheur d'être accueilli par Dieu... Mais comment être heureux d'être accueilli par quelqu'un qu'on ne connaît pas ? Tu comprends, s'Il existe, nous ne sommes pas calibrés pour Lui. Il est clair que je préfère être accueilli chez toi, par toi, Denise et ma petite Camille, que par Dieu... même si je blasphème.

Il a soulevé les épaules avec lassitude et conclu :

— Dieu, s'Il existe, est trop grand pour nous.

38

Aujourd'hui, 10 juillet 1933, Vincent noue une cravate de gala devant la glace. Un jeune homme se glisse près de lui : complet vert sombre à revers gansés, gilet de daim de même ton, cravate noisette à petit semis blanc, et des cheveux châtain doré fièrement brossés en pans épais : Lucchio est superbe !

— Papa, dit-il, ne soyons pas en retard. Maman nous attend en bas.

— Je suis prêt, dit Vincent.

Les cloches de l'église sonnent. Un quart d'heure plus tard, la petite église de Woincourt est pleine à craquer tandis que des fleurs blanches et roses emplissent le chœur. Toutes les têtes se tournent quand l'orgue retentit.

Qu'elle est belle la petite mariée que Victor, ému, conduit à l'autel ! Joséphine est une hampe de lilas blanc. Fraîcheur, grâce, bonheur parfumé. Elle épouse aujourd'hui Guillaume Theuret qu'elle a connu à la faculté. Il a passé le notariat. Il va reprendre l'étude de son père à Saint-Lô. Joséphine a souvent pensé : « Il sera notaire comme Ampé. » La licence de droit qu'a obtenue la jeune fille lui permettra de travailler avec son mari.

Guillaume l'attend. Sa haute silhouette reflète sa rectitude. Il suit avec émotion la lente montée vers l'autel de la jeune femme qui sera bientôt son épouse. Elle est ravissante et radieuse. Le même amour profond les unit. Ils sont d'accord sur la façon dont ils construiront leur avenir, conscients qu'une seule ombre entachera leur bonheur : le chagrin qu'aura Victor de voir partir sa fille. Déjà, ils ont élaboré ensemble les moyens d'atténuer cette peine : il y aura de longues et nombreuses lettres, des appels téléphoniques, des invitations à Saint-Lô. Joséphine sait combien ces manifestations de tendresse réconforteront son père. Ni Guillaume ni elle n'entendent vivre dans l'égoïsme.

La petite mariée est à quatre pas de l'autel. Sa main quitte le bras paternel. Victor sent une déchirure au fond de lui-même. Il sait qu'elle est définitive.

Debout à côté du père de Guillaume, Reine revoit son propre mariage. La même montée vers le chœur au bras de son père, l'alliance qu'elle a passée au doigt de Victor sans savoir qu'elle n'en était pas éprise ; et puis cet homme hiératique, qui est apparu dans sa vie ce même jour, et qui a paraphé son destin à jamais ! Les années ont passé depuis la carte d'Ispahan et aucune autre lettre n'a suivi. Igor a 16 ans. Mais Reine ne désespère pas de voir apparaître un jour celui qui détient les clefs de son bonheur. « Il le fera, pense-t-elle, au moment où il s'estimera autorisé à le faire. »

Le grand banquet commence. Reine revoit le cher oncle Irénée se levant pour contrer narquoisement monsieur Durieux : « Mon fieu, c'est pas comme ça que ça se passe. » Puis, tout soudain, l'oncle Irénée changeant de ton et disant : « Monsieur » à Helmut qui avait pris la parole entre-temps...

Les mariés découpent la pièce montée. On va bientôt danser. Reine regarde sa fille : « Elle a failli me prendre la vie, et après, comme pour s'en excuser, elle a cheminé près de moi sans faire de bruit. » Une bouffée d'émotion, faite de regret et d'attendrissement, lui noue la gorge. « Ma fille, comme je te souhaite d'être heureuse ! »

Le bal commence. Joséphine fait quelques pas avec Victor, Reine se revoit avec Romain. Joséphine est radieuse lorsque Victor la confie à Guillaume, comme il se doit. Reine n'a rien ressenti de tel quand son père l'a confiée à Victor. Cela n'a représenté pour elle qu'un détail de la cérémonie.

Les couples évoluent sur la piste à présent. Lucchio est le lutin de ce bal. Il engage des lambeth walk endiablés qui électrisent ses partenaires. Il survole par sa grâce tous les danseurs lorsqu'il s'agit d'une valse, et séduit chacun par son charme pétillant.

Reine a dansé avec le père de Guillaume, puis avec Victor. À présent, un peu lasse, un peu détachée de la liesse générale, elle s'adosse à un pilier de la salle et regarde sans les voir les danseurs qui évoluent. Soudain quelqu'un s'approche et dans un murmure :

— Je suis venu vous chercher.

En même temps, une main saisit fermement la sienne. Cette voix, cette main n'appartiennent qu'à un seul homme. Un vertige saisit Reine. Il lui semble qu'elle rêve quand elle se retourne. Il est là.

Ils se regardent mais savent que ce n'est pas le lieu où ils doivent se contempler ainsi. C'est pourquoi leur face-à-face est bref. Mais il est suffisant pour qu'ils en aient perçu la tonalité : leur échange a été radieux.

Helmut place un petit bristol dans les mains de Reine et referme ses doigts dessus.

— Les jardins d'Ispahan attendent leur Reine, dit-il. L'heure est venue pour elle de les rejoindre. Je l'y conduirai.

Il s'incline et disparaît.

Reine ouvre les mains et regarde le carton. Une

adresse y est notée : *52, square Foch — Lille,* et une date : *Demain, 15 heures.*

Le vertige saisit Reine à nouveau. Elle sait qu'elle aura bien du mal à accomplir ses devoirs de maîtresse de maison jusqu'à la fin du bal.

— J'ignorais qu'Helmut Meyer était invité, lui dit Victor qui la rejoint. Je ne savais même pas qu'il était de retour en Europe.

Reine ne sait trop ce qu'il faut penser de cette remarque. Sa tête est un manège où tournoient les émotions. Il n'a qu'une date : « *Demain, 15 heures* ». Puis apparaissent des bribes d'incertitude, si ce n'est d'inquiétude : « Que diront Victor et Igor lorsqu'ils sauront ? Et que dira Helmut quand il apprendra qu'il a un fils ? »

Au petit jour, la fête terminée, Victor et elle se retrouvent dans leur chambre. Victor se dévêt lentement. Il semble harassé, et l'on voit sur son visage une extrême tristesse. « Comme il a vieilli ! » se dit Reine.

La guerre, la brasserie qu'il a fallu relancer, le dur labeur pour créer des produits nouveaux, et à présent le départ de Joséphine, tout cela a fait vaciller le pauvre homme, lequel était pourtant solide en sa jeunesse.

Reine voudrait poser la main sur son épaule, lui dire quelques mots de réconfort. Mais elle a peur qu'il ne se méprenne. Elle ne sait pas s'il a compris qu'elle ne l'aime plus. Car ceux qui aiment devinent sans faille, dès lors qu'il s'agit de jauger la réciprocité.

Reine s'endort alors dans son capharnaüm d'idées jubilantes et d'interrogations. Elle ne sait pas que son mari attendra, les yeux grands ouverts, le lever du soleil.

Et ce lendemain est jour de grand soleil. Toute la nature semble en fête, et Victor éprouve durement de n'être pas au diapason d'un beau jour. Il prend son café seul, évitant de regarder la place vide de Joséphine. Reine n'est pas encore levée.

Vers 10 heures, elle boira un thé léger, puis se préparera avec passion pour être belle. Elle ne négligera aucun détail, fût-ce le plus minime. Elle a attendu dix-sept ans l'instant qui va venir. Il mérite qu'elle y pénètre dans l'apogée de sa beauté.

Elle est si lumineuse à table, dans l'harmonie des teintes dorées qu'elle a choisies, que Victor le remarque. Il ne dit rien, semble seulement un peu plus las.

Dès 14 heures, Reine est en route. Sa robe de tussor, la guimpe lumineuse et légère qui couvre ses épaules, les sandales de même ton font d'elle une sultane de l'été.

Quinze heures sonnent au beffroi de Lille lorsqu'elle gare sa voiture devant le 52 du square Foch. À sa grande surprise, il ne s'agit pas d'un hôtel. Dans un instant, elle s'en étonnera et Helmut lui dira :

— Il n'était pas question de donner à notre rencontre un cadre vulgaire.

Pour l'instant, elle regarde l'étiquette qui indique : HELMUT MEYER — 1ᵉʳ ÉTAGE. Elle sonne et entre. Elle grimpe l'escalier d'un pas léger, mais son cœur lui semble tintinnabuler tant il paraît disloqué en mille breloques. Il lui tend la main. Il l'accueille dans le petit appartement qu'il occupe. Et la magie commence. Dans la pièce tout est harmonie. Reine croit réentendre le poème :

> *Des meubles luisants,*
> *Polis par les ans,*
> *Décoreraient notre chambre.*

Un long moment, ils demeurent front contre front. Ils retrouvent tout ; ils réapprennent très vite le grain de leur peau, sa senteur, le parfum subtil et exquis qui les grise.

Ils ont tant de choses à se dire ! Dix-sept ans de séparation. Un avenir à construire. Ils ne parviennent pas à parler pourtant. Leur amour les dépasse et scelle leurs lèvres.

Leurs têtes reposent sur l'oreiller à présent. Ils sont main dans la main. Ils s'écoutent. C'est l'heure du verbe. Helmut raconte sa blessure à la jambe, le fémur et le tibia brisés, des éclats dans la chair... Puis la venue inattendue de brancardiers d'une unité américaine. L'attente dans une antenne chirurgicale, puis les Américains qui l'évacuent dans un navire sanitaire. Il est soigné, et fait prisonnier aux États-Unis. Sa captivité est courte car, dès la fin de la guerre, les Américains le libèrent. Helmut s'attarde quelque temps en Virginie qu'il évoque comme un petit éden. Douceur des courbes et des coloris des paysages. Cottages confortables enfouis dans une verdure paisible. La vie heureuse. En 1919, il reprend contact avec son frère cadet. Tacitement, ils concluent un accord : Siegfrid se chargera de la marche de la brasserie, de sa production, du lancement de nouveaux produits, de sorte que l'entreprise redevienne rapidement prospère. Helmut prendra en charge la réalisation d'un vaste projet : la commercialisation à échelle mondiale des bières Meyer. Son champ d'investigation : l'Europe, le Moyen-Orient et surtout l'Amérique.

— C'est là, conclut-il, que je vais vivre à présent. Et c'est pourquoi, maintenant que votre fille est mariée, je viens vous chercher, mon amour...

— Pourquoi l'Amérique ? demande Reine, qui pense à Igor.

Helmut devient grave. Il a du sérieux plein les yeux, du sérieux inspiré comme c'est le cas quand il parle de l'avenir :

— Ma petite chérie, des choses graves se passent en Allemagne. Hitler a les pleins pouvoirs et le national-socialisme est désormais le seul parti autorisé. J'ai lu son livre : *Mein Kampf*. Sa théorie : il existe une race supérieure, la race aryenne, allemande. Elle doit dominer le monde, et il faut la protéger de toute souillure que pourraient lui causer les races inférieures. Celles-ci doivent être exterminées. Au premier rang, les juifs.

Il ajoute à voix basse :

— ... Je suis juif. En avril Hitler à déclaré la journée officielle antisémite. Nous devons quitter l'Allemagne pendant qu'il en est encore temps. Nous avons déjà transféré les bières Meyer aux États-Unis, probablement à Richmond.

Il la regarde tendrement :

— C'est là-bas que nous vivrons.

Reine ne répond pas tout de suite. Toute sa pensée est occupée par Igor. Helmut se méprend :

— Vous craignez de faire du mal à Victor ? Je vous comprends... C'est un brave homme. Mais, mon amour, il a eu trente ans de votre vie. À présent que votre enfant est mariée, c'est bien mon tour.

— Il y a un autre enfant, dit lentement Reine.

Helmut sursaute :

— Vous avez eu un autre enfant de Victor ? Vous avez accepté ?

Reine pose un doigt sur ses lèvres :

— Je n'ai pas dit cela.

— C'est une adoption ? demande Helmut.

Reine le regarde profondément :

— Il est né le 1er janvier 1917. Il a des yeux bleutés, presque transparents. Il est très beau, et s'appelle Igor comme le commandant Helmut, Igor, Ludwig Meyer.

Helmut est bouleversé :

— Chérie, vous voulez dire qu'il est notre fils ?

Reine acquiesce :

— Oh ! Mon Dieu !... Le sait-il ?

— Non, dit Reine. Victor est rentré juste après votre départ. Sur le conseil de mon père, je n'ai rien dit de l'identité véritable de mon fils. Aussi a-t-il reçu naturellement le nom de Victor. « Durieux ».

Helmut réfléchit. Après un silence, il dit d'abord :

— Votre père a été sage. Personne ainsi ne saura que son père est juif. (Mais il ajoute tout aussitôt, et l'émotion empreint son visage :) Un fils, mon fils... Je veux le connaître.

Reine l'embrasse doucement :

— Chéri, j'aurais voulu l'élever dans notre amour... lui parler de vous... lui donner la fierté de son père de sorte qu'il aurait fini par vivre comme moi : formant des vœux chaque jour pour que vous soyez vivant. Mais ça n'a pas été possible.

Helmut l'entoure de son bras :

— Il est notre fils... Quoi qu'il décide, nous l'assumerons. Il faut qu'il sache. Quand me le présenterez-vous ?

— Ne pensez-vous pas qu'il vaut mieux que je l'avertisse avant ?

— Non, dit fermement Helmut. Son père et sa mère sont réunis à présent. Cette révélation, il faut qu'ils la lui fassent ensemble.

Trois jours après, accompagnée d'Igor, Reine prend la route de Lille.

— Où allons-nous, Maman ? Vous m'avez dit que c'était un jour très important pour moi.

Reine feint la gaieté :

— Tu le verras.

Elle regarde son fils à la dérobée. C'est un profil de médaille qui est près d'elle. Igor est un superbe adolescent. De port, de traits, de regard, il est racé. Mais le sérieux qui empreint naturellement son visage sait s'illuminer d'un sourire, ou même d'un fou rire, surtout lorsqu'il est en compagnie de camarades.

On s'arrête devant la Brasserie flamande. Helmut y a retenu une table dans un petit coin discret. En pénétrant dans l'établissement, Reine a l'impression que ses jambes ne la portent plus, que la fin du monde va arriver. Helmut se lève pour les accueillir.

— Chéri, dit Reine à Igor, voici monsieur Meyer. Nous avons tous les deux à te parler.

Helmut tend la main :

— Bonjour, Igor... Je m'appelle Helmut Meyer. Je suis allemand. Ta maman et moi avons quelque chose d'important à te dire. Mais auparavant, et bien que je ne te connaisse pas, il me faut rappeler une vérité. Ce n'est certes pas l'endroit, et tu es encore bien jeune pour l'entendre, mais je n'ai pas le choix... La condition d'homme est assez dure dans l'ensemble. Tu le découvriras en avançant en âge. Mais certaines valeurs aident grandement à vivre, et même magnifient la vie. L'amour authentique entre un homme et une femme est au nombre de ces valeurs. Il donne aux deux êtres qui l'éprouvent un bien inestimable : le bonheur durable. Rien au monde ne peut briser ce bonheur lorsqu'il s'instaure. Il résiste aux épreuves de la vie. Voici à présent ce que nous voulons te révéler, ta mère et moi : il y a bien longtemps, en 1905, le destin nous a fait nous rencontrer... Je dis le destin, car rien, absolument rien, ne nous avait préparés à cette rencontre, puisque j'ai vu ta maman pour la première fois le jour de son mariage. J'ai su tout de suite que je l'aimerais pour la vie.

Le visage d'Igor se crispe. Helmut lui fait face et offre à son fils un regard plein de gravité. Igor ne peut se méprendre : cet homme ne plaisante ni ne ment. Helmut poursuit :

— Naturellement, il n'était pas question pour moi de perturber la vie de ta mère et de rompre l'engagement qu'elle avait pris. Je me suis éclipsé... Quelques mois ont passé. Et, à nouveau, le destin a croisé nos chemins. Nous nous sommes revus au cours d'un bal où nous étions invités. Si peu que nous nous soyons dit, nous avons compris que nous nous aimions et que ce lien était définitif... Les années ont encore passé... Puis la guerre est arrivée. En 1916, le destin a voulu que je sois nommé à la Kommandantur de Douai. J'en avais le commandement. Je n'avais pas revu ta maman depuis dix ans. Je l'aimais toujours... Pourtant, je n'ai pas cherché à la revoir... Et puis, un soir, elle est venue à la Kommandantur. Elle était affolée. Ta tante, Luce, allait être fusillée car elle faisait de la propagande anti-allemande. Ta mère ne savait pas que le chef de la Kommandantur, c'était moi. Nous avons été, l'un et l'autre, bouleversés de nous revoir. Dès l'instant où ta maman a formulé sa demande, j'ai su que je libérerais ta tante. Mais je ne l'ai pas dit. Je me suis raidi dans une attitude militaire, pour m'en tenir au comportement de rigueur chez un officier, et parce que je n'étais plus sûr, après tant d'années, que ta maman m'aimait encore. Elle est partie. C'était une nuit d'hiver froide et pluvieuse. Elle a couru vers sa voiture, désespérée, et moi, je suis remonté lentement vers mon bureau, effondré de remords. Pourtant le même refus nous a soulevés : le refus de nous perdre pour la vie. Elle a fait demi-tour, elle a couru. J'ai descendu précipitamment les escaliers de la Kommandantur. Le même élan nous portait... Elle s'est jetée dans les bras que je lui ai tendus. À partir de là, rien au monde, non, rien, ne pouvait arrêter le bonheur de cet amour qui pouvait enfin se révéler. Tu es né... Tu es notre fils, Igor, et quoi que tu penses de ces événements je peux te dire que tu es béni, car tu es l'enfant d'un grand amour.

Igor est très pâle. Il y a un long silence, puis il dit d'un ton sec :

— Et pendant ce temps, mon père se faisait trouer la peau.

— Ton père, et moi aussi, qui ai été gravement blessé ensuite, et des millions d'autres avec nous. Pas plus que nous, ils n'ont voulu la guerre. Ce sont nos gouvernants qui nous l'ont imposée. Après, nous avons été contraints d'obéir.

Il ferme les yeux comme s'il revoyait les hallucinantes années de guerre. Il dit sourdement :

— Vois-tu, Igor, si des millions de soldats morts pouvaient revivre, tant allemands que français, ils avoueraient, j'en suis sûr, qu'ils ne voulaient pas donner leur vie. C'est parce que je crains beaucoup que ce conflit ne se renouvelle, que l'Allemagne ne prenne une terrible revanche sur l'Europe, que je vais aller vivre aux États-Unis. À présent que Joséphine est mariée, j'ai demandé à ta maman de me suivre. Lorsque j'ai formulé cette demande, j'ignorais que tu existais. Mais maintenant que te voilà, je dis que je serais heureux que tu viennes poursuivre ta vie près de nous, tes parents. Cependant, j'imagine parfaitement tout ce que tu dois éprouver.

— Mon père a perdu Joséphine... Il va maintenant perdre Maman. Et vous me demandez de l'abandonner, moi aussi ?

Helmut le regarde profondément :

— Je comprends tout... Je comprends que tu appelles Victor ton père. C'est justice : il t'a aimé, il t'a élevé, il t'a nourri. La solitude qu'il va connaître te révolte. Je voulais seulement que tu saches que tu es mon fils, et que, comme tel, je t'aime immensément, mon garçon.

Igor se lève pour marquer la fin de l'entretien. Il dit seulement :

— Vous partez quand, en Amérique ?

— Je ferai de fréquents retours en Europe, dans un premier temps. Mais dans deux ans, ce sera le départ définitif.

Igor hoche la tête et ne prend que du bout des doigts la main que lui tend Helmut. Cependant, son regard ne se dérobe pas. Helmut ne s'y trompe pas. C'est une forme d'hommage.

Dans la voiture, Reine n'ose pas parler, ni même regarder son fils. C'est lui qui prend la parole, et ce qu'il dit est inattendu :

— Arrêtez-moi chez Lucchio, Maman, s'il vous plaît.
S'il est là, je reste chez lui...

Reine obtempère sans oser demander plus d'explications. Les voici devant la maison de Vincent. Igor descend promptement, sonne et entre. L'instant d'après, une fenêtre s'ouvre. Un bras dépasse et fait un signe d'au revoir. Reine entend :

— Je reste avec Lucchio pour la soirée. Je reviendrai demain.

Les deux cousins sont seuls. Lucchio est rieur, comme à son habitude :

— Qu'est-ce qui t'amène, vieux frère ?

Igor ne répond pas, mais formule une demande qui surprend Lucchio :

— As-tu quelque chose à boire ? Quelque chose de fort ?

Lucchio est sidéré :

— Quoi ? De l'alcool ! Toi qui n'en bois jamais !

— Et même un alcool bien fort.

Lucchio est ravi. Il saute sur ses pieds et annonce :

— Je vais cambrioler le bar familial.

Il s'achemine vers le salon avec ces yeux de gentleman voyou qu'on lui voit si souvent. Il revient avec deux verres emplis d'un liquide ambré. Il en tend un à Igor :

— Un bourbon pour Monsieur.

Igor fixe pensivement son verre puis se lève :

— Je bois à mes deux pères, dit-il.

Lucchio le regarde, surpris, mais se tait. Très vite, une boutade lui vient aux lèvres parce que la gaieté lui est naturelle :

— Et moi, je bois à mon demi-père : mi-aimable, mi-grognon. Ce n'est pas mal non plus.

D'un seul trait Igor vide la moitié de son verre, et éclate de rire :

— Je bois à la dérision, dit-il, en faisant cul sec.

39

— Je ne vieillirai pas avec lui !

Cette déclaration est lancée par Mariette, la sœur cadette de Luce. Lui, c'est Raoul, son mari, qu'elle a cependant épousé avec ferveur voilà vingt ans. Luce se souvient de ce que Reine et elle craignaient à l'époque : que leur sœur ne soit amoureuse de l'amour, plus que d'un homme.

Ce fut bien le cas pourtant. Et cet enthousiasme s'est évaporé avec le temps.

Mariette en est là. Elle boit nerveusement le café que Luce lui a servi. Sa tignasse bouclée, toujours couleur de châtaigne, où se perdent maintenant quelques cheveux blancs, semble presque hirsute. Mariette est venue sous l'effet d'un trop-plein.

— Il est bête, dit-elle, parlant de Raoul. Et il ne fait rien pour se cultiver. À présent que les enfants vont à l'école, c'est autour de moi qu'ils se groupent.

Luce remarque en silence la voix coupante de Mariette. « Elle est devenue maîtresse du foyer, pense-t-elle. Elle tranche, elle est sûre d'elle. Elle doit certainement influer fortement sur les enfants. Ce n'est pas seulement en raison de la personnalité falote de Raoul qu'ils se resserrent autour d'elle mais parce qu'elle porte la culotte. »

— Qu'est-ce que tu envisages ? demande Luce.

Mariette est mal à l'aise et irritée de l'être :

— Je n'en sais rien... Le divorce, c'est compliqué et mal vu. Je n'en veux pas. Mais la séparation, quand les enfants seront grands, oui...

— Ça fait encore du temps. Ninon n'a que dix ans.

— Oui... Eh bien... c'est comme ça. Je vais devoir attendre. Tant que j'aurai les enfants, ça ira. Ils me comprennent, et ils se rendent bien compte de la nullité de leur père. On forme un clan, tu vois. Il y a nous, et Raoul.

Luce pense que Raoul doit certainement souffrir de cette solitude. Mariette n'en a cure, ne s'en rend même pas compte, semble aussi avoir oublié que c'est elle qui a voulu l'épouser malgré les mises en garde de ses parents. Tout est focalisé sur le dégoût de son mari et sur le fait qu'elle lui impute la responsabilité de la situation.

— A-t-on idée d'être aussi nul, dit-elle, et de ne rien faire pour s'améliorer !

Soudain elle éclate en sanglots :

— Tu m'aideras, Luce, hein ? Tu m'aideras... Maintenant que Ninon va à l'école, je vais pouvoir venir plus souvent. Parler, ça fait du bien, ça soulage. Surtout avec Maman et toi.

Luce fronce les sourcils :

— Chut ! Maman dort, ne la réveille pas. Elle est trop âgée maintenant pour partager les tensions d'un couple.

De fait, dans la pièce d'à côté où les stores tirés laissent passer une douce lumière rose, Églantine se repose. Elle est si frêle, si arachnéenne dans sa minceur qu'elle semble prête à s'envoler. Cependant, le visage n'a rien perdu de sa grâce. Il a toujours le regard délicat, lumineux, bienveillant qu'elle donne à ses interlocuteurs. Avec ses 84 ans, Églantine est une rose fragile, mais pleine de charme. « Comment faites-vous ? » dirait Romain s'il était là.

— Tu peux venir, dit-elle à Mariette avec fermeté, à l'heure de la sieste, lorsque Maman dort. Mais je ne veux pas qu'elle soit mêlée à tout ça.

Mariette acquiesce en se tamponnant les yeux. Elle renifle, se mouche, et décide de rentrer chez elle.

— J'ai besoin de toi, Luce. J'ai besoin d'être encouragée.

À peine est-elle partie que surgit Vincent. Il est accompagné de Lucchio qu'il tient fermement par le bras. Luce remarque tout de suite que son frère est nerveux :

— Tiens, dit-il, en désignant Lucchio, je te le confie. Je le boucle chez toi pour deux mois ! Monsieur a encore échoué au bac ! Il doit repasser en septembre. Tu me le visses, Luce, et tu le mets au travail : algèbre, trigo, latin, histoire, géographie, il faut qu'il revoie tout avec toi. Il ne sait les choses qu'à moitié. Pas de sorties. Je ne veux pas le revoir avant septembre. Et s'il lui reste du temps le dimanche, tu l'envoies chez les Librecht. Ça lui fera les côtes de travailler un peu et de se salir les mains.

Il part, sans se retourner. Luce regarde la voiture s'éloigner, repense à la visite de Mariette, et soupire :

— Ils me mettent leurs problèmes sur le dos comme des dalles !

Vincent ne quitte pas tout de suite Woincourt. Il se gare près de l'église et emprunte un petit sentier qui longe les champs. Il savoure les odeurs agrestes qui en émanent. Au passage, il cueille un coquelicot. Et c'est avec cette fleur à la main qu'il entre au cimetière.

— Un petit cœur, symbole d'un grand cœur, dit-il, en posant la fleur sur la tombe de Hyacinthe.

Dans le cimetière, règne la paix. La tombe de Hyacinthe est à l'ombre, au pied d'un saule. Vincent la regarde longuement. Il ne parvient pas à formuler une prière.

— Ô Hyacinthe ! Le meilleur de mes amis, et l'homme le plus authentique que j'aie connu avec Thadée. Ô mes Sculpteurs magnifiques, comme vous me manquez !

Il couvre la tombe d'un tendre regard. C'est alors que le saule bruit doucement. Un simple passage de la brise dans son feuillage. Une sorte de petite langue de lumière se pose sur la tombe. Et Vincent tressaille. Les villageois lui ont dit un jour : « À une certaine heure de la journée, quel que soit le temps, il y a un petit ovale de lumière sur la tombe de Hyacinthe. Quand le temps est gris et qu'il pleut, c'est une simple tache claire. Mais elle est là. » Vincent est sidéré. Il fouille intensément dans sa mémoire pour retrouver des souvenirs évangéliques qui puissent donner un sens à ce fait. Les larmes lui jaillissent des yeux :

— Ô Hyacinthe ! La Pentecôte ! Les langues de feu au-dessus des apôtres leur donnant le don des langues et leur indiquant leur mission. Ô Hyacinthe ! Ta Pentecôte ? Est-ce possible ? Je te voudrais dans le royaume de Dieu. Ô Hyacinthe ! Dieu nous aimant à travers les hommes, est-ce à moi que tu le confies, aujourd'hui, parce que je viens de comprendre ce qu'il me restait à savoir de toi ? Mon humble et cher ami, glorieux en ta Pentecôte, je te donne mon accord. L'amour passera à travers elle, en ton nom et celui de Dieu. Il existe puisque tu es si éblouissant aujourd'hui que tu te manifestes.

Il se penche, pose un fraternel baiser sur la tache de lumière, et dit dans un souffle :

— Ta vie est justifiée et tu es pleinement heureux. C'est ce que je voulais pour toi.

Bien loin de Woincourt, Reine et Helmut ont embarqué sur un bateau au départ de Marseille. Ils regardent la ville incendiée par la lumière. Reine est inondée de soleil et prise dans le tournoiement d'un grand bonheur. Dans les bras d'Helmut, son bonheur confine à la magie.

« Les bateaux pour l'Amérique ne partent pas de Marseille, mais du Havre. Vous me cachez notre destination depuis notre départ. Avec vous, j'irai jusqu'au bout du monde... Alors où m'emmenez-vous, mon chéri ?

Debout derrière elle, Helmut murmure :

— Vous avez raison. Nous n'allons pas tout de suite en Amérique. Nous faisons un détour avant.

— Mais où ? »

Et tandis que les amarres sont larguées et que le navire commence à glisser doucement vers l'horizon, Helmut reprend, comme une incantation, le poème d'une certaine nuit. Son petit accent semble donner aux vers un rythme qui convient à leur beauté envoûtante :

> *Mon enfant, ma sœur,*
> *Songe à la douceur*
> *D'aller là-bas vivre ensemble !*
>
> *Aimer à loisir,*
> *Aimer et mourir*
> *Au pays qui te ressemble !*
>
> *Des meubles luisants,*
> *Polis par les ans,*
> *Décoreraient notre chambre.*
>
> *Les riches plafonds,*
> *Les miroirs profonds*
> *La splendeur orientale,*
>
> *Tout y parlerait*
> *À l'âme en secret*
> *Sa douce langue natale*[1].

---

1. Baudelaire, *L'invitation au voyage.*

Au mot « orientale », Reine comprend la destination du voyage. Elle pleure et ce sont des larmes de joie.

— Vos larmes, murmure Helmut, sont des perles. Ma très chérie, Ispahan les attend.

Ils resserrent leur étreinte. Reine revoit ses adieux à Igor. Elle les appréhendait, les craignait tragiques.

Mais le destin a décidé à la place de son fils. Et c'est sous un bicorne de polytechnicien crânement porté que le jeune Igor de 18 ans lui a dit :

— Il faut que je fasse mes trois ans, Maman, si je veux sortir diplômé de l'École. Après, on verra...

Il a soulevé malicieusement les épaules en disant ces derniers mots, les délivrant l'un et l'autre d'un choix qui eût été déchirant. Helmut a admiré sans réserve cette entrée à Polytechnique à un aussi jeune âge. Victor a regardé longuement le garçon, puis il s'est levé et lui a tendu la main : « Bravo ! » Dans le cœur d'Igor, ce mot-là a compté autant que les félicitations de ses maîtres.

Reine décachette maintenant une lettre de Joséphine qu'elle a reçue juste avant le départ :

— Oh ! dit-elle en parcourant le texte.

— Un problème ? demande Helmut.

— Non, dit-elle. Au contraire. Lisez plutôt.

Saint Lô, le 8 juillet 1935

Maman chérie,

Guillaume et moi ne voulons pas tarder à vous annoncer l'événement qui enchante notre vie : nous allons avoir un bébé. Il naîtra pour Noël. Ce sera pour nous le plus merveilleux des cadeaux. Nous avons déjà choisi ses prénoms : si c'est un garçon, il s'appellera Romain, comme Ampé. Si c'est une fille, j'aurais voulu lui donner le prénom d'Églantine car je le trouve si beau ! Mais je ne peux pas prendre les deux prénoms de mes grands-parents. Il faut aussi penser à la famille de Guillaume. Nous l'appellerons donc Judith. C'est le deuxième prénom de la maman de Guillaume. Maman chérie, vous ne serez pas là, bien sûr, à la naissance. Votre départ sera trop récent pour que vous reveniez. Mais nous vous avertirons tout de suite, et nous vous enverrons des photos de notre petit ange.

Mille baisers de votre : Joséphine.

« Notre petit ange... » Reine pense à la consternation pesante qui l'a envahie quand elle s'est sue enceinte de Joséphine. En aucun cas, et à nul moment, elle n'a pensé en ces termes à l'enfant qu'elle attendait... Un sentiment de honte assombrit ses yeux et Helmut, toujours attentif, s'en aperçoit :

— Qu'y a-t-il, chérie ?

Reine se confie. D'une voix douce et ferme Helmut veut la rassurer :

— Il ne pouvait en être autrement. Vous ne vous attendiez pas à une grossesse aussi rapide. Et vous étiez si jeune ! Puis vous n'aimiez pas Victor. Vous l'aimiez bien, mais vous n'en étiez pas éprise. Me tromperais-je en disant qu'à cette époque j'étais déjà dans votre cœur ?

— Oui, dit Reine. Il y avait eu le bal... Vous m'aviez donné la rose... Je ne savais pas encore que je vous aimais, mais quelque chose en moi voulait que ma vie ressemble désormais à votre univers.

— Chérie, dit Helmut, les chemins des hommes sont complexes. Certains se rejoignent car ils se croient compatibles, puis ils se séparent. La vérité, c'est qu'on n'a pas trouvé sa voie définitive tant qu'on n'a pas rencontré l'être de sa vie : que ce soit Dieu, une personne, ou une cause qui représente pour soi autant qu'un être aimé.

— Et quand on rencontre l'être de sa vie et qu'on n'en est pas aimé ? demande Reine. (Elle ajoute tout bas :) Je pense à Victor.

Elle se répète les dernières phrases qu'il lui a dites lorsqu'elle lui a annoncé leur prochaine séparation. Infiniment las, infiniment triste, le teint gris des vaincus sur le visage, il a répondu : « Je suis un ancien combattant de la guerre comme de l'Amour... Je n'ai gagné ni l'une ni l'autre... » Reine aurait voulu lui expliquer qu'il était un brillant brasseur et un inépuisable puits de tendresse pour ses enfants. Mais il y avait sur son visage un tel harassement, un tel sentiment de défaite qu'elle n'a rien osé dire.

— Ma chérie, répond Helmut, je parle d'un amour réciproque.

Le soleil se couche à l'horizon. Après cette journée superbe, il semble qu'il déverse sur la mer une encre rouge.

Deux jours plus tard, dans l'arrière-salle d'un café lillois, un jeune homme s'active. Il repousse les tables contre les murs, place les chaises de façon à former un cercle, et pense à la péroraison qu'il fera dans un instant.

— Marraine, a-t-il dit à Luce auparavant, laissez-moi sortir ce soir. C'est important. Je vous jure que je rentrerai demain matin.

Luce a consenti. Le garçon relit le papier qu'il a envoyé, il y a quelques jours :

Avez-vous entendu parler des Sculpteurs de destins ? Moi, oui. Et si je ne me trompe pas, quelqu'un de votre famille en a fait partie. Alors, je vous invite à nous rencontrer le 22 juillet, à 18 heures, dans l'arrière-salle du Café des Lampions.

Salut à tous

LUCCHIO VANBERGH

314

Des adolescents s'acheminent vers le café et ne tardent pas à arriver. Lucchio les accueille chaleureusement :

— Avant d'ouvrir la séance, dit-il, je propose qu'on se présente. Je m'appelle Lucchio Vanbergh. Mon père a fait partie des Sculpteurs de destins.

Une fillette, presque adolescente, le regarde intensément :

— Je suis Camille Desruelle, dit-elle. Ma mère est l'amie des Sculpteurs de destins.

— La mienne aussi, dit une jeune fille. Et mon père faisait partie des Sculpteurs. Il est mort. Je suis Victoire Cikowski. C'est moi qui ai demandé à Camille de venir.

— Mes parents n'ont pas fait partie de ce Cercle, dit une autre fille, mais les Sculpteurs m'ont offert des vacances quand j'étais petite et que je souffrais d'anémie. Plus tard, un Sculpteur a sauvé la vie de ma petite sœur. Je m'appelle Maria Duvinage.

— Ma grand-mère est une amie des Sculpteurs, dit un adolescent. Toute sa vie, elle a été ouvrière en filature. Elle appréciait beaucoup ce groupe de copains. Je m'appelle Roger Vantorpe. Je suis le petit-fils de Rosalie. C'est Victoire qui m'a conseillé de venir.

Un grand garçon brun, au teint foncé et au corps élancé se manifeste :

— Je suis le neveu et le filleul d'un Sculpteur. Je m'appelle Cyrille Librecht. Mon oncle était prêtre. Il est mort.

La porte s'ouvre, et Lucchio se fait emphatique pour accueillir l'arrivant :

— Et voilà le plus illustre d'entre nous, dit-il. Il n'a rien à voir avec les Sculpteurs, mais je l'ai invité parce qu'il est mon cousin. Mes amis, voici le polytechnicien Igor Durieux.

Un dernier garçon se présente alors. Ses cheveux

blonds sont coupés en brosse et sa peau hâlée indique qu'il vit en plein air :

— Je suis le fils d'Augustin Pétrée, dit-il. Mon père est Sculpteur de destins. Ce doit être un des derniers survivants avec le docteur Vanbergh. (Il s'assoit :) Il est ébéniste à Woincourt. Les meubles qu'il fait sont beaux. Et moi, je m'appelle Dimitri.

— Mes amis, dit Lucchio, comptons-nous. Nous sommes huit. Nous pouvons à notre tour former un Cercle. Quelqu'un connaît-il la philosophie des Sculpteurs ?

— Oui, dit Cyrille. Ils croyaient qu'on peut façonner son destin. Faire avec ce qu'on a pour parvenir à son but, sans dévier.

— Mais ça prend toute une vie, ça ! dit Lucchio. Mes amis, je vous propose une trajectoire plus rapide, plus osée, plus chatoyante. Nous serons « Le Cercle des Créateurs de l'aube ».

Igor se passe la main dans les cheveux :

— Qu'entends-tu par là ?

— Vivre au jour le jour, mais s'efforcer d'y créer quelque chose de beau, de vivant, d'original, *pour que chaque jour compte.* Il s'agit, explique-t-il, d'embellir la vie mais autrement que sur le long terme. Il faut d'abord briser les carcans qui l'enserrent : les grands idéaux, la fidélité sans faille, les longs projets... Tout cela est du parcours de méhariste dans le désert, à dos de chameau. Nous, nous ne voulons pas attendre... Nous sommes des chats futés, nous avons des bottes de sept lieues. Nous ne traînerons pas. Puis, il faut nous libérer des traditions, des dix commandements, des uniformes, que sais-je ! Nous y veillerons. Sans nous tracasser du lendemain. L'inattendu sera notre pain quotidien.

Ils l'écoutent, déconcertés, mais déjà charmés :

— Vous savez, dit Lucchio, on peut faire chanter une alouette sur chaque jour qui passe. Il suffit d'une merveille : une trouvaille, une musique, un exploit, un beau texte... Nous le ferons. Tenez, je commence.

Et d'une voix de héraut, il énonce : « *Il y aura des trèfles d'émeraude et des poulains noirs dans les prairies des songes.* »
Suit un silence un peu déconcerté. Et puis, Roger Vantorpe enchaîne :

— *Et ils feront des carrousels les soirs de lune.*

— *Ils trouveront un jour, dans les hautes herbes givrées, la clef des Mystères Immenses,* dit Victoire. *Ce sera le jour où la lune sera blanche.*

— *Elle les mènera chez Dieu !* tonne Igor.

— Rire pour ne pas pleurer, rugit Lucchio. Bravissimo ! Mes amis, à nous la jeunesse, à nous l'instant, à nous la vie.

Ils s'entre-regardent et sourient, conquis. Leur jeunesse fait le reste, et aussi le sentiment qu'ils sont les héritiers des mêmes aînés, lesquels, sans le savoir, les ont voués à se connaître un jour et à s'unir.

— Le Cercle des Créateurs de l'aube est fondé, annonce Lucchio, ému.

Il a vraiment l'impression d'être lui-même à cet instant, de faire ce pour quoi il est né.

Cyrille Librecht n'émet qu'une petite réserve :

— Le jour à jour, le libre cours, c'est beau, dit-il, c'est même captivant. Mais si nous en perdions nos repères ? Je veux dire : si l'un de nous s'en trouvait un jour déboussolé...

Lucchio élève gravement la main :

— Aucun risque, dit-il. Je connais le remède en ce cas. Car nous disposons d'une gardienne des repères. Un être de grande sagesse. C'est ma tante Luce. S'il arrivait que l'un de nous se perde, il retrouverait sa voie à son contact.

— C'est vrai, dit Cyrille Librecht, je la connais.

— Alors, c'est joué, dit Lucchio radieux. Nous nous retrouverons ici dans un mois. Le 22 août.

Ils se séparent, encore étonnés mais ravis. Un grand avenir lumineux semble poindre à l'horizon.

À ce moment-là, à Woincourt, Luce lit le dernier paragraphe d'un livre traduit du chinois. Il y est dit : « On envahira, semble-t-il, l'espace laissé par Dieu pour des êtres d'une générosité sans limites. En eux, tous les repères. Ceux de la vérité et ceux de la sagesse. Ils seront des boussoles aptes à indiquer les voies de l'harmonie. En eux, des capacités d'écoute immenses. Ceux-là seront des outres nourricières. Ils ne le sauront pas car beaucoup s'abreuveront à eux, le temps d'un désespoir, et puis regagneront la multitude en oubliant de remercier. Ils ne le sauront pas car beaucoup jalouseront la grande beauté de leur âme et la lapideront de leurs perfidies. Indispensables, salvateurs et harassés, ils seront. Tel sera leur destin. Peut-être les mènera-t-il, au terme, vers un coin du ciel où brille l'étoile d'or des élus. »

Luce Vanbergh ne sait pas encore qu'elle est de ceux-là.

*La composition de cet ouvrage
a été réalisée par Nord Compo
à Villeneuve-d'Ascq,
l'impression et le brochage ont été effectués
sur presse Cameron dans les ateliers
de **Bussière Camedan Imprimeries**
à Saint-Amand-Montrond (Cher),
pour le compte des Éditions Albin Michel.*

*Achevé d'imprimer en février 2002.
N° d'édition : 20418. N° d'impression : 020693/4.
Dépôt légal : mars 2002.*

Ville de Montréal

N I Q

**Feuillet
de circulation**

À rendre le

08 OCT. 2002   02/08/2005

01 NOV. 2002

12 NOV. 2002

23 NOV. 2002

03 DEC. 2002

11 JAN. 2003

20 JAN. 2003

17 FEV. 2003

01 MAR. 2003

26 MAR. 2003

14 OCT. 2003

1-12-2003

13 JUIL. 2005

06.03.375-8 (05-93)